国学经典

容斋随笔

[南宋] 洪迈 著

王兴亚 注译

中州古籍出版社

容斋随笔

前 言

《容斋随笔》是宋人洪迈撰写的一部著名笔记,是宋代也是中国古代笔记中的精髓。

洪迈字景卢,号容斋,别号野处,宋饶州鄱阳(今江西波阳)人。他出生在一个官宦家庭。父亲洪皓,出身进士,先在地方上做官,在战乱频仍的南宋高守建炎三年(1129年),擢徽猷阁待制,假礼部尚书,出使金国,被扣留十五年始返,以其威武不屈的情操,致力于民族团结的追求,深得世人称赞,当朝高宗皇帝把他与汉代的苏武相媲美。唯因不依附于权臣秦桧,被贬岭南。他学识渊博,著有《帝王通要》、《松漠纪闻》、《鄱阳集》等。

洪迈兄弟三人。大哥洪适,二哥洪遵,才华横溢,同时考中博学鸿词科,既是朝廷命官,又是知名学者。洪适官至尚书右仆射,同中书门下平章事,兼枢密使。著有《隶释》、《盘洲文集》,在金石学上颇有造诣。洪遵官至同枢密院事、资政殿学士,通晓宋朝翰苑故实,在钱币学上有所建树。

洪迈自幼聪明好学,不仅能目数千言,而且过目不忘,绍兴十五年(1145年)中博学鸿词科,开始步入仕途,先在地方上任两浙转运司干办公事。入为敕令所删定官,因其父洪皓遭秦桧排挤而受牵连,出为福州教授。洪皓自金返回时,他正在知饶州任上。为侍奉父母,他辞去官职。二十八年(1158年)葬父之后,召为起居舍人、秘书省校书郎,兼国史馆编修官、吏部员外郎,后为枢密院检详诸房文字。三十二年(1162年)春,金世宗完颜雍遣使议和。朝廷欲遣使赴金报聘,迈慨然请行。于是以翰林学士名义充贺金国主登位使。至金国燕京,不屈服于金人的胁迫,正气凛然。万万没有料到,回朝后,竟以"使金辱命"被劾罢官。孝宗乾道二年(1166年),知吉州(今江西吉安),后改知赣州(今江西赣州),重视教育,建学馆,造浮桥,便利人民,后又徙知建宁府(今福建建瓯)。孝宗淳熙十一年(1184年)知婺州(今浙江金华),大兴水利,修筑公私塘堰及湖泊八百三十七所。后孝宗召对,建议于淮东严屯兵,益戍卒,扩充水军,加强守备,以抗击金兵来犯,得到孝宗赞许,进敷文阁直学士,直学士院。十三年(1186年),拜翰林学士、知制诰兼修国史。历焕章阁学士,知绍兴府,进龙图阁学士。宁宗嘉泰二年(1202年)以端明殿学士致仕。未久,故世,卒年八十,赠光禄大夫,谥文敏。平生勤于笔耕,著述宏富,主要著述有《四朝史记》、《四朝列传》、《钦宗实录》、《史记法语》、《经子法语》、《万首唐人绝句》、《容斋诗话》、《夷坚志》等。这里所说的《容斋随笔》,则是他撰写的笔记中的一种。

《容斋随笔》是个总名,其收录的内容包括《随笔》、《续笔》、《三笔》、《四笔》、《五笔》五个部分,又名《容斋五笔》。之所以以"随笔"定名,就在于它是撰者随手写下的读书笔记。用洪迈自己的解释是:"余老去习懒,读书不多,意之所之,随即记录,因其先后,无复全次,故目之曰随笔。"

这部著作的撰写是从绍兴三十一年(1161年)开始的,直到他病逝,还未能全部完稿。先后经历了四十年的时间。根据洪迈自叙推算,《随笔》部分用了十八年的时间,《续笔》用了十三年,《三笔》五年,《四笔》不到一年,写至第十卷,他便离开了人世。从《四笔》落定到此大约五年时间,这就是《五笔》的写作年代。前四笔均为 16 卷,《五笔》10 卷,未能实现预定目标。五笔共 74 卷,1230条。可见,该书集腋成裘,汇集的是洪迈四十年的研究成果,也是他留给世人的最后一部精品著作。

该书成书后,由于内容丰富,格调高雅,评论精湛,既闻名于当世,又影响久远。宋人何异曾经称赞它:"可以稽典故,可以广见闻,可以证谬误,可以膏笔端。"明人李翰称赞它:"可劝可戒,可喜可愕,可以广见闻,可以证谬误,可以袪疑二,其于世教,未尝无所裨益。"他以自己的读后感受告诉世人说:"予得而览之,大豁襟抱,洞归正理,如济明堂,而胸中楼阁四通八达也。"《四库全书总目》的纂修者将它放在宋代同类著述中进行考察,认为它是南宋笔记小说之冠。此书所以博得人们的厚爱,简言之,大凡有以下三个原因。

一是内容丰富,信息量大。洪迈承袭父兄之业,学识渊博,身居史职,有聚天下之书的机遇,又有有志于治学的抱负,这种抱负驱使他勤于治学。是书取材广泛,不仅从聚天下之书中博取各种文献资料,又重视耳闻目见与实际考察获得的资料,还注意从地下出土的考古资料中选辑精华。其内容之丰富,为同类著述中所罕见。《四库全书总目》概括该书的内容说:"书中自经史诸子百家,以及医卜星算之属,靡不引证详洽。"用今天的话来说,内容包罗万象,无所不有,真可称为一部小型百科全书。既有对王朝更替、治乱兴衰、制度沿革、官场见闻、社会风尚、轶闻趣事的记述;又有去伪存真的史实考订,以及对历史事件和历史人物、诗文名著的评论,乃至对天文、地理、卜医之言的钩稽,有对中原文化的阐述,也有对边疆少数民族文化的描绘,还有对人们共同关心的种种问题的思考,并以严密的思虑,做出了许多精辟的分析和发人深省的见解。

二是立论新颖,评论精彩。中国古代的典籍浩如烟海,如何从中选取精华,并不是一件容易的事。洪迈在撰写此书过程中,首先将着眼点放在材料新、观点新上。明人李翰曾说:"搜悉异闻,考核经史,捃拾典故,值言之最者必扎之,遇事之奇者必摘之,虽诗词、文瀚、历谶、卜医,钩纂不遗。"这一概括,非但说明此书时取材范围广泛,更重要的是明确提出该书在取材上坚持了"最者"与"奇者"两个标准,而这两个标准集中地体现了作者的创新意识与探索精神,因此立论新颖就成为贯穿该书的一条主线,渗透在全书的字里行间,成为该书显著特点和优点。再者,就是坚持求真求实,注重辨析与评论。辨析的目的在于去伪存真;评论在于阐明事理,揭示规律性的东西。对于历代王朝兴衰以及史事和人物的评论,多着眼于为政之道,以事实为依据,秉笔直书,切中时弊,发人深思。对于诗文的评论,亦多公允。清人洪景用"考据精确,议论高简"来概括,实乃是由衷之言。诸如百六阳九、修缮犯土、水旱祈祷,以及丙午、丁未之年多灾祸等,是实是虚,世人都想弄个明白,书中设立专目探讨,陈述自己的见解,自然有着很大的吸引力。

三是文辞精练,可读性强。该书为笔记,有轶文辑录,也有史料考证;有掌故荟萃,也有经验总结;有治国行政的宏论,也有养生健身妙道介绍,将资料性、学术性、知识性、趣味性融为一体。每则都根据内容加有一个简明醒目的标题,如八月端午、七夕用六日、世事不可料、民俗火葬、人当知足、知人之难等,通俗明白,雅俗共赏,可使人一目了然。虽然书中各则字数有长有短,有的只有几十个字,多数条目字数在三五百字,十分方便人们阅读。加以文体多样,深入浅出,品读起来,大开眼界,有滋有味,给人以美的享受。

正是因为这样,它一经问世,便在社会上引起广泛的关注。不仅为当年南宋孝宗皇帝所赞赏,也为七百多年后的一代伟人毛泽东所珍爱,还为居官从政以及治学学人所喜爱,并为众多具有阅读能力的人喜读乐道,而且随着文明的进步,国人文化水平的提高,以及中西文化交流的扩大,人们对它的钟爱更是有增无减。

今天，我国正处在走向富强的新时代。走向富强的国人，迫切需要从丰厚的传统文化中汲取智慧。保护和弘扬优秀的传统文化成为人们的共识。本书从中选出二百余篇，选取的标准侧重于知识性、借鉴性与可读性。注释力求简明准确。译文以直译为主，个别文字过简与艰涩之处，采用意译，避免由于文字过简直译出现失之衔接的现象，同时防止过多的附加叙述造成脱离原文的倾向，力求通顺流畅。在这些方面，尽管做了努力，然而，由于洪氏之学，博大精深，笔者拘于见闻，失当之处难免，敬请各位匡正。

王兴亚

2009年8月于郑州大学

目 录

随 笔

卷一 —— 25
　六十四种恶口 —— 25
　八月端午 —— 26
　郭璞葬地 —— 27
　禹治水 —— 28
　敕勒歌 —— 29
　地险 —— 30

卷二 —— 33
　唐重牡丹 —— 33
　长歌之哀 —— 35
　周亚夫 —— 36
　秦用他国人 —— 37

卷三 —— 39
　进士试题 —— 39
　四海一也 —— 41
　李太白 —— 42
　太白雪谶 —— 43

俗语有所本 ……………………………………… 44
卷四
　　温公客位榜 ……………………………………… 46
　　凤毛 ……………………………………………… 47
　　喷嚏 ……………………………………………… 48
　　野史不可信 ……………………………………… 48

卷五
　　汉唐八相 ………………………………………… 52
　　晋之亡与秦隋异 ………………………………… 53
　　上官桀 …………………………………………… 55
　　国初人至诚 ……………………………………… 56

卷六
　　上下四方 ………………………………………… 58
　　姓氏不可考 ……………………………………… 59
　　绿竹青青 ………………………………………… 61
　　诞节受贺 ………………………………………… 62

卷七
　　虞世南 …………………………………………… 64
　　将军官称 ………………………………………… 65
　　北道主人 ………………………………………… 66
　　洛中盱江八贤 …………………………………… 67
　　汉书用字 ………………………………………… 71

卷八
　　诸葛公 …………………………………………… 73
　　陶渊明 …………………………………………… 76
　　东晋将相 ………………………………………… 77
　　人物以义为名 …………………………………… 79

人君寿考 ———————————————— 80
卷九 ———————————————————— 82
　　尺棰取半 ———————————————— 82
　　汉文失材 ———————————————— 83
　　老人推恩 ———————————————— 84
　　朋友之义 ———————————————— 85
　　唐扬州之盛 —————————————— 86
卷十 ———————————————————— 89
　　杨彪陈群 ———————————————— 89
　　玉蕊杜鹃 ———————————————— 90
　　临敌易将 ———————————————— 91
　　汉丞相 ————————————————— 92
卷十一 ——————————————————— 94
　　将帅贪功 ———————————————— 94
　　汉二帝治盗 —————————————— 96
　　汉诽谤法 ———————————————— 98
卷十二 ——————————————————— 100
　　曹操用人 ———————————————— 100
卷十三 ——————————————————— 103
　　谏说之难 ———————————————— 103
　　萧房知人 ———————————————— 106
　　晏子扬雄 ———————————————— 108
　　孙膑减灶 ———————————————— 109
卷十四 ——————————————————— 111
　　汉祖三诈 ———————————————— 111
　　有心避祸 ———————————————— 112
　　士之处世 ———————————————— 113

光武仁君 ... 114
卷十五 ... 116
　　世事不可料 ... 116
　　有若 ... 117
卷十六 ... 120
　　三长月 ... 120
　　前代为监 ... 121
　　和诗当和意 ... 123
　　一世人材 ... 125
　　谶纬之学 ... 126

续　笔

卷一 ... 131
　　戒石铭 ... 131
卷二 ... 134
　　岁旦饮酒 ... 134
　　汉唐置邮 ... 136
　　巫蛊之祸 ... 136
卷三 ... 139
　　太史慈 ... 139
　　谥法 ... 141
　　诗文当句对 ... 142
　　台谏不相见 ... 145
　　无望之祸 ... 147
　　乌鹊鸣 ... 148
卷四 ... 151
　　汉代文书式 ... 151

资治通鉴 —————————————————— 153
　　汉武心术 —————————————————— 156
　　禁天高之称 ————————————————— 158

卷五 ———————————————————— 160
　　买马牧马 —————————————————— 160
　　后妃命数 —————————————————— 162
　　公为尊称 —————————————————— 164

卷六 ———————————————————— 166
　　百六阳九 —————————————————— 166

卷七 ———————————————————— 168
　　俗语算数 —————————————————— 168

卷八 ———————————————————— 170
　　地名异音 —————————————————— 170
　　蜘蛛结网 —————————————————— 172

卷九 ———————————————————— 174
　　萧何先见 —————————————————— 174

卷十 ———————————————————— 176
　　汉唐辅相 —————————————————— 176
　　汉武留意郡守 ———————————————— 177
　　唐诸生束脩 ————————————————— 179
　　民不畏死 —————————————————— 180

卷十一 ——————————————————— 183
　　武官名不正 ————————————————— 183
　　唐帝称太上皇 ———————————————— 184

卷十二 ——————————————————— 186
　　无用之用 —————————————————— 186

- 唐制举科目 187
- 渊有九名 189

卷十三 191
- 科举恩数 191
- 下第再试 193
- 金花贴子 194
- 物之大小 195
- 民俗火葬 198
- 雨水清明 200

卷十四 201
- 帝王训俭 201
- 忌讳讳恶 203
- 陈涉不可轻 204
- 孔墨 206

卷十五 208
- 书籍之厄 208

卷十六 211
- 高德儒 211
- 酒肆旗望 212
- 月中桂兔 213
- 醉尉亭长 214
- 唐人酒令 216

三 笔

卷一 221
- 上元张灯 221
- 七夕用六日 222

卷二 ... 224
- 刘项成败 ... 224
- 平天冠 ... 226

卷三 ... 228
- 北狄俘虏之苦 ... 228
- 东坡和陶诗 ... 229
- 文用谥字 ... 231

卷四 ... 233
- 旧官衔冗赘 ... 233
- 宣告错误 ... 234

卷五 ... 236
- 枢密名称更易 ... 236
- 缚鸡行 ... 237
- 油污衣诗 ... 239
- 州郡书院 ... 239

卷六 ... 242
- 白公夜闻歌者 ... 242

卷七 ... 244
- 唐观察使 ... 244

卷八 ... 246
- 忠宣公谢表 ... 246
- 唐贤启状 ... 250

卷九 ... 252
- 赦放债负 ... 252
- 周玄豹相 ... 253
- 钴鉧沧浪 ... 255
- 君臣事迹屏风 ... 256

卷十 ……………………………………………………… 259
- 唐夜试进士 ………………………………………… 259
- 河伯娶妇 …………………………………………… 261

卷十一 …………………………………………………… 263
- 镇星为福 …………………………………………… 263
- 两莫愁 ……………………………………………… 264

卷十二 …………………………………………………… 267
- 人当知足 …………………………………………… 267
- 渊明孤松 …………………………………………… 268
- 作文字要点检 ……………………………………… 269

卷十三 …………………………………………………… 272
- 大观算学 …………………………………………… 272

卷十四 …………………………………………………… 274
- 政和文忌 …………………………………………… 274

卷十五 …………………………………………………… 276
- 杯水救车薪 ………………………………………… 276

卷十六 …………………………………………………… 278
- 神臂弓 ……………………………………………… 278
- 敕令格式 …………………………………………… 279
- 岁后八日 …………………………………………… 280

四 笔

卷一 ……………………………………………………… 285
- 亭榭立名 …………………………………………… 285
- 诏令不可轻出 ……………………………………… 286
- 修缮犯土 …………………………………………… 287

卷二 —— 289
- 有美堂诗 —— 289
- 二十八宿 —— 290
- 北人重甘蔗 —— 290

卷三 —— 292
- 祝不胜诅 —— 292
- 吕子论学 —— 293
- 曾太皇太后 —— 294
- 实年官年 —— 295
- 陈翠说燕后 —— 297
- 水旱祈祷 —— 299

卷四 —— 301
- 六枳关 —— 301
- 一百五日 —— 302

卷五 —— 304
- 土木偶人 —— 304
- 饶州风俗 —— 305
- 禽畜菜茄色不同 —— 306
- 赵德甫金石录 —— 307
- 王勃文章 —— 312

卷六 —— 314
- 用柰花事 —— 314
- 草驹聋虫 —— 315
- 乾宁覆试进士 —— 316
- 洗儿金钱 —— 318
- 娑罗树 —— 320

卷七 ... 323
- 天咫 ... 323
- 县尉为少仙 ... 324
- 西太一宫六言 ... 325
- 久而俱化 ... 326
- 替戾冈 ... 327
- 文潞公平章政事 ... 328

卷八 ... 333
- 得意失意诗 ... 333
- 穆护歌 ... 334
- 莆田荔枝 ... 335
- 省试取人额 ... 337

卷九 ... 338
- 沈庆之曹景宗诗 ... 338
- 蓝尾酒 ... 340
- 南北语音不同 ... 342
- 南舟北帐 ... 344
- 姓源韵谱 ... 345
- 文字书简谨日 ... 346
- 更衣 ... 347

卷十 ... 349
- 过所 ... 349
- 露布 ... 351
- 山公启事 ... 352
- 责降考试官 ... 354
- 青莲居士 ... 355
- 吏部循资格 ... 356

  王逸少为艺所累 ... 359

卷十一
  熙宁司农牟利 ... 362
  船名三翼 ... 364
  唐御史迁转定限 ... 365

卷十二
  汉唐三君知子 ... 367
  当官营缮 ... 368
  至道九老 ... 371

卷十三
  科举之弊不可革 ... 373
  宰执子弟廷试 ... 374
  国初救弊 ... 376
  房玄龄名字 ... 378
  荣王藏书 ... 379

卷十四
  梁状元八十二岁 ... 380

卷十五
  经句全文对 ... 382
  尺八 ... 383
  四李杜 ... 385
  浑脱队 ... 386
  官称别名 ... 387

卷十六
  汉重苏子卿 ... 389
  渠阳蛮俗 ... 391

五 笔

卷一 ……………………………………………… 397
　　天庆诸节 ……………………………………… 397
　　狐假虎威 ……………………………………… 398

卷二 ……………………………………………… 400
　　唐曹因墓铭 …………………………………… 400

卷三 ……………………………………………… 402
　　人生五计 ……………………………………… 402
　　瀛莫间二禽 …………………………………… 404

卷四 ……………………………………………… 406
　　汉武帝、田蚡、公孙弘 ……………………… 406

卷五 ……………………………………………… 409
　　万事不可过 …………………………………… 409
　　桃花笑春风 …………………………………… 410
　　史记简妙处 …………………………………… 411
　　贫富习常 ……………………………………… 414

卷六 ……………………………………………… 416
　　糖霜谱 ………………………………………… 416
　　汉武帝喜杀人者 ……………………………… 419
　　知人之难 ……………………………………… 420

卷七 ……………………………………………… 422
　　盛衰不可常 …………………………………… 422
　　风灾霜旱 ……………………………………… 425

卷八 ……………………………………………… 428
　　白居易出位 …………………………………… 428
　　醉翁亭记酒经 ………………………………… 430

卷九 ——————————————————— 434
    东不可名园 ——————————————— 434
卷十 ——————————————————— 436
    斯须之敬 ————————————————— 436

随笔

卷 一

六十四种恶口

《大集经》①载六十四种恶口之业,曰:粗语、软语、非时语、妄语、漏语、大语、高语、轻语、破语、不了语、散语、低语、仰语、错语、恶语、畏语、吃语、净语、谄语、诳语、恼语、怯语、邪语、罪语、哑语、人语、烧语、地语、狱语、虚语、慢语、不爱语、说罪咎语、失语、别离语、利害语、两舌语、无义语、无护语、喜语、狂语、杀语、害语、系语、闲语、缚语、打语、歌语、非法语、自赞叹语、说他过语、说三宝语。

[注释]

①《大集经》:又名《大方等大集经》。佛教经典,各种大乘经籍的汇编。

[译文]

《大集经》中记载了六十四种令人厌恶不文明的语言。这些语言的名目是:粗语、软语、非时语、妄语、漏语、大语、高语、轻语、破语、不了语、散语、低语、仰语、错语、恶语、畏语、吃语、诤语、谄语、诳语、恼语、怯语、邪语、罪语、哑语、入语、烧语、地语、狱语、虚语、慢语、不爱语、说罪咎语、失语、别离语、利害语、两舌语、无义语、无护语、喜语、狂语、杀语、害语、系语、闲语、缚语、打语、歌语、非法语、自赞叹语、说他过语、说三宝语。

八月端午

唐玄宗[①]以八月五日生，以其日为千秋节[②]。张说[③]《上大衍历序》云："谨以开元十六年八月端午赤光照室之夜献之。"《唐类表》有宋璟[④]《请以八月五日为千秋节表》云："月惟仲秋[⑤]，日在端午。"然则凡月之五日皆可称端午也。

[注释]

①唐玄宗：李隆基，712~756年在位。②千秋节：又称天长节。以唐玄宗生日而得名。③张说：唐玄宗时名相，著名文学家，有一代文宗之称。④宋璟：唐玄宗时名相，与姚崇并称为"姚宋"。⑤仲秋：即中秋。每年八月十五为中秋节。

[译文]

唐玄宗李隆基是八月初五出生的，即位之后便把这一天定为千秋节。当时朝中大臣张说在《上大衍历序》中写道："谨于开元十六年（728年）八月五日，皇帝诞生之日的夜晚，献上新编修的《大衍历》。"另外，《唐类表》中收录有名相宋璟的《请以八月五日为千秋节表》，其中写道："月惟仲秋，日在端午。"既然这样，可知在古代凡是每个月的初五日都可以称做端午，并不仅仅限于五月初五日这一天。

郭璞葬地

《世说》①:"郭景纯②过江,居于暨阳③。墓去水不盈④百步,时人以为近水,景纯曰:'将当为陆',今沙涨,去墓数十里皆为桑田。"此说盖以郭为先知也。世传《锦囊葬经》⑤为郭所著,行山卜宅兆者印为元龟⑥。然郭能知水之为陆,独不能卜吉以免其非命乎?厕上衔刀⑦之见浅矣。

[注释]

①《世说》:即《世说新语》。南朝刘义庆撰,记述东汉至南朝刘宋间人物的轶事遗闻。②郭景纯:即郭璞,字景纯,河东闻喜(今属山西)人。东晋文学家、训诂学家、阴阳家。③暨阳:今江苏江阴东。④盈:满。⑤《锦囊葬经》:郭璞撰写的一部风水学著作。⑥元龟:大龟。引申为经典。⑦厕上衔刀:相传桓彝与郭璞是好朋友。郭璞对桓彝说:"你来我这里的时候,千万不要到厕所找我。不然,对彼此都不利。"一天,桓彝喝醉了酒,忘记了此话,便到厕所里寻找郭璞。只见郭璞赤身披发,衔刀祭酒。郭璞埋怨桓彝说:"我不让你来此地,你偏要来,不但我有祸,你也逃不脱。"后来,郭璞被王敦所杀,桓彝也被苏峻所害。

[译文]

南朝刘义庆的《世说新语》中记载:"郭璞南渡之后,居住在暨阳,选择的墓地距离长江不满一百步,当时人都认为离江水太近,不适宜作为墓地。郭璞却说:'这里不久就会变成陆地了。'时至今天,江边泥沙沉积上涨,距离墓地方圆几十里的地方都沧海变桑田了。"这一记述把郭璞说成是能够察知未来的神人。社会上流传的风水著作《锦囊葬经》也是郭璞所撰,后世察看阴阳风水的人都把这本书奉为经典。郭璞能够预知江水会变成陆地,而他却不会为自己占上一个吉卦，从而避开杀身之祸。这种厕上衔刀的小小方术，不免太浅薄了。

禹治水

《禹贡》①叙治水，以冀、兖、青、徐、扬、荆、豫、梁、雍②为次。考地理言之，豫居九州③中，与兖、徐接境，何为自徐之扬，顾以豫为后乎？盖禹顺五行④而治之耳。冀为帝都，既在所先，而地居北方，实于五行为水，水生木，木东方也，故次之以兖、青、徐；木生火，火南方也，故次之以扬、荆；火生土，土中央也，故次之以豫；土生金，金西方也，故终于梁、雍。所谓彝伦攸叙④者此也。与鲧⑤之汩陈五行，相去远矣。此说予得之魏几道。

[注释]

①《禹贡》：《尚书》中的一篇。②冀、兖、青、徐、扬、荆、豫、梁、雍：九州的名称。冀，冀州，今山西、陕西黄河以东，河南北部，山西黄河以南和山东西北，河北南部。兖，兖州，今河北东南、山东西北部和河南东北。青，青州，今山东泰山以东。徐，徐州，今江苏长江以北和山东南部。扬，扬州，今江苏和安徽淮水以南，兼有浙江、江西部分地区。荆，荆州，今两湖、两广部分，河南、贵州一带。豫，豫州，今河南黄河以南及山东西部和安徽北部。梁，梁州，今陕西南部和四川以南地区。雍，雍州，今陕西中北部、青海与甘肃东南以及宁夏地区。③九州：传说古代中国的九个行政区划。④五行：指金、木、水、火、土五种元素的运行与变化。⑤彝伦攸叙：正常运行。彝伦，即常理；攸叙，有序而不乱。⑥鲧：禹的父亲。

[译文]

《禹贡》是《尚书》中的一篇。书中说夏禹治水的顺序是：冀州、兖州、青州、徐州、扬州、荆州、豫州、梁州、雍州。按照地理位置来说,豫州在九州的中部,和兖州、徐州接界。为什么从冀州开始说到徐州,以下是扬州、荆州,把豫州放在荆州的后面?我想这是按照五行方位治水顺序排列的。冀州是帝都所在地,时间上最先,且位置在北方,按照五行属水,所以将冀州排为九州之首。水生木,木表示东方,故应在冀州之后排为兖州、青州、徐州三州。木生火,火表示南方,故在兖州、青州、徐州三州之后排为扬州、荆州。火生土,土表示中央,故于扬州、荆州二州之后排为豫州。土生金,金表示西方,所以将梁州、雍州置于九州之末。这种排列顺次很有条理。禹的父亲鲧打乱了五行顺序,这个说法,我是从魏几道那里得知的。

敕勒歌

鲁直①《题阳关图》诗云:"想得阳关更西路,北风低草见牛羊。"又集中有《书韦深道诸帖》云:"斛律明月,胡儿也,不以文章显,老胡以重兵困敕勒川②,召明月作歌以排闷。仓卒之间,语奇壮如此,盖率意道事实耳。"予按《古乐府》有《敕勒歌》,以为齐高欢③攻周玉壁④而败,恚愤⑤疾发,使斛律金唱《敕勒》,欢自和之。其歌本鲜卑语,词曰:"敕勒川,阴山⑥下。天似穹庐⑦,笼盖四野。天苍苍⑧,野茫茫,风吹草低见牛羊。"鲁直所题及诗中所用,盖此也。但误以斛律金⑨为明月。明月名光,金之子也。欢败于玉壁,亦非困于敕勒川。

[注释]

①鲁直:黄庭坚,字鲁直,自号山谷道人,晚号涪翁。工诗文,善长行、草书。苏门七学士之一。②敕勒川:在今内蒙古包头附近大青山南麓。③高

欢:一名贺六辉,鲜卑化的汉人。东魏时官大丞相,立静帝,执政十六年。其子洋代魏称帝,国号为北齐,追尊为神武帝。④玉壁:今山西稷山县西南。⑤恚愤:羞愧愤恨。⑥阴山:今内蒙古自治区北部。⑦穹庐:帐篷,因形状为中央隆起向四周下垂,故名,即今蒙古包。⑧苍苍:青色。⑨斛律金:敕勒人。本名敦,字阿六敦,北齐开国勋臣。官至左丞相。

[译文]

黄鲁直在《题阳关图》诗中说:"想得阳关更西路,北风低草见牛羊。"另外,他集中有《书韦深道诸帖》一文说:"斛律明月,是胡人,不是以文章著名,老胡人用重兵围困敕勒川,让明月作歌以解除心中郁闷。临时仓促作成,语言如此奇特雄壮,大概都是随意述说当时事理。"我查阅《古乐府》有《敕勒歌》,以为北齐高欢进攻北周的玉壁,兵败,羞愤病发,叫斛律金唱《敕勒歌》,高欢随之和唱。这歌本来是鲜卑语,歌词说:"敕勒川,阴山下。天似穹庐,笼盖四野。天苍苍,野茫茫,风吹草低见牛羊。"黄鲁直所题和他诗中所用的,就是这首诗。但他错误地将斛律金当做明月。斛律明月名叫光,是斛律金的长子。高欢兵败于玉壁,也不是被困于敕勒川。

地 险

古今言地险者,以谓函秦宅关①、河之胜,齐负海、岱②,赵、魏据大河③,晋表里河山④,蜀有剑门、瞿唐⑤之阻,楚国方城⑥以为城,汉水以为池,吴长江万里,兼五湖之固,皆足以立国。唯宋、卫之郊,四通五达,无一险可恃。然东汉之末,袁绍跨有青、冀、幽、并四州,韩遂、马腾辈分据关中,刘璋擅蜀,刘表居荆州,吕布盗徐,袁术包南阳、寿春,孙策取江东,天下形胜尽矣。曹操晚得兖州，倔强其间，终之夷⑦群雄，覆汉祚⑧，议者尚以为操挟天子以自重⑨，故能成功。而唐僖、昭之时，方镇擅地，王氏有赵百年，罗洪信在魏，刘仁恭⑩在燕，李克用⑪在河东，王重荣在蒲，朱宣、朱瑾在兖、郓，时溥在徐，王敬武在淄、青，杨行密⑫在淮南，王建⑬在蜀，天子都长安，凤翔、邠、华三镇鼎立为梗⑭，李茂贞⑮、韩建⑯皆尝劫迁乘舆⑰。而朱温⑱区区以汴、宋、亳、颍巉然⑲中居，及其得志，乃与操等。以在德不在险为言，则操、温之德又可见矣。

[注释]

①函秦宅关：即函谷关。②齐负海、岱：齐国依靠渤海和泰山。负，依靠；岱，泰山。③大河：黄河。④表里河山：外有大河，内有高山。⑤瞿唐：即瞿塘峡。⑥方城：楚长城北起今河南方城，故称方城。⑦夷：平定。⑧覆汉祚：灭亡了汉朝。祚，皇位。⑨操挟天子以自重：曹操挟持汉献帝拥兵盘踞一方。⑩刘仁恭：唐末将领，官卢龙节度使。据有幽州。⑪李克用：沙陀人，唐末将领，官河东节度使。据有河东。⑫杨行密：初名行愍，字化源，庐州合肥人。五代时吴国建立者，902～905年在位。⑬王建：字光图，许州舞阳人。五代前蜀建立者，903～918年在位。⑭梗：梗阻。⑮李茂贞：本姓宋，名文通，唐僖宗赐姓名。后梁时自称岐王，后唐时上表称臣。⑯韩建：字佐时，五代许州长社（今河南长葛）人。唐刺史，封许国公。后降朱温，官至同中书门下平章事。⑰乘舆：天子代称。舆，乘坐的车驾。⑱朱温：唐末将领。唐僖宗赐名全忠。天祐四年称帝，改名朱晃，国号大梁。⑲巉然：山势高峻。

[译文]

古往今来，凡是论说地势险要、关河地形有利的，都认为关中地区凭借函谷关的天险和黄河的有利地形，齐国依仗大海和泰山，赵国、魏国依恃黄河之险，晋国外恃黄河、内依高山，蜀地据有剑门关、瞿塘峡的险阻，楚国则依据长城作为城垣、汉水作为城池，吴国拥有万里长江，并具有五大湖泊的险要。这些地方都能够建立和巩固国家政权。只有宋国、卫国的周围地区处于平原，四通八达，没有一处险要可以据守。

然而，在东汉末年，袁绍所控制的地区地跨青州、冀州、幽州、并州四州，韩遂、马腾等人分据关中，刘璋占据蜀地，刘表割据荆州，吕布窃据徐州，袁术占有南阳、寿春，孙策攻取江东之地。天下四方的险要、形胜地方，都被他们瓜分割据完了。曹操只是到了最后才得以占据兖州，在群雄角逐之间纵横捭阖，渐渐称强。最终消灭了群雄，统一了北方，进而倾覆了汉王朝。而议论的人还认为是曹操挟持汉朝皇帝，提高了自己的权威，所以能够取得成功。

然而唐朝末年僖宗、昭宗时代，藩镇割据，王氏割据赵地百余年，罗洪信割据魏地，刘仁恭割据燕地，李克用割据河东，王重荣割据蒲州，朱宣、朱瑾割据兖州、郓州一带，王时溥割据徐州，王敬武割据淄州、青州，杨行密割据淮南，王建割据蜀地，李唐皇帝建都长安，连天子脚下的凤翔、邠州、华州三镇也鼎足而立、不服号令，李茂贞、韩建都劫持皇帝。然而，就是在这样的形势下，朱温仅仅凭借毫无险要可守的小小汴州、宋州、亳州、颍州几个地方，孤立地处于强藩之间，但等到他志得意满、统一中原、灭唐建梁的时候，却和昔日曹操所处的境况相同。如果说他们的成功是依靠德行而不是依据地势险要，那么曹操和朱温又有什么德行可言，这不是显而易见的吗？历史的兴亡递变的确是耐人寻味啊！

卷 二

唐重牡丹

欧阳公①《牡丹释名》云:"牡丹初不载文字,唐人如沈、宋、元、白②之流,皆善咏花,当时有一花之异者,彼必形于篇什③,而寂无传焉,唯刘梦得④有《咏鱼朝恩⑤宅牡丹》诗,但云一丛千朵而已,亦不云其美且异也。"予按⑥白公集有《白牡丹》一篇十四韵,又《秦中吟》十篇,内《买花》一章,凡百言,云:"共道牡丹时,相随买花去。一丛深色花,十户中人赋"。而讽谕乐府有《牡丹芳》一篇,三百四十七字,绝道花之妖艳,至有"遂使王公与卿士,游花冠盖⑦日相望","花开花落二十日,一城之人皆若狂"之语。又《寄微之百韵》诗云:"唐昌玉蕊会,崇敬牡丹期"。注:"崇敬寺牡丹花多,与微之有期。"又《惜牡丹》诗云:"明朝风起应吹尽,夜惜衰红把火看。"《醉归盩厔》诗云:"数日非关王事系,牡丹花尽始归来。"元微之⑧《入永寿寺看牡丹》诗八韵,《和乐天秋题牡丹丛》三韵,《酬胡三咏牡丹》一绝,又有五言二绝句。许浑⑨亦有诗云:

"近来无奈牡丹何,数十千钱买一窠⑩。"徐凝⑪云:"三条九陌花时节,万马千车看牡丹。"又云:"何人不爱牡丹花,占断城中好物华。"然则元、白未尝无诗,唐人未尝不重此花也。

[注释]

①欧阳公:即欧阳修,字永叔,号醉翁,晚年又号六一居士,吉州庐陵(今江西吉安)人。宋代政治家、文学家。②沈、宋、元、白:唐代著名诗人沈佺期、宋之问、元稹、白居易的简称。③篇什:《诗经》中雅、颂都是以十篇为一什,故人们通常以篇什称诗篇。④刘梦得:即刘禹锡,字梦得,唐代著名诗人。⑤鱼朝恩:唐肃宗和代宗时宦官,擅权被杀。⑥按:考察。⑦冠盖:古代官吏的帽子和车盖。⑧元微之:即元稹,字微之,唐代著名诗人。⑨许浑:字用浑,唐代诗人。⑩窠:同"棵"。⑪徐凝:唐代诗人。深得白居易、元稹的赏识。

[译文]

宋代文学家欧阳修在《牡丹释名》中写道:"牡丹花最初并不见文献记载,唐代诗人沈佺期、宋之问、元稹、白居易等都擅长吟咏花卉。当时如果有任何一种奇异的花,他们都会写入诗中,可是牡丹却不见诗篇吟咏,寂寞而无传,只有刘禹锡有《咏鱼朝恩宅牡丹》诗一首,也只是说一丛千朵而已,并不曾称赞牡丹的美艳和奇异。"

据我所查考,白居易的文集中有《白牡丹》一篇,共有十四韵,又有《秦中吟》十篇,其中有一章叫做《买花》,一百个字,说:"共道牡丹时,相随买花去。一丛深色花,十户中人赋。"而他的讽谕乐府中有《牡丹芳》一篇,共三百四十七个字,极力称道牡丹花的娇贵妖艳,甚至于有这样的诗句:"遂使王公与卿士,游花冠盖日相望","花开花落二十日,一城之人皆若狂"。另外,在《寄微之百韵》诗说:"唐昌玉蕊会,崇敬牡丹期。"并自己作注说:"崇敬寺的牡丹花开,常邀元微之同去观看。"又有《惜牡丹》

诗写道:"明朝风起应吹尽,夜惜衰红把火看。"《醉归蹙屋》诗中写道:"数日非关王事系,牡丹花尽始归来。"

元稹也有《入永寿寺看牡丹》诗八韵,《和乐天秋题牡丹丛》诗三韵,《酬胡三咏牡丹》诗一绝,又有五言绝句二首。

许浑也有诗写道:"近来无奈牡丹何,数十千钱买一窠。"

徐凝也有诗吟咏牡丹说:"三条九陌花时节,万马千车看牡丹。"又有诗道:"何人不爱牡丹花,占断城中好物华。"

既然这样,那么足可证明,欧阳修的论断并不符合历史实际,元稹、白居易并非没有诗作吟咏牡丹,唐人也并非不重视牡丹花。

长歌之哀

嬉笑之怒,甚于裂眦①,长歌②之哀,过于恸哭。此语诚然。元微之在江陵③,病中闻白乐天左降江州④,作绝句云:"残灯无焰影幢幢,此夕闻君谪九江⑤。垂死病中惊起坐,暗风吹雨入寒窗。"乐天以为:"此句他人尚不可闻,况仆心哉!"微之集作"垂死病中仍怅望"。此三字既不佳,又不题为病中作,失其意矣。东坡守彭城,子由⑥来访之,留百余日而去,作二小诗曰:"逍遥堂后千寻木,长送中宵风雨声。误喜对床寻旧约,不知漂泊在彭城⑦。""秋来东阁凉如水,客去山公醉似泥。困卧北窗呼不醒,风吹松竹雨凄凄。"东坡以为读之殆不可为怀,乃和其诗以自解。至今观之,尚使人凄然也。

[注释]

①裂眦:因发怒而眼睛睁得极大,形容极其愤怒。②长歌:长篇歌声或拖长声音的歌唱。③江陵:今湖北江陵。④左降江州:左降,贬官;江州,今江西九江。⑤九江:今江西九江。⑥子由:苏辙,字子由。苏轼的弟弟。⑦彭

城：今江苏徐州。

[译文]

带着嬉笑的愤怒，超过吹胡瞪眼；用歌声表达悲哀，超过号啕痛哭。这话是对的。元微之在江陵，正在生病，得知白乐天被贬到江州做司马，作绝句说："残灯无焰影幢幢，此夕闻君谪九江。垂死病中惊起坐，暗风吹雨入寒窗。"白乐天说："这些话，别人听了都受不了，何况我呢！"元微之集作"垂死病中仍怅望"，"仍怅望"三字用得既不好，又不说是病中所作，失去原来本意。苏东坡在任彭城太守，弟弟苏辙来看他，住了一百多天才离去，作小诗二首，一首说："逍遥堂后千寻木，长送中宵风雨声。误喜对床寻旧约，不知漂泊在彭城。"另一首说："秋来东阁凉如水，客去山公醉似泥。困卧北窗呼不醒，风吹松竹雨凄凄。"苏东坡读了后心里十分难受，便和了两首，用来宽慰自己。现在读起来，仍然使人感到十分悲凉。

周亚夫

周亚夫距吴、楚①，坚壁②不出。军中夜惊，内相攻击扰乱，至于帐下。亚夫坚卧不起。顷之③，复定。吴奔壁东南陬④，亚夫使备西北。已而果奔西北，不得入。《汉史》⑤书之，以为亚夫能持重。按：亚夫军细柳⑥时，天子先驱至，不得入，文帝称其不可得而犯。今乃有军中夜惊相攻之事，安在其能持重乎？

[注释]

①周亚夫：西汉名将。距：通"拒"，抗拒，抵抗。吴、楚：指西汉景帝时，吴王刘濞与楚、赵、胶东、胶西、济南、淄川等七国发动的叛乱。②坚壁：坚守阵地。③顷之：一会儿。④陬：隅，角落。⑤《汉史》：即班固《汉

书》。⑥细柳：今陕西咸阳西南。

[译文]

周亚夫抗拒吴、楚等七国叛军，坚守阵地并不出战。军队夜间受惊，发生骚乱，互相攻击，一直闹到周亚夫帐下。周亚夫躺着一动不动。过了一会儿，军营又安静下来。吴军攻打营垒的东南角，周亚夫命令防备西北，一会儿吴军果然来攻西北，攻不进来。《汉书》记载此事，认为周亚夫拥兵持重。考察周亚夫驻军在细柳（今陕西咸阳西南）时，皇帝骑马率先到达，进不了军营。汉文帝称赞他不能够侵犯。现在有军队夜间受惊互相攻击的事件，怎么能说拥兵持重呢？

秦用他国人

七国①虎争天下，莫不招致四方游士②。然六国所用相，皆其宗族及国人，如齐之田忌、田婴、田文③，韩之公仲、公叔④，赵之奉阳、平原君⑤，魏王⑥至以太子为相。独秦不然，其始与之谋国以开霸业者，魏人公孙鞅⑦也。其他若楼缓赵人，张仪、魏冉、范雎皆魏人，蔡泽⑧燕人，吕不韦韩人，李斯楚人，皆委国而听之不疑，卒之所以兼天下者，诸人之力也。燕昭王任郭隗、剧辛、乐毅，几灭强齐，辛、毅皆赵人也。楚悼王任吴起为相，诸侯患楚之强，盖卫人也。

[注释]

①七国：战国时期，齐、楚、燕、韩、赵、魏、秦并立的七个国家。②四方游士：四方游说之士。战国时期谋臣策士众多，读书人习纵横之术，游历四方，希图出人头地。③田忌、田婴、田文：田忌，战国时齐国名将，在马陵道杀掉魏国大将庞涓。田婴，田文的父亲，齐国丞相。田文，即孟尝君，齐

国贵族，有门客数千人，为"战国四君子"之一。④公仲、公叔：战国时韩国贵族。⑤奉阳、平原君：奉阳君，战国时期赵国贵族。平原君，即赵胜，战国时三次任赵相，为"战国四君子"之一。⑥魏王：即魏哀王。⑦公孙鞅：即商鞅，本为卫国人，被秦孝公封到商地，故而又称商鞅、商君。辅佐秦孝公变法革新，使秦国走上富强之路。⑧蔡泽：战国时期燕国人，入秦，被昭王拜为客卿。继范雎后为秦相。后出使燕国，游说燕太子丹入秦为人质。

[译文]

七国争雄天下，都在招纳吸收游说四方的人才。但六国所任用的相国，都是他们的宗族和本国人，像齐国的田忌、田婴、田文，韩国的公仲、公叔，赵国的奉阳君、平原君，魏王甚至任用太子当相国。只有秦国不是这样，最初与秦国商讨大计，开创霸业的是魏国人公孙鞅。其他的像楼缓是赵国人，张仪、魏冉、范雎都是魏国人，蔡泽是燕国人，吕不韦是韩国人，李斯是楚国人。秦国把国家托付给他们，没有一点疑心。秦之所以取得了天下，便是这些人的力量。燕昭王任用郭隗、剧辛、乐毅，差点灭了强盛的齐国，剧辛、乐毅却都是赵国人。楚悼王任用吴起为相国，诸侯都惧怕楚国强盛起来，吴起乃是卫国人呀！

卷 三

进士试题

唐穆宗长庆元年，礼部侍郎钱徽知举①，放②进士郑朗等三十三人，后以段文昌言其不公，诏中书舍人王起、知制诰白居易重试，驳放③卢公亮等十人，贬徽江州刺史。白公集有奏状论此事，大略云："伏料自欲重试进士以来，论奏者甚众。盖以礼部试进士，例许用书策，兼得通宵，得通宵则思虑必周，用书册则文字不错。昨重试之日，书策不容一字，木烛④只许两条，迫促惊忙，幸皆成就，若比礼部所试事校⑤不同。"及驳卢公亮等敕文，以为《孤竹管赋》出于《周礼》正经，阅其程试之文，多是不知本末。乃知唐试进士许挟书⑥及见烛如此。国朝⑦淳化三年，太宗试进士，出《卮言曰出赋》题，孙何等不知所出，相率扣殿栏乞上指示之⑧，上为陈⑨大义。景德二年，御试《天道犹张弓赋》。后礼部贡院言，近年进士惟钞略⑩古今文赋，怀挟⑪入试，昨者御试以正经命题，多懵所出⑫，则知题目不示以出处也。大中祥符元年，试礼部进士，内出《清明象天赋》等题，仍录题解，摹印⑬以示之。至景祐元年，始诏御药院，御试进士题目，具经史所出，摹印给之，更不许上请⑭。

[注释]

①知举：即"知贡举"，唐朝主持科举考试的大臣。②放：张榜公布录取。③驳放：黜落。④木烛：照明用的烛火。⑤校：比较。⑥挟书：挟带参考用书。⑦国朝：当时人称本朝为国朝。⑧相率扣殿栏乞上指示之：考生相继到殿上叩请皇上予以提示。相率，相继；扣，叩拜。⑨陈：陈述，阐明。⑩钞略：抄录。⑪怀挟：入场时夹带小抄。⑫多懵所出：大多茫然不知出处。⑬摹印：摹写刻印。⑭上请：向上请求，向皇上求教。

[译文]

唐穆宗长庆元年（821年），礼部侍郎钱徽任主考官，放榜录取进士郑朗等三十三人。段文昌说考试不公，皇帝下诏让中书舍人王起、知制诰白居易重新考试，黜落原录取卢公亮等十人，将钱徽贬为江州刺史。白乐天集中有奏状评论这件事，大略说：

"臣暗自想，自从朝廷要重新考试进士以来，上书评论的人很多。旧例，礼部考试进士，允许查看书籍，还准许答至通宵。答至通宵，考虑问题就一定周到，能查书籍写出的文字就不会出差错。昨天再试时，不许应试者夹带一个字，考试时间也只有两根蜡烛燃尽之前，时间紧迫慌忙，勉强完成，与礼部考试相比，有很大的不同。"说到黜落卢公亮等的敕文，以为《孤竹管赋》出自《周礼》正经，读他们写出的文章，大多不知道它的来龙去脉。据此才知道唐朝考试进士，许可带书和燃烛的情况。

本朝太宗淳化三年（992年），太宗考试进士，出《厄言日出赋》试题，孙何等不知道出自何处，考生一起都到殿上叩打殿栏请求皇上提示，皇上向他们述说了大意。真宗景德二年（1005年），皇帝亲自考试士人，出题《天道犹张弓赋》。后来礼部贡院上书，说："近来进士只抄袭古今的文章诗赋，挟带应试。昨天御试，出正经上题目，大多茫然不知道出处在什么地方。"据此可知，试题中不告诉出处在哪里的情形。真宗大中祥符元年（1008年），考试礼部进士，由宫中出《清明象天赋》等题目，仍旧抄录解题，摹写刻印好，让考生看。仁宗景祐元年（1034年），下诏御药院，今后殿试进士的题目，都从经史中出，印出来后，发给士子，禁止再向皇帝请求提示。

四海一也

海一而已，地之势西北高而东南下①，所谓东、北、南三海，其实一也。北至于青、沧②，则云北海，南至于交、广，则云南海，东渐③吴、越，则云东海，无由有④所谓西海者。《诗》、《书》、《礼》⑤经所载四海，盖引类⑥而言之。《汉·西域传》所云蒲昌海⑦，疑亦亭居一泽尔。班超遣甘英往条支⑧，临大海，盖即南海之西云。

[注释]

①下：与高相对。②青、沧：指青州、沧州。③渐：波及。④无由有：没有。⑤《诗》、《书》、《礼》：指《诗经》、《书经》（亦叫《尚书》）、《礼记》。⑥引类：援引相类似的事物。⑦蒲昌海：今新疆东部的罗布泊，又名盐泽。⑧班超遣甘英往条支：班超派甘英前往条支。甘英，东汉西域都护掾，奉班超之命，出使大秦（罗马帝国）；条支，古西域国名，在今伊拉克境内。

[译文]

世上的海只有一个。大地的构成是西北高东南低，所谓东、北、南三海，实际上是一个整体。青州、沧州以北的海域叫北海，交州、广州以南的海域叫南海，靠近吴、越地区的海域叫东海。但没有听说还有西海。《诗经》、《尚书》、《礼记》中说的四海，大概是依此类推而说的。

《汉书·西域传》载有蒲昌海，恐怕只是一个有积水的小湖泊。东汉班超派甘英出使条支，曾到大海边，估计这是南海的西部。

李太白

世俗多言李太白在当涂采石①，因醉泛舟于江，见月影俯而取之，遂溺死，故其地有捉月台。予按李阳冰②作太白《草堂集序》云："阳冰试弦歌③于当涂，公疾亟④，草稿万卷，手集未修，枕上授简⑤，俾⑥为序。"又李华⑦作《太白墓志》，亦云："赋《临终歌》而卒。"乃知俗传良⑧不足信，盖与谓杜子美因食白酒牛炙而死者同也⑨。

[注释]

①采石：即采石矶，在今安徽当涂县境内。②李阳冰：李白叔父，曾任当涂县令。③试弦歌：担任县令。④疾亟：病重。⑤授简：将文稿交给我。简，文稿。⑥俾：使，让。⑦李华：唐代文学家，字遐叔，擢进士鸿词科。著有《李遐叔文集》。⑧良：实在。⑨杜子美：杜甫，字子美。唐代巩县（今河南巩义）人，历官检校工部员外郎，故有杜工部之称。著名诗人，后人称其为"诗圣"。牛炙：牛肉块。

[译文]

在宋代以前，社会上许多人都说唐代大诗人李白是在当涂的采石矶，因喝醉了酒，在长江上行船，见到水中有月亮的影子，便俯身去捞取，结果失足落入江中，溺水身亡，所以采石也就有了捉月台。

我考察了李阳冰为李白所作的《草堂集序》中说："我担任当涂县的县令，李白病得很厉害，有手书草稿一万卷，还没有修订定稿,在床上交给我,让我作序。"又有李华所撰写的《太白墓志》也说:"李白写了《临终歌》而死。"据此可知,社会上所流传的李白的死因,实在是不可相信。

社会上之所以流传这种说法,大概和说杜甫因喝了白酒,又吃了炙烤的牛肉块饱胀而死一样,都是无稽之谈。

太白雪谗

李太白以布衣①入翰林②,既而不得官。《唐史》③言高力士以脱靴为耻,摘其诗以激杨贵妃,为妃所沮止。今集中有《雪谗诗》一章,大率④载妇人淫乱败国,其略云:"彼妇人之猖狂,不如鹊之强强。彼妇人之淫昏,不如鹑之奔奔。坦荡君子,无悦簧言。"又云:"妲己⑤灭纣,褒女⑥惑周。汉祖吕氏,食其在傍。秦皇太后⑦,毒亦淫荒。蝃蝀作昏⑧,遂掩太阳。万乘⑨尚尔,匹夫⑩何伤。辞殚意穷,心切理直。如或妄谈,昊天是殛。"予味此诗,岂非贵妃与禄山淫乱,而白曾发其奸乎?不然,则"飞燕在昭阳"之句,何足深怨也?

[注释]

①布衣:平民。②翰林:即翰林院。此指唐人对翰林院供奉官的通称。③《唐史》:即《新唐书》。④大率:大都。⑤妲己:殷纣王宠爱的妃子。⑥褒女:即褒姒。周幽王宠爱的妃子。⑦秦皇太后:秦始皇的母亲。⑧蝃蝀作昏:意思是虹霓弄暗,遮蔽了太阳光。蝃蝀,虹的别称。⑨万乘:指天子,皇帝。⑩匹夫:百姓。

[译文]

唐代大诗人李白以平民身份进入翰林院,后来却没有得到官职。《新唐书》上说是宦官高力士以曾给李白脱靴为耻辱,便摘取李白诗句中有关后妃乱政的内容,以激怒玄宗所宠爱的杨贵妃,结果被杨贵妃所阻止。

现在李白的文集中有《雪谗诗》一章,其内容大多是讲妇人淫乱而败坏国政。大略说:"那妇人太猖狂,还不如喜鹊双飞翔。那妇人太淫荡,还不如鹓鸰相追随。胸怀坦荡的君子啊,千万不要听从悦耳的细语。"又说:"妲己灭亡了殷纣,褒姒乱了西周,汉高祖的皇后吕雉与郦食其同床共枕,秦始皇的母亲与(嫪毐)淫乱到荒唐的地步。虹霓出现使天象昏暗,遮蔽了阳光。皇帝尚且如此,百姓又何妨。话说完,意思说尽,心情恳切而道理正直。如果其中说了假话,就让皇天来处死我。"我仔细体味这诗,莫非杨贵妃与安禄山通奸淫乱,李白曾揭发过他们之间的丑事?如果不是这样,而是仅仅有"飞燕在昭阳"的句子,值得这么深深地怨恨吗?

俗语有所本

俗语谓钱一贯有畸①曰千一、千二,米一石有畸曰石②一、石二,长一丈有畸曰丈一、丈二之类。按《考工记》③:"殳④长寻有四尺。"注云:"八尺曰寻,殳长丈二。"《史记·张仪传》:"尺一之檄⑤。"汉淮南王安书⑥云:丈一之组⑦。《匈奴传》:尺一牍⑧。《后汉书》:尺一诏书。唐,"城南去天尺五"⑨之类。然则亦有所本云。

[注释]

①畸:数之零。②石:古代容量单位,十斗为一石。③《考工记》:中国古代手工工艺著作。④殳:古代兵器。用竹木做成,有棱无刃。⑤檄:木简。⑥汉淮南王安书:汉淮南王刘安撰《淮南子》。⑦组:丝带。⑧牍:诏书。⑨城南去天尺五:唐代谣谚说"城南韦杜,去天尺五"。

[译文]

俗话说钱一吊有余叫一千一、一千二,米一石有余叫一石一、一石二,长一丈有余叫一丈一、一丈二等。

据《考工记》说:"殳(兵器)长寻有四尺。"注解说:"八尺叫寻,殳长一丈二尺。"《史记·张仪传》中说:一尺一的木简。西汉淮南王刘安在《淮南子》一书说:一丈一的丝带。《史记·匈奴传》中说:一尺一的木简。《后汉书》中说:一尺一的诏书。由此可见,唐时谣谚说的"城南去天尺五"一类的话,也都是有根据的呀。

卷 四

温公客位榜

司马温公①作相日，亲书榜稿揭于客位②，曰："访及诸君，若睹朝政阙遗③，庶民疾苦，欲进忠言者，请以奏牍闻④于朝廷，光得与同僚商议，择可行者进呈，取旨行之。若但以私书宠谕，终无所益。若光身有过失，欲赐规正，即以通封书简分付吏人，令传入，光得内自省讼⑤，佩服改行。至于整会官职差遣⑥、理雪罪名，凡干⑦身计，并请一面进状，光得与朝省众官公议施行。若在私第垂访，不请语及。某再拜咨白⑧。"乾道九年，公之曾孙伋出镇广州，道过赣⑨，获观之。

[注释]

①司马温公：即司马光，字君实，陕州夏县（今属山西）人。北宋大臣，史学家。谥文正，追封温国公。②榜：告示。揭：张贴。③阙遗：失误与遗漏。④闻：报告。⑤省讼：反省自责。⑥差遣：派遣。⑦干：牵涉。⑧咨白：说明。⑨赣：赣州，今属江西。

[译文]

司马光做宰相的时候，亲自写了一段"座右铭"，张贴在会见客人的地方。上面写道："来访的诸君，如果看到朝廷政事有失误遗漏，百姓疾苦，想提出建议的，请用章奏上奏朝廷，我和同僚们商议，选择可以施行的，报告给皇上，经皇上批准，即刻施行。如果只是私下自写，自认高明，始终没有益处。如果我有错误，诸位乐于赐正，就将全封书信交给吏员，让他们转送给我，我认真反省自己，从内心接受，一定改正过错。至于处理官职的委派、平反罪名等，凡牵涉到本身的，都请送来状纸，我和朝里众官商议后施行。如果在我家里私访，请不要谈论公事。司马光再拜敬作说明。"

宋孝宗乾道九年（1173年），司马光的曾孙司马伋去广州做官，路过赣州，我看到了榜文。

凤 毛

宋孝武嗟赏谢凤①之子超宗曰："殊有凤毛②。"今人以为凤毛，多谓出此。按《世说》，王劭③风姿似其父导④，桓温⑤曰："大奴固自有凤毛。"其事在前，与此不同。

[注释]

①谢凤：南朝宋人，曾任鄞县令。②殊有凤毛：殊，少；凤毛，凤凰的羽毛，比喻珍贵稀少之物。南朝通称人子才似其父者为凤毛。③王劭：小字大奴，王导子。④导：王导，字茂弘，封琅琊王，东晋人，丞相。⑤桓温：字符子，东晋大将。

[译文]

南朝宋孝武帝赞誉谢凤的儿子谢超宗说："少有的凤毛啊！"现在人称儿子为凤毛，大多认为出自这里。

查考《世说新语》，王劭的神采仪容很像他的父亲王导。东晋大将桓温说："大奴本来就有父亲的风度。"这件事时间上在前，与孝武帝的解释是不完全相同的。

喷 嚏

今人喷嚏不止①者，必噀唾祝②云："有人说我。"妇人尤甚。予按《终风》③诗："寤言不寐，愿言则嚏。"郑氏④笺云："我其忧悼而不能寐，女思我心如是，我则嚏也。今俗人嚏云：'人道我'，此古之遗语也。"乃知此风自古以来有之。

[注释]

①不止：不停。②噀唾祝：吐唾沫祝告。③《终风》：《诗经》中的一篇。④郑氏：东汉经学大师郑玄，字康成。

[译文]

现在人们在不停地打喷嚏时，一定要吐唾沫祝告说："有人在说我。"在妇女中，尤其如此。

我考察《诗经·邶风·终风》诗里有："寤言不寐，愿言则嚏。"郑玄解释说："我因为忧愁而不能入睡，有人想到我的忧愁，我就打喷嚏。现在人打喷嚏，就说'有人在说我'，这是古时候留下来的话啊！"可见，这一习俗是自古以来就有的。

野史不可信

野史①杂说，多有得之传闻及好事者缘饰，故类多失实，虽前辈不能免，而士大夫颇信之。姑摭②真宗朝三事于左。

魏泰③《东轩录》云："真宗次澶渊④，语寇莱公⑤曰：'虏骑未退，何人可守天雄军？'公言参知政事⑥王钦若。退即召王于行府，谕以上意，授敕俾行。王未及有言，公遽⑦酌大白饮之，命曰'上马杯'，且曰'参政勉之，回日即为同列也'。王驰骑入魏，越十一日虏退，召为同中书门下平章事⑧。或云王公数进疑词于上前，故莱公因事出之。"予按澶渊之役乃景德元年九月，是时莱公为次相⑨，钦若为参政；闰九月，钦若判⑩天雄，二年四月，罢政；三年，莱公罢相，钦若复知枢密院⑪，至天禧元年始拜相，距景德初元凡十四年。

其二事者，沈括⑫《笔谈》云："向文简拜右仆射⑬，真宗谓学士李昌武曰：'朕自即位以来，未尝除⑭仆射，敏中应甚喜。'昌武退朝，往候之。门阑悄然⑮。明日再对，上笑曰：'向敏中大耐官职。'"存中自注云："向公拜仆射年月，未曾考于国史，因见中书记是天禧元年八月，而是年二月王钦若亦加仆射。"予按真宗朝自敏中之前拜仆射者六人：吕端、李沆、王旦皆自宰相转，陈尧叟以罢枢密使拜，张齐贤以故相拜，王钦若自枢密使转⑯。及敏中转右仆射，与钦若加左仆射同日降制，是时李昌武死四年矣。昌武者，宗谔也。

其三事者，存中《笔谈》又云："时丁晋公⑰从真宗巡幸⑱，礼成，诏赐辅臣玉带。时辅臣八人，行在祗候，库止有七带，尚衣有带，谓之'比玉'，价值数百万，上欲以足其数。公心欲之，而位在七人之下，度⑲必不及己，乃谕有司：'某自有小私带可服，候还京别赐可也。'既各受赐，而晋公一带仅如指阔，上顾近侍速易之，遂得尚衣御带。"

予按景德元年，真宗巡幸西京，大中祥符元年，巡幸泰山，四年，幸河中，丁谓皆为行在三司使，未登政府。七年，幸亳州，谓始以参知政事从。时辅臣六人，王旦、向敏中为宰相，王钦若、陈尧叟为枢密使，皆在谓上，谓之下尚有枢密副使马知节，即不与此说合。且既为玉带，而又名"比玉"，尤可笑。魏泰无足论，沈存中不应尔也[20]。

[注释]

①野史：史学体裁之一种，与正史相对。②摭：摘取。③魏泰：字道辅，北宋文学家，熟悉朝野掌故。④澶渊：今河南濮阳。⑤寇莱公：寇准，字平仲，官至同中书门下平章事。封莱国公，谥忠愍。⑥参知政事：简称参政，宋朝宰相之职。⑦遽：急速。⑧同中书门下平章事：北宋宰相。⑨次相：副宰相。⑩判：兼任。⑪知枢密院：枢密院，宋代最高军政机构。⑫沈括：字存中，宋代著名科学家。⑬右仆射：宋代为宰相之职，位在左仆射之下。⑭除：授，委任。⑮悄然：寂静，平静。⑯转：调任品秩相同的他官。⑰丁晋公：即丁谓，字谓之，后改公言，北宋大臣，官至同中书门下平章事，封晋国公。⑱巡幸：巡视。⑲度：估计。⑳尔也：如此。

[译文]

野史杂说，很多是得自传闻和好奇的人的附会粉饰，叙事多与事实不符，即使是前代的人也不能免除这种弊病，然而士大夫们却很相信它。现在暂且摘出宋真宗时期的三件事如下：

魏泰《东轩录》说："宋真宗驻军澶渊（今河南濮阳南），对寇莱公说：'辽兵不撤退，谁可以固守天雄军呢？'寇莱公说参知政事王钦若可以。退下后，立刻在行营中召见王钦若，转述宋真宗的旨意，给他敕书，就催促出发。王钦若还没有来得及答话，寇莱公就斟上一大杯酒让王钦若喝，名为'上马杯'，并且说'请参政好自为之，凯旋时咱们就是同列了'。王钦若骑马飞速进入魏州，到第十一天，辽兵退去，于是便召他为同中书门下平章事。有人说王钦若屡次在宋真宗面前说寇莱公坏话，所以寇莱公借个事由把他排挤出去。"我考察得知澶渊战役是在宋真宗景德元年（1004年）九月，寇莱公是副宰相，王钦若是参知政事。闰九月，王钦若任天雄军，景德二年四月，罢去参知政事。景德三年，寇莱公被罢去相职，王钦若又任枢密使，至真宗天禧元年（1017年）才任宰相，距景德元年整整十四年。

第二件事：沈括《梦溪笔谈》说："向文简公任右仆射，真宗对学士李昌武说：'我从登基继位以来，还没有加封过仆射的，向敏中一定很高兴。'李昌武退朝，去看望向敏中，见他家门口很寂静，第二天便把情况报告了皇帝，真宗笑着说：'向敏中真恬淡，经得起大官。'"沈括在此作注说："向君任仆射，具体年月未曾载于国史，由于见到中书省的记录，才知道是在真宗天禧元年（1017年）八月，而这年二月王钦若也加仆射衔。"我考察宋真宗时，在向敏中之前担任仆射的有六个人：吕端、李沆、王旦都是从宰相转任的，陈尧叟因罢免枢密使而任命，张齐贤因系旧宰相加封，王钦若从枢密使转任。向敏中升右仆射，是与王钦若加左仆射同一天颁下的制书，这时李昌武已死去四年了。李昌武就是李宗谔。

第三件事：沈括《梦溪笔谈》又说："这时丁晋公谓跟随真宗出游，封泰山礼毕，诏命给辅弼大臣玉带。当时辅臣有八个人，皇帝行宫祗候库中存储只有七条，尚衣署所存玉带名叫'比玉'，价值高达几百万，真宗想让它凑足数目。丁晋公很想得到它，可是他的地位在其他七人之下，估计轮不到自己，就告诉有关官员：'我有私人小玉带可以使用，等回到京城另外赏赐就可以了！'随即各位辅臣都得到了玉带，丁晋公的那条玉带只有一指宽，真宗回头看各位近臣，命令赶快给丁谓换上，丁谓这才得到了尚衣署的玉带。"

据我考证，景德元年（1004年），真宗巡游西京（今河南洛阳）；大中祥符元年（1008年），巡游泰山；四年（1011年），到河中（今山西永济县薄州镇），丁谓担任行宫的三司使，并未进入朝中。大中祥符七年（1014年），真宗游亳州，丁谓才以参知政事职务相随。当时辅弼大臣有六个人，王旦、向敏中是宰相，陈尧叟是枢密使，地位都在丁谓之上，丁谓下边还有枢密副使马知节，就与上面的这个说法不相符合。况且既是玉带，而又叫"比玉"，尤其可笑。出现这类问题，魏泰不值得一提，沈括可不应如此。

卷 五

汉唐八相

萧、曹、丙、魏、房、杜、姚、宋①为汉、唐名相，不待诵说。然前六君子皆终于位，而姚、宋相明皇②，皆不过三年。姚以二子及亲吏受赂③，其罢犹有说。宋但以严禁恶钱④及疾负罪而妄诉不已者，明皇用优人⑤戏言而罢之；二公终身不复用。宋公罢相时，年才五十八，后十七年乃薨。继之者，如张嘉贞、张说、源乾曜、王晙、宇文融、裴光庭、萧嵩、牛仙客，其才可睹⑥矣。唯杜暹⑦、李元纮为贤，亦清介⑧龊龊自守者。释骐骥⑨而不乘，焉皇皇⑩而更索，可不惜哉！萧何且死，所推贤唯曹参；魏、丙同心辅政；房乔每议事，必曰非如晦⑪莫能筹之；姚崇避位，荐宋公自代。唯贤知贤，宜后人之莫及也。

[注释]

①萧、曹、丙、魏、房、杜、姚、宋：分别是萧何、曹参、丙吉、魏相、房玄龄、杜如晦、姚崇、宋璟的简称。②明皇：即唐玄宗。因谥号为至道大圣大明孝皇帝，故称。③亲吏受赂：亲信小吏收受贿赂。④恶钱：劣质铜钱。⑤

优人：古代以乐舞、戏谑为业的艺人。⑥可睹：明显可见。⑦杜暹：唐时将领，官至同中书门下平章事、户部尚书、礼部尚书。⑧清介：清正耿直。⑨骐骥：千里马。⑩皇皇：同惶惶。躁乱不安的样子。⑪如晦：即杜如晦，字克明，唐初名相，凌烟阁二十四功臣之一。

[译文]

　　萧何、曹参、丙吉、魏相、房玄龄、杜如晦、姚崇、宋璟为汉唐名相，不用细说。其中前六位君子都是在相位上去世的，而姚崇、宋璟在唐明皇时任丞相，都不到三年。姚崇因为自己两个儿子及亲信小吏收受贿赂被罢相，可以说是事出有因。宋璟则仅仅因为严厉禁止劣质的钱币及嫉恨那些犯了罪而无休无止上诉的人，唐明皇的一句戏言就罢掉了他的丞相职务。姚崇、宋璟二人终身再没被起用。宋璟罢相时，年仅五十八岁，过了十七年才死去。后继为相的，如张嘉贞、张说、源乾曜、王晙、宇文融、裴光庭、萧嵩、牛仙客，他们的才能显而易见。只有杜暹、李元纮可称为圣贤，也是廉洁奉公、刚正不阿的人。放弃骏马而不骑，反而急急忙忙去找别的马，真可惜啊！萧何将死，所推荐的贤人只有曹参；魏相、丙吉同心协力，辅佐国政；房玄龄每次商讨国事，必说没有杜如晦参加不能筹划决策；姚崇退避相位之时，推荐宋璟代替自己。只有贤人才能了解贤人，后人没有谁能赶得上的！

晋之亡与秦隋异

　　自尧、舜及今，天下裂而复合者四①：周之末为七战国②，秦合之；汉之末分为三国，晋合之；晋之乱分为十余国，争战三百年，隋合之；唐之后又分为八九国，本朝合之。然秦始皇一传而为胡亥，晋武帝一传而为惠帝，隋文帝一传而为炀帝，皆破亡其社稷③。独本朝九传百七十年，乃不幸有靖康之祸④，盖三代⑤以下治安所无也。秦、晋、隋皆相似，然秦、隋一亡即扫地，晋之东虽曰"牛继马后"⑥，终为守司马氏之祀，亦百有余年。盖秦、隋毒流四海，天实诛之，晋之八王擅兵⑦，孽后⑧盗政，皆本于惠帝昏蒙，非得罪于民，故其亡也，与秦、隋独异。

[注释]

①四：四次。②七战国：即战国七雄，齐、楚、燕、韩、赵、魏、秦。③社稷：国家。④靖康之祸：宋钦宗靖康二年（1127年），都城开封为金人攻占，宋钦宗和徽宗及后妃、皇子、公主等三千多人被金军俘虏，北宋灭亡。⑤三代：指夏、商、周三朝。⑥牛继马后：指以牛姓代替司马氏继承皇位，这是晋朝时的图谶。⑦八王擅兵：指西晋八王之乱。司马氏得天下后，分封宗亲。惠帝时，各宗亲王侯为争权慕利，混战达十六年，直到怀帝即位才平息。⑧孽后：指贾南风，西晋惠帝皇后。她把持朝政，引起朝野动荡。

[译文]

从尧、舜至今，天下分裂而又统一的有四次：周朝末年为战国七雄，秦朝统一；汉朝末年为魏、蜀、吴三国鼎立，晋朝统一；晋朝大乱分裂为十几个小国，战争达百年，隋朝统一；唐朝之后又分裂为八九个小国，宋朝统一。然而秦始皇传了一世而为胡亥，晋武帝传了一世而为惠帝，隋文帝传了一世而为炀帝，国家就都灭亡了。唯独本朝传了九世，共一百七十年，虽中间不幸有靖康年间的大祸，大概三代以来，没有如本朝这样社会秩序安定。秦朝、晋朝、隋朝都有相似之处，然而秦、隋一旦灭亡即一蹶不振，东晋即使被称为"牛继马后"，终究保持了司马氏的社稷，也享有百余年，大概秦朝、隋朝流毒四海，罪恶极大，上天诛之，晋朝的八王之乱，"孽后"贾南风擅权乱国，都是由于晋惠帝昏庸无能，并不是得罪了百姓，所以它的灭亡和秦、隋朝的灭亡不同。

上官桀

汉上官桀为未央厩令①,武帝尝体不安,及愈,见马,马多瘦,上大怒:"令以我不复见马邪?"欲下吏,桀顿首②曰:"臣闻圣体不安,日夜忧惧,意诚不在马。"言未卒,泣数行下。上以为忠,由是亲近,至于受遗诏辅少主③。义纵为右内史④,上幸鼎湖,病久,已而卒起幸甘泉,道不治⑤,上怒曰:"纵以我为不行此道乎?"衔之,遂坐以他事弃市⑥。二人者始获罪一也,桀以一言之故超用,而纵及诛,可谓幸不幸矣。

[注释]

①未央厩令:又称未央令,秦汉太仆寺属官。主管乘舆与厩中马匹。②顿首:叩头。③少主:年幼的皇帝。④右内史:汉代京师长官之一,与左内史共同负责管理京师地区政务。⑤不治:没有清理好。⑥弃市:斩首示众。

[译文]

汉朝上官桀担任未央宫厩令时,汉武帝曾经得病不舒服,等到病好,到马厩察看,发现官马大都很瘦弱,便非常恼怒,说:"厩令上官桀认为我不能再看到官马了吗?"要把他交给司法官治罪,降职为吏,上官桀顿首谢罪说:"我听说圣体不安,日夜忧愁,牵肠挂肚,心思确实没用在官马身上。"话还没有说完,早已是泣不成声,泪流满面。汉武帝认为上官桀一片忠心,从此把他作为近臣,以至把遗诏授予他,让他辅佐年幼的皇帝。义纵担任右内史时,汉武帝驾临鼎湖,病了很久,后来突然心血来潮,起驾游幸甘泉宫,道路没有清理干净,汉武帝大怒,说:"义纵以为我不会再从这条道路上经过了吗?"内心里很痛恨义纵,于是借他事治罪义纵,并把他斩首示众。

上官桀和义纵二人刚获罪时是一样的。上官桀因为一句话的缘故被提拔重用，而义纵被杀，可谓幸运和不幸运了。

国初人至诚

真宗时，并州谋帅，上谓辅臣①曰："如张齐贤、温仲舒皆可任，但以其尝历枢近，或有固辞，宜召至中书②询问，愿往则授之。"及召二人至，齐贤辞以恐为人所谗。仲舒曰："非敢有辞，但在尚书班已十年，若得改官端揆③，赐都部署添给④，敢不承命？"辅臣以闻，上曰："是皆不欲往也，勿强之。"王元之⑤自翰林学士以本官刑部郎中知黄州，遣其子嘉祐献书于中书门下⑥，以为"朝廷设官，进退必以礼，一失错置，咎在廊庙⑦。某一任翰林学士，三任制诰舍人，以国朝旧事言之，或得给事中，或得侍郎，或为谏议大夫。某独异于斯，斥去不转一级，与钱谷俗吏，混然无别，执政⑧不言，人将安仰？"予谓仲舒尝为二府⑨，至于自求迁转及增请给。元之一代刚正名臣，至于公移笺书，引例⑩乞转。唯其至诚不矫伪故也。后之人外⑪为大言，避宠辞禄，而阴有营求，失其本真者多矣，风俗使然也。

[注释]

①辅臣：辅政大臣。②中书：即中书省，当时的最高行政机构。③端揆：尚书省长官。④添给：增加俸禄。⑤王元之：王禹偁，字元之，北宋政治改革派的先驱，著名文学家。⑥中书门下：简称中书，即政事堂。⑦廊庙：帝王和大臣议事的地方，通常指代朝廷。⑧执政：宋时的宰相。⑨二府：宋朝最高国务机关，枢密院管理军政，称西府；中书门下管理政务，称东府，合称二府。⑩引例：援引旧例。⑪外：表面上。

[译文]

宋真宗的时候，物色并州将帅人选，真宗对辅佐朝政的大臣们说:"像张齐贤、温仲舒都可以胜任此职,只是因为他们曾经在枢密院供职,也许会坚决推辞,应把他们两人召到中书省,询问一下,如果他们愿意前往,就授予他们官职。"

等到把他们二人召到中书省询问时,张齐贤以恐怕被别人进谗言来推辞。温仲舒说:"我不敢有推辞之言。只是我在尚书之位已经十年了,如果改任我为执政大臣,赐给都部署之职,增添俸禄,敢不听命吗?"辅佐大臣把他们两人的话传达给皇上。皇上说:"这是不打算前往任职,不要勉强他们。"

王禹偁自翰林学士以本官刑部郎中到黄州任知州,派遣他的儿子王嘉祐到中书省、门下省献书。认为:"朝廷设官,是进是退必按照礼节,一旦失当,错误派官罪责在于朝廷决策的大臣。我一任翰林学士,三任制诰舍人,按照本朝的惯例来说,或者得给事中,或者侍郎,或者为谏议大夫,唯独我不一样,离开官位后没有转升一级,和管理钱谷的俗吏,混然没有差别,执政大臣不说,别人将怎么信服?"

我认为温仲舒曾经为二府大员,竟然敢自己要求升迁及增加俸禄;王禹偁乃是一代刚正名臣,甚至公开献书,援引旧例,请求升级。只是由于他们内心至诚,从不掩饰虚伪的结果,后来的人表面上都大言不惭,避宠辞禄,实际上暗地里孜孜以求。看来失去真诚的人太多了,这是社会风俗影响的结果。

卷 六

上下四方

上下四方不可穷竟①。正谓庄、列②、释氏之寓言，曼衍③不能说也。《列子》："商汤问于夏革曰：'上下八方有极尽④乎？'革曰：'不知也。'汤固问，革曰：'无则无极⑤，有则有尽，朕何以知之？然无极之外，复无无极；无尽之中，复无无尽。无极复无无极，无尽复无无尽，朕是以知其无极无尽也，而不知其有极有尽也，焉知⑥天地之表，不有大天地者乎？'"《大集经》："'风住何处？'曰：'风住虚空。'又问：'虚空为何所住？'答言：'虚空住于至处。'又问：'至处处何所在？'答曰：'至处何所住者，不可宣说。何以故？远离一切诸何所，故一切处所所不摄，故非数非称不可量，故是故至处无有住处。'"二家之说，如是而已。

[注释]

①穷竟：追究到底。②庄、列：庄周、列御寇，战国思想家。③曼衍：复杂多变。④极尽：范围。⑤无极：没有终点。⑥焉知：怎么知道。

[译文]

什么是上下四方呢？这个问题是不可追根究底的，就如同《庄子》、《列子》和佛教经典中的一些含意很深的寓言也不能说清楚一样。

《列子》中曾说："商汤问夏革：'上下八方有范围吗？'夏革说：'不知道。'商汤继续问，夏革没有办法，就说：'无就是没有终点，有就是有个范围，我怎么知道它有没有终极？不过，在无终点以外，就不再存在没有终点之说。在没有范围的说法之内，也不存在没有范围。没有终点之外不再没有终点，没有范围之内不再没有范围，所以我只知道没有终点、没有范围的存在，而不知道终点、有范围的存在。既然如此，怎么能知道在看见的天地之外，有没有比天更大的东西存在呢？'"

佛教的《大集经》里另有一种说法："'风住在什么地方？'答：'风住在虚空那里。'又问：'虚空又住在哪里？'回答说：'虚空住在至处即所到之处。'又问：'至处在哪里呢？'回答说：'至处的地方是无法说清楚的。为什么呢？因为至处是远离所有的地方的地方，是所有地方都约束不了的地方，是用什么都无法量的地方。这样的地方是找不到的。所以，至处没有住的地方。'"上面这两种说法，大致就是这样。

姓氏不可考

姓氏所出，后世茫不可考，不过证以史传，然要为难晓。自姚、虞、唐、杜、姜、田、范、刘之外，余盖纷然杂出[①]。且以《左传》言之，申氏出于四岳[②]，周有申伯，然郑又有申侯，楚有申舟，又有申公巫臣，鲁有申繻、申枨，晋有申书，齐有申鲜虞。贾氏，姬姓之国，以国氏③，然晋有贾华，又狐射姑亦曰贾季，齐有贾举。黄氏，嬴姓之国，然金天氏之后，又有沈、姒、蓐、黄之黄，晋有黄渊。孔氏出于商，孔子其后也。然卫有孔达，宋有孔父，郑有孔叔，陈有孔宁，齐有孔虺，而郑子孔之孙又为孔张。高氏出于齐，然子尾之后，又为高强，郑有高克，宋有高哀。国氏亦出于齐，然邢有国子，郑子国之孙又为国参。晋有庆郑，齐有庆克，陈有庆虎。卫有石碏，齐有石之纷如，郑有石臬，周有石尚，宋有石彄。晋有阳处父，楚有阳丐，鲁有阳虎。孙氏出于卫，而楚有叔敖，齐有孙书，吴有孙武。郭氏出于虢，而晋有郭偃，齐有郭最，又有所谓郭公者，千载之下，遥遥世祚，将安所指质究乎？

[注释]

①纷然杂出：复杂混乱。②四岳：相传为尧臣羲和第四子。③以国氏：以所在国的国名为氏。

[译文]

姓氏是怎么形成的呢？后世真是茫茫然无法考究。即使是拿史书传记来加以考证，也难以搞得十分清楚。

在众多的姓氏中，除了姚、虞、唐、杜、姜、田、范、刘几姓之外，其余的根源出处，都很复杂混乱。就以《左传》中的记载来说，申姓源出于四岳，是黄帝后稷的后代，以后周朝有申伯。然而，到春秋时郑国又有申侯，楚国有申舟、有申公巫臣，鲁国有申繻、申枨，晋国有申书，齐国有申鲜虞。姓贾的源出于姬姓国家，以国名为姓氏，然而晋国有贾华，一个叫狐射姑的人也叫贾季，齐国有贾举。姓黄的属于嬴姓国家的人，可是金天氏的后代中有沈、姒、蓐、黄四姓，里面也有姓黄的，并且晋国又有黄渊。孔姓源出于商部落，孔子就是商的后代，可是卫国有孔达，宋国有孔父，郑国有孔叔，陈国有孔宁，齐国有孔虺，而且郑国子孔的孙子又叫孔张。姓高的源出于齐国，可是子尾的后代也叫高强，郑国有高克，宋国有高哀。国姓也源出于齐国，可是邢国有国子，郑国子国的孙子名叫国参。晋国有庆郑，然而齐国有庆克、陈国有庆虎。卫国有石碏，可是齐国也有石之纷如，郑国有石甝，周国有石尚，宋国有石驱。晋国有阳处父，然而楚国又有阳丐，鲁国有阳虎。姓孙的源出于卫，然而楚国却有孙叔敖，齐国有孙书，吴国有孙武。郭姓源出于虢，可是晋国则有郭偃，齐国则有郭最，还有个叫郭公的人。

几千年来，各个姓氏世代相传，源远流长，又怎么能搞得清楚呢？

绿竹青青

毛公①解《卫诗·淇奥》，分绿竹为二物，曰："绿，王刍也。竹，萹竹也。"《韩诗》："竹字作薄，音徒沃反，亦以为萹筑。"郭璞云："王刍，今呼白脚莎，即绿蓐豆也。萹竹似小藜，赤茎节，好生道旁，可食。"又云："有草似竹，高五六尺，淇水②侧人谓之绿竹。"按此诸说，皆北人不见竹之语耳。《汉书》："下淇园之竹以为楗。"寇恂为河内③太守，伐淇园竹为矢百余万，《卫诗》又有"（籊籊）竹竿，以钓于淇"之句。所谓绿竹，岂不明甚？若白脚莎、绿豆，安得④云猗猗青青哉？

[注释]

①毛公：毛亨，鲁人，世称大毛公，汉代经学家。相传著有《毛诗训诂传》。②淇水：今淇河，源出山西陵川，为卫河支流。③河内：今河南沁阳。④安得：怎么能。

[译文]

毛亨在解释《诗经·卫诗·淇奥》时，分绿、竹为二物，说：

"绿,王刍也。竹,萹竹也。"《韩诗》:"竹字作薄,音徒沃反,也认为是萹筑。"郭璞说:"王刍,现在叫白脚莎,即就是绿蓐豆。萹竹类似小藜草,茎节发红,常长在路旁,可以吃。"又说:"有种草像竹子,高五六尺,淇水旁的人叫它为绿竹。"按照这些说法,都是北人未能见到竹子的话而已。《汉书》中说:"砍伐淇园的竹子做成竹寨来填上土石。"寇恂在做河内太守时,砍伐淇园竹子做成箭头百余万支,《诗经·卫诗》里还有"长而细小的竹竿,用它在淇水边钓鱼"之句。所谓绿竹,岂不明白?如果说是白脚莎、绿豆,怎么能说是猗猗地美盛,青青地茂盛呢?

诞节受贺

唐穆宗即位之初年,诏曰:"七月六日,是朕载诞之辰[①]。其日,百寮命妇[②]宜于光顺门进名参贺,朕于门内与百寮相见。"明日,又敕[③]受贺仪暂停。先是左丞[④]韦绶奏行之,宰臣以古无隆诞受贺之礼,奏罢之。然次年,复行贺礼。

诞节之制,始于明皇。令天下宴集休假三天,肃宗亦然。代、德、顺三宗皆不置节名,及文宗以后,始置宴如初。则寿贺一事,盖自长庆[⑤]年,至今用之也。

[注释]

①载诞之辰:生日。②百寮命妇:百官与有赐予封号的妇女。③敕:朝廷的诏令。④左丞:唐宋代尚书省长官,总辖吏、户、礼三部,右丞总辖兵、刑、工三部。⑤长庆:唐穆宗年号。

[译文]

唐穆宗即位的当年,下诏书说:"七月六日,是朕出生的日子。到了那天,百官和诰命妇人都可以到光顺门把写有名字的名帖递上去,参加朝贺,朕可以在门内与百官相见。"第二天,又下敕书说,诞辰日受百官朝贺的仪式予以停止。这是怎么回事呢?

在此之前,尚书省总辖吏、户、礼三部的左丞韦绶上奏章,要求寿诞这天接受百官朝贺,穆宗允准下诏实行。不久,总揽政务的大臣又以古代没有寿日受贺的礼仪,上书要求停止贺礼仪式,穆宗于是又下诏停止。然而,到了第二年,又再次举行寿诞贺礼。

皇帝寿诞之日举行贺礼的制度,开始于唐明皇。他在寿诞之日下令百官集中设宴庆贺,休假三天,随后,他的儿子唐肃宗也照此而行。后来,唐代宗、德宗、顺宗三朝都没有设置这一节日名目。直到唐文宗以后,才像唐玄宗时一样隆重举行,盛宴百官。据此,寿诞受贺之礼,大致从唐穆宗长庆年间开始,一直沿用到现在。

卷 七

虞世南

虞世南①卒后，太宗夜梦见之，有若平生。翌日②，下制③曰："世南奄随物化，倏移岁序。昨因夜梦，忽睹其人，追怀遗美，良增悲叹！宜资冥助④，申朕思旧之情，可于其家为设五百僧斋，并为造天尊像一躯。"夫太宗之梦世南，盖君臣相与之诚所致，宜恤其子孙，厚其恩典可也。斋僧、造像，岂所应作？形之制书，著在国史，惜哉，太宗而有此也！

[注释]

①虞世南：字伯施，唐初大臣，著名书法家。有德行、忠直、博学、文辞、书翰五绝之誉。②翌日：第二天。③制：朝廷的诏书。④冥助：在地下给予帮助。

[译文]

虞世南死后的一天夜里，唐太宗夜间做梦见到了他，像平时那样同他在一起共同议事，一同欣赏书法作品。第二天，唐太宗特意颁布了一道诏书。诏书中写道："人必有一死，虞世南也无法幸免。

昨天夜里，朕梦见世南，回忆起他生前的美德，十分悲伤和惋惜。为了表达朕对老臣在天之灵的思念，特决定在他家设坛祭祀，选派五百僧人斋戒，并为他塑像一尊。"

唐太宗之所以梦见虞世南，是由于他生前与唐太宗赤诚相待，君臣关系融洽的缘故。按照常理只要注意抚恤，妥善安置他的子孙后代就可以了，怎么能去动用斋僧，并为他造像呢？然而，唐太宗竟然特意颁布诏书宣谕天下，并且载入国史，实在令人感到遗憾。

将军官称

《前汉书·百官表》："将军皆周末官，秦因①之。"予按《国语》："郑公以詹伯为将军。"又："吴夫差十旌一将军。"《左传》："岂将军食之而有不足。"《檀弓》②："卫将军。"《文子》："鲁使慎子为将军。"然则③其名久矣。彭宠为奴所缚，呼其妻曰："趣为诸将军办装④。"《东汉书》注云："呼奴为将军，欲其赦己也。"今吴人语犹谓小苍头⑤为将军，盖本诸此。

[注释]

①因：因袭，沿用。②《檀弓》：《礼记》中的篇章。③然则：由此可见。④趣为诸将军办装：催促为诸将军办行装。趣，通"促"，赶紧，赶快。诸将军，指各位奴隶。办装，办行装。⑤小苍头：奴婢。

[译文]

《前汉书·百官表》中载："将军都是周代末年设置的官，秦代沿用了这个称号。"据查《国语》里有载："郑文公以詹伯为将军。"又载："吴王夫差十旌一将军。"《左传》里记有"岂将军食之而有不足。"《檀弓》里有"卫将军"的记述。《文子》里亦有鲁国任用慎子为将军的记载。可见，将军的称号由来已久。

东汉时，彭宠为奴隶捆绑，他急忙喊叫他的妻子说："快去为各位将军置办行装。"《后汉书》在这一段下加注说："称号奴隶为将军，是为了要他们释放自己。"现在吴人仍称"小苍头"为将军，其根据在于此。

北道主人

秦、晋围郑，郑人谓秦盍舍①郑以为东道主，盖郑在秦之东，故云。今世称主人为东道者，此也。《东汉》载北道主人②，乃有三事：常山太守邓晨会光武于巨鹿③，请从击邯郸，光武曰："伟卿以一身从我，不如以郡为我北道主人。"又："光武至蓟，将欲南归，耿弇④以为不可，官属腹心皆不肯，光武指弇曰：'是我北道主人。'""彭宠将反，光武问朱浮，浮曰：'大王倚宠，为北道主人，今既不然，所以失望。'"后人罕引用之。

[注释]

①盍舍：何不放弃。②《东汉》：即《后汉书》。北道主人：东道主。③常山：今河北唐县倒马关。邓晨：字伟卿，东汉初大臣。会：相会，会师。④耿弇：字伯昭，封好畤侯，东汉初大臣。

[译文]

春秋时秦国和晋国结成联盟，围攻郑国。郑国人说秦国为什么不把郑国留下作为东道主。大概这因为郑国位于秦国东部，所以才这样说。现在人们称主人为东道主，其由来就在这里。

《后汉书》中载有北道主人，共有三个地方：第一是《邓晨传》中记载：常山太守邓晨与汉光武帝刘秀在巨鹿相会，邓晨要求跟随光武帝一道进攻邯郸（今属河北）。光武帝回答说："伟卿你一个跟随我出战，还不如拿一郡之地作为我的北道主人。"

第二件事是在《耿弇传》中，记载说耿弇跟随光武帝来到了蓟州（今河北蓟县）。听说敌方的军队已经到达邯郸，光武帝想率领军队南归。于是便召集各位将军共同研究议论这件事。在议论中，各种意见不一致。耿弇不赞成光武帝南归，认为只要调集渔阳（今北京密云）、上谷（今河北怀来东南）两郡的兵力，邯郸是不必过多考虑的。而光武帝的部下心腹们则不赞成这一意见。光武帝在进行裁决时，指着耿弇说："你是我的北道主人。"

第三件事是在《彭宠传》中，记载说彭宠投归汉光武帝后，授予他大将军的职务。但是过了不久，彭宠又想举兵反叛。光武帝问幽州（今北京）刺史朱浮："彭宠为什么反叛？"朱浮说："当初，彭宠率众前来归附，您赠送给他衣服、佩剑，依靠他为北道主人。二人亲热握手，交欢并坐。如今不是这样，所以令人失望。"上面三处提到北道主人，但后人很少有人引用北道主人一词。

洛中盱江八贤

司马温公《序赒礼》，书间阎①之善者五人，吕南公②作《不欺述》书三人，皆以卑微不见于史氏。予顷③修国史，将以缀于孝行传而不果成，聊④纪之于此。温公所书皆陕州夏县人。曰医刘太居亲丧⑤，不饮酒食肉，终三年，以为今世士大夫所难能。其弟永一，尤孝友廉谨⑥。夏县有水灾，民溺死者以百数，永一执竿立门首，他人物流入⑦门者，辄擿出之。有僧寓⑧钱数万于其室而死，永一诣⑨县自陈，请以钱归其子弟。乡人负债不偿者，毁其券⑩。

曰周文粲，其兄嗜酒，仰⑪弟为生。兄或时酗殴粲，邻人不平而唁之。粲怒曰："兄未尝殴我，汝何离间我兄弟也。"

曰苏庆文者，事继母以孝闻。常语其妇曰："汝事吾母小不谨，必逐汝！"继母少寡[12]而无子，由是安其室终身。

曰台亨者，善画，朝廷修景灵宫，调天下画工诣京事，事毕，诏选试其优者，留翰林[13]，授官禄，亨名第一。以父老固辞，归养于田里。

南公所书皆建昌南城人。曰陈策，尝买骡，得不可被鞍者，不忍移之他人，命养于野庐，俟其自毙。其子与猾驵[14]计，因经过官人丧马，即磨破骡背，以衔贾之。既售矣，策闻，自追及，告以不堪。官人疑策爱也，秘之。策请试以鞍，亢亢终日不得被，始谢还焉。有人从策买银器若罗绮者，策不与罗绮。其人曰："向见君帑有之，今何靳[15]？"策曰："然，有质钱而没者，岁月已久，丝力縻脆不任用，闻公欲以嫁女，安可以此物病公哉！"取所当与银器投炽炭中，曰："吾恐受质人或得银之非真者，故为公验之。"

曰危整者，买鲍鱼，其驵舞秤权[16]阴厚整。鱼人去，身留整傍，请曰："公买止五斤，已为公密倍入之，愿畀[17]我酒。"整大惊，追鱼人数里返之酬以直[18]。又饮驵醇酒，曰："汝所欲酒而已，何欺寒人为？"

曰曾叔卿者，买陶器欲转易[19]于北方，而不果行。有人从之并售者，叔卿与之，已纳价[20]，犹[21]问曰："今以是何之？"其人对："欲效公前谋耳。"叔卿曰："不可，吾缘北方新有灾荒，是故不以行，今岂宜不告以误君乎？"遂不复售。而叔卿家苦贫，妻子饥寒不恤也。呜呼，此八人者贤乎哉！

[注释]

①闾阎：指平民老百姓。闾，中国古代以二十五家为闾。阎，里巷的门。
②吕南公：字次儒，号灌园，宋代文学家，著有《灌园集》。③顷：近来。
④聊：暂且。⑤居亲丧：为父母守丧。居，守。⑥考友廉谨：孝顺父母，友爱

兄弟，廉洁、谨慎。⑦流入：漂流到。⑧寓：寄放。⑨诣：到。⑩券：契据，常分为两半，双方各执其一。⑪仰：仰仗、依靠。⑫少寡：年轻时死了丈夫。⑬翰林：翰林院。⑭猾驵：狡猾的市场经纪人。驵，市场经纪人。⑮靳：吝惜，不肯给予。⑯秤权：秤锤。⑰畀：给予。⑱直：通"值"，等值的财物。⑲易：贩卖。⑳纳价：付了钱。㉑犹：顺便。

[译文]

　　司马光在《序赙礼》这篇文章中说民间有善行者五人，吕南公在所撰《不欺述》中，记载了三人的事略。是由于这八个人出身微贱，他们的事迹不为史家所采取。近来，我在编修国史时，曾想将这八人列入孝行传中，结果也未能列入。兹将这八人事略，记之于此。

　　司马光所说五人都是陕州夏县人。一是医生刘太，为父母守丧，三年不饮酒吃肉，始终如一。这是当今士大夫们难以做到的。

　　二是刘太弟弟刘永一，尤以孝顺父母、友爱兄弟和洁身谨慎而著称。夏县发生水灾，百姓被洪水淹没致死的数以百计。永一拿着一根竹竿，站在门口，凡是看到有东西漂流到家门口的，就打捞出来。有一个僧人，把数万钱寄放在他家里，这人不幸死去，永一到县署述说其事，并且提出请求官府协助把这些钱归还给僧人家属。当地人向他借债，言明如期按本付息，有的家中穷困，实在不能偿还，他就将借贷契约焚毁。

　　三是周文粲。他的哥哥嗜饮酒，不务正业，依靠弟弟文粲供给为生。他在醉酒时，往往对文粲进行毒打。邻居中好打不平的人，对文粲的遭遇深表同情，都去安慰他。每当出现这种情形，文粲就恼火，并且对他们说："我的哥哥不曾打我，你们为什么要在我们兄弟之间进行挑拨离间呢？"

　　四是苏庆文。殷勤侍奉继母，以孝子闻名。他曾对他的妻子说："你要谨慎耐心地侍奉我的母亲，如果不是这样，就要把你赶走。"继母年少即守寡,没有儿子,来到苏家后,享尽天年,并且最后病死在这里。

五是台亨。善于绘画,朝廷决定修建景灵宫,征调各地著名画工到京师,为景灵宫作画。这工作完成后,朝廷下令选拔其中的优秀者,留他们到翰林院,授给他们官职,发给他们薪俸。台亨名列第一,以其父年迈,坚持辞官,返回故里,侍养双亲。

吕南公所说的三人都是建昌南城人。一是陈策。曾经买一头骡子,回来后发现不能备鞍或让人骑,或驮运货物,不忍心再到市上卖给他人,就叫人在村外草屋进行喂养,让它老死在这里。他的儿子与市场上奸诈的经纪人合谋,乘路过这里的官人,有马突然死去,急着再买,就故意将骡子的脊背磨破,牵到市上去卖,且极力夸耀这匹骡子如何如何。很快,就卖了出去。陈策听说后,就连忙前去追赶,见了买主,如实地告诉他骡子不能让人骑乘驮运的实情。官人听后,不禁产生疑虑,以为他是喜爱这匹骡子,便问他究竟是怎么一回事。陈策让官人将鞍子放在骡背上,整整折腾了一天,也没有放上,被骡子踢得一塌糊涂。这时官人才明白了真情,内心里对陈策发出了由衷的感谢。陈策当即把钱退还给了官人,官人把骡子退还了陈策。

又有一次,一个人到陈策家里去买质地轻软带有椒眼文饰的银器,策不答应卖给。这个人有些生气,就问他道:"我明明见你家中有这种东西,现在为什么不卖给我呢?"陈策回答说:"是啊!我家存放有这种银器,是别人借钱抵押给我的,时间已经很久,不能再用了。我听说你买这东西是为女儿作陪嫁用的,怎么能用这样过期的货来坑害你呢?"说罢,就将家中所存的银器投进炽热的炭火盆中焚毁,并对买主说:"我这东西是从质人手中买来的,怕不是真品,作个验证给你看。"

二是危整。一天,他到市上买鲍鱼,经纪人舞弄着秤锤,故意多给称了几斤。卖鱼人走后,经纪人就对危整说:"你只买五斤,我暗中给你称了十斤,你得请我喝酒。"危整听后,十分吃惊,忙去追赶卖鱼的人,跑了几里才追上,把多给他的鲍鱼,按价付给了卖鱼的人。又把那位经纪人请到酒店中饮酒,并对他说:"你想喝酒,何必欺侮那贫苦的卖鱼人呢?"

三是曾叔卿。他原打算到南方进一批陶器运到北方出卖。买下来后,迟迟没有转运。这天,一个跟他一起做陶器生意的人前来买货。叔卿答应卖给他,并且付给了钱,他顺便问:"现在你买这些陶器做什么?"回答说:"我是跟你学的,是按照原先你的想法去做的。"叔卿当即斩钉截铁地对他说:"你可不能这样做。我是由于北方新近遭灾,所以才不把这批陶器运到北方去卖。现在我岂能不告诉你这一点,让你去蒙受重大损失呢?"于是叔卿决定不再把存货卖给他。而叔卿家中贫穷,连妻子的饥寒温饱都难以顾全。

唉,以上这八个人,真可谓是善人贤人啊!

汉书用字

太史公《陈涉世家》①:"今亡亦死,举大计亦死,等死②,死国可乎?"又曰:"戍③死者固什六七,且壮士不死即已,死即举大名耳!"叠用七死字。《汉书》因④之。《汉书·沟洫志》载贾让《治河策》云:"河从河内北至黎阳为石堤⑤,激使⑥东抵东郡平刚;又为石堤,使西北抵黎阳观下;又为石堤,使东北抵东郡津北;又为石堤,使西北抵魏郡昭阳;又为石堤,激使东北。百余里间,河再西三东⑦。"凡五用石堤字而不为冗复,非后人笔墨畦径所能得也⑧。

[注释]

①太史公：司马迁，官太史，因称太史公。陈涉：即陈胜，字涉。秦二世元年（前209年）七月，与吴广率领戍卒在蕲县大泽乡揭竿而起，占领陈县，自立为王，国号张楚。②等死：同样是死。③戍：守边。④因：沿用。⑤河：指黄河。河内：今河南沁阳。为石堤：筑成石堤。⑥激使：强迫。⑦再西三东：两次西流，三次东流。⑧笔墨畦径所能得也：写作境界所能达到的。

[译文]

司马迁的《史记·陈涉世家》中载陈胜说："现在逃亡是死，起来造反也是死，同样是死，何不为国家而死呢？"又说："戍边的人十个有六七个都逃脱不了死，壮士不死就算了，要死就要取得大的名声！"在这里连续用了七个死字，《汉书》也沿用了这一写法。《汉书·沟洫志》载贾让《治河策》说："黄河从河内北至黎阳筑成石堤，强迫河水往东到东郡的平刚；又筑成石堤，让河水由西北到黎阳观下；又筑石堤，让河水从东北抵东郡的津北；又筑石堤，让河水从西北到魏郡的昭阳；又筑石堤，强迫河水往东北方向流去。百余里中间，黄河两次西流，三次拐弯东流。"总计五次使用石堤二字，不显得冗长重复，这不是后人写作境界所能达到的。

卷 八

诸葛公

诸葛孔明千载人①，其用兵行师②，皆本于仁义节制，自三代以降，未之有也。盖其操心制行③，一出于诚④，生于乱世，躬耕陇亩，使无⑤徐庶之一言，玄德之三顾，则苟全性命，不求闻达必矣。其始见玄德，论曹操不可与争锋，孙氏可与为援而不可图，唯荆、益可以取，言如蓍龟⑥，终身不易。二十余年之间，君信之，士大夫仰之，夷夏服之，敌人畏之。上有以取信于主，故玄德临终，至云"嗣子不才，君可自取⑦！"后主虽庸懦无立⑧，亦举国听之而不疑。下有以见信于人，故废廖立而立垂泣，废李严而严致死。后主左右，奸辟侧佞⑨，充塞于中，而无一人有心害疾者。魏尽据中州，乘操、丕积威之后，猛士如林，不敢西向发一矢以临蜀，而公六出征之，使魏畏蜀如虎。司马懿案行其营垒处所，叹为天下奇才。钟会伐蜀，使人至汉川祭其庙，禁⑩军士不得近墓樵采，是岂智力策虑所能致哉？魏延每随公出，辄欲请兵万人，与公异道会于潼关，公制而不许，又欲请兵五千，循⑪秦岭而东，直取长安，以为一举而咸阳以西可定。史臣谓公以为危计不用，是不然。公真所谓义兵不用诈谋奇计，方以数十万之众，据正道而临有罪，建旗鸣鼓，直指魏都，固将飞书告之，择日合战，岂复翳行窃步⑫，事一旦之谲⑬，以规咸阳哉！司马懿年长于公四岁，懿存而公死，才五十四耳，天不祚⑭汉，非人力也。"霸气西南歇，雄图历数屯。"杜诗尽之矣哉。

[注释]

①千载人：千年的伟人。②行师：用兵，出兵。③操心制行：思想和行为。④一出于诚：全部都出于一片赤诚。一，一概，全部。⑤使无：假使没有。⑥蓍龟：蓍草、龟壳，两者都是用来占卜的，此处代指占卜算卦。⑦自取：自取帝位，自己做皇帝。⑧无立：不能拥立。⑨佞：善辩，巧言谄媚。⑩禁：禁止。⑪循：沿着。⑫翳行窃步：隐密行动，暗中行事。⑬谲：欺诈。⑭祚：福，赐福。

[译文]

诸葛亮堪称千百年来的伟人，他治军有方，用兵如神，自始至终以"仁义"来约束和驾驭部下，可以说从夏、商、周三代以来，还没有像他这样的人。诸葛亮的思想和行为，始终出于一个"诚"字，生于乱世，躬耕垄亩。假使没有徐庶的推荐，刘备的三顾茅庐，诸葛亮的一生必将如他说的那样：苟且保全性命于乱世，不求扬名显达于诸侯了。

他在隆中第一次见到刘备时，议论天下的形势。提出：不可同势力强大的曹操争锋较量，对于江东孙权也只能引以为外援而不能图谋，唯有刘表的荆州、刘璋的益州可以夺取。这些论断像蓍占龟卜一样准确无误，乃至他的一生都没有改变这一方针。

在他辅佐刘备复兴汉室的二十多年里，刘备信任他，士大夫们仰慕他，当地汉人和少数民族臣服他，敌人畏惧他。对上以诚心取得君主的信任，故而刘备在临终的时候，当着诸葛亮的面说："我的儿子如果没有治国才能，你可以取而代之。"后主刘禅虽然平庸懦弱，无所建树，也依然能够听凭诸葛亮处理军国大政而毫不怀疑。对下，以德才卓异充分被部属信服，故而长水校尉廖立与骠骑将军李严虽被诸葛亮弹劾免职，但当听到诸葛亮病逝的消息后，廖立垂泣不已，李严发病而死。后主刘禅左右的奸佞小人充塞宫中，但却没有嫉妒陷害诸葛亮的。

三国鼎立的局面形成以后，曹魏占据中原大地，经过曹操、曹丕的苦心经营，威势日强，军中猛士如林，却不敢发一箭到蜀国。相反，诸葛亮却为了兴复汉室，率领大军六出祁山，征伐曹魏，致使曹魏上下畏蜀如虎。曹魏主帅司马懿仔细地巡察诸葛亮军营壁垒之后，赞叹诸葛亮真是天下少有的奇才。后来诸葛亮死后，曹魏大将钟会攻打蜀国时，曾特地派人到汉川的诸葛亮庙祭奠他，传下军令，严禁士兵在诸葛亮墓附近砍伐柴木，违者按军法处置。这难道仅仅是因为诸葛亮智力高超、谋略过人所造成的结果吗？

诸葛亮率大军六出祁山时，蜀大将魏延常随诸葛亮征战，总是请求诸葛亮拨给他一万兵马，从另外一条道路北伐，与诸葛亮的西路军遥相呼应，进而对魏军构成两下夹击之势，最后双方会师潼关，诸葛亮统筹安排而没有答应；魏延又请求诸葛亮拨给他五千精兵，沿着秦岭东进，直取长安，认为这样咸阳以西的大部分地区可以一举平定。关于此，史臣评论说，诸葛亮认为魏延的计策非常冒险，故而没有采用，这是与事实不符的。诸葛亮率领几十万大军，打着兴复汉室的旗帜，铲除汉贼。讨伐奸雄，大张旗鼓，直捣魏国的都城，本来准备派人送给魏军战书，挑选日期交战，难道再用隐密行动、暗中行事，以诡诈之计谋图咸阳吗？

司马懿比诸葛亮大四岁，可司马懿活着而诸葛亮却不幸死去，享年仅五十四岁。这只能说是上天不保佑庇护蜀汉，并非人力所能挽回的。唐代诗人杜甫赋诗："霸气西南歇，雄图历数屯。"这两句诗集中概括了蜀汉国运不济和诸葛亮一生壮志难酬的境况。

陶渊明

陶渊明，高简闲靖，为晋、宋第一辈人①。语其饥则箪瓢②屡空，瓶无储粟；其寒则短褐穿结，绤绤冬陈③；其居则环堵萧然④，风日不蔽⑤。穷困之状，可谓至矣。读其《与子俨等疏》云："恨室无莱妇⑥，抱兹苦心，汝等虽不同生，当思四海皆兄弟之义，管仲、鲍叔，分财无猜⑦，他人尚尔，况同父之人哉！"然则犹有庶子也。《责子》诗云："雍、端年十三。"此两人必异母尔。渊明在彭泽，悉令公田种秫，曰："吾常得醉于酒足矣。"妻子固请种秔⑧，乃使二顷五十亩种秫⑨，五十亩种秔。其自叙亦云："公田之利，足以为酒，故便求之。"犹望一稔⑩而逝，然仲秋至冬，在官八十余日，即自免去职。所谓秫秔，盖未尝得颗粒到口也，悲夫！

[注释]

①第一辈人：第一等人。②箪瓢：饭筐水瓢。③绤绤冬陈：意思是严冬穿的是夏天薄薄的葛衣。④环睹萧然：四面空空。⑤不蔽：不能遮挡。⑥室无莱妇：家中没有像春秋时老莱妻子那样的贤妻。⑦无猜：不计较。⑧秔：稻的一种。⑨秫：高粱。⑩稔：年。

[译文]

晋时的陶渊明为官清廉，生活简朴，志趣高洁，不尚名利，是晋宋之间第一流人物。他曾谈道：饥饿之时，箪瓢屡空，家无一点可以充饥的余粮，异常窘迫；寒冷之时，穿的还是粗布短衣，破烂不堪，严冬穿的是夏天薄薄的葛衣；居住的房屋四壁空空荡荡，难以遮挡风雨和阳光。贫穷困苦状况,达到了极点。

他在家书《与子俨等疏》中说:"我常恨家中没有像春秋时楚国老莱子之妻那样的贤内助来开导我,只有自己抱此苦心养育你们。你等即使不是同一母所生,也应当时刻念想四海之内皆兄弟的大义。过去,管仲与鲍叔牙堪称患难与共的知己,都不为钱财所动,同甘共苦。他们虽是异姓,尚且如此亲近,何况同胞兄弟呢!"然而,陶渊明也有妾生的庶子。他在《责子》诗里有这样一句话:"雍、端年十三。"这两个孩子不是同一母亲所生。

陶渊明曾任彭泽县令,按照朝廷规定,每个地方官都可分得一部分公田,自种取食,以补充俸禄的不足。陶渊明因喜爱饮酒,就下令公田全种成高粱,并说:"我能够常饮酒就心满意足了。"他的妻子和儿子坚决请求种粳稻,陶渊明无奈,只好让二顷五十亩种高粱,另外五十亩种粳稻。他在《归去来兮辞》的自叙中也说:"公田的收成足够用来酿酒,所以我便求了彭泽令这个小官。"他本希望等到庄稼熟了,再辞官隐居,然而从仲秋到冬天,他在任仅仅八十多天,就自动辞官离职,去过"晨兴理荒秽,带月荷锄归"的悠然生活了。他所期盼的高粱与粳稻,大概一粒也没尝到,真是可悲啊!

东晋将相

西晋南渡,国势至弱,元帝为中兴主,已有雄武不足之讥,余皆童幼相承[①],无足称算。然其享国[②]百年,五胡[③]云扰,竟不能窥江、汉,苻坚以百万之众,至于送死淝水,后以强臣擅政,鼎命[④]乃移,其于江左之势,固自若也,是果何术哉?尝考之矣,以国事付一相,而不贰其任[⑤],以外寄付方伯[⑥],而不轻[⑦]其权，文武二柄，既得其道，余皆可概见矣。百年之间，会稽王昱、道子、元显以宗室，王敦、二桓⑧以逆取，姑置勿信，卞壶、陆玩、郗鉴、陆晔、王彪之、坦之不任事，其真托国者，王导、庾亮、何充、庾冰、蔡谟、殷浩、谢安、刘裕八人而已，方伯之任，莫重于荆、徐。荆州为国西门，刺史常都督七八州事，力雄强，分天下半。自渡江讫于太元，八十余年，荷阃寄⑨者王敦、陶侃、庾氏之亮、翼，桓氏之温、豁、冲、石民八人而已，非终于其军不辄易，将士服习于下，敌人畏敬于外，非忽去忽来，兵不适将，将不适兵之比也。顷⑩尝为主上论此，蒙欣然领纳，特时有不同，不能行尔⑪。

[注释]

①童幼相承：年幼继位。②享国：保持，存在。③五胡：北方匈奴、鲜卑、羯、氐、羌五个少数民族。④鼎命：国家命运。⑤不贰其任：信任不疑。⑥方伯：地方长官。⑦不轻：不削弱。⑧二桓：即桓温、桓玄。⑨荷阃寄：得蒙朝廷委以重任。⑩顷：不久前。⑪尔：罢了。

[译文]

西晋南迁渡过江之后，国势衰弱到了极点，元帝是位中兴之主，已有人讥笑他雄武不足，其余的国君，都是年幼继位，没有什么可称道的。然而东晋王朝能够保持百年之久，五胡纷纷扰扰，却不能窥伺长江和汉水；苻坚拥有百万大军，到达淝水，一战而亡。后来强横的大臣把持朝政，国家的命运才有所变化，但在长江东部的形势依然还和过去一样，那么东晋王朝究竟采用的是什么策略呢？我曾经作过考察，是将国家大事交给一个宰相，对他信任不疑；将治理外地的责任交给地方长官，而不削弱他的权力。这样，文武两大权力，既得到正确的使用，其他也就包括在内了。在这百年之间，会稽王司马昱、司马道子、司马元显是宗室王族，王敦、桓温、桓玄采取叛逆的做法取得高位，这些姑且放下不说，卞壶、陆玩、郗鉴、陆晔、王彪之、王坦之不担大事，而真正托付国家大政的有王导、庾亮、何充、庾冰、蔡谟、殷浩、谢安、刘裕八人。地方长官的责任，莫重于荆州、徐州。荆州为晋朝西大门，刺史经常兼管七八个州的事务，实力雄厚强大，可以分占天下之一半。从晋朝南迁到太元（317～396年）的八十多年间，被朝廷委以重任的有王敦、陶侃、庾亮、庾翼、桓温、桓豁、桓冲、桓石民八人。若不是死在军中，朝廷是不轻易更换的，将士们形成习惯于服从，敌人对他们既害怕又尊敬，这不是那种忽去忽来，兵士不适应将领，领将不适应兵士的情形所能比拟的。不久前，我曾与圣上议论过此事，承蒙圣上欣然同意接受，只是时代不同，不能施行罢了。

人物以义为名

人、物以义为名者，其别最多：仗正道曰义，义师、义战是也。众所尊戴者曰义，义帝是也。与众共之曰义，义仓、义社、义田、义学、义役、义井之类是也。至行过人①曰义，义士、义侠、义姑、义夫、义妇之类是也。自外入而非正者曰义，义父、义儿、义兄弟、义服之类是也。衣裳器物亦然，在首曰义髻，在衣曰义襴、义领，合中小合子曰义子之类是也。合众物为之，则有义浆、义墨、义酒。禽畜之贤，则有义犬、义鸟、义鹰、义鹘。

[注释]

①至行过人：品德高尚、行为超绝。

[译文]

以义来命名人或者事物的情形特别多。主持正道，维护公理的叫义，如义师、义战等。为众人尊重拥戴的叫义，如秦朝末年的义帝，就是维护正义的皇帝。与大众共享或共同从事的叫义，如义仓、义社、义田、义学、义役、义井等。品德高尚、行为超绝的叫义，如义士、义侠、义姑、义夫、义妇等。从外来而不是正统的也叫义，如义父、义儿、义兄弟、义服之类等。衣裳器物也是这样，如头上的发髻称义髻，衣服称义襕、义领，盒子里的小盒子称义子等。混合多种成分制成的东西，称为义，如义浆、义墨、义酒等。对那些禽鸟牲畜之中有益于人的叫义，如义犬、义鸟、义鹰、义鹘等。

人君寿考

三代以前，人君寿考①有过百年者。自汉、晋、唐、三国、南北下及五季②，凡百三十六君，唯汉武帝、吴大帝③、唐高祖至七十一，玄宗七十八，梁武帝八十三，自余至五六十者亦鲜。即此五君而论之，梁武召侯景之祸，幽辱告终，旋以亡国。玄宗身致大乱，播迁④失意，饮恨而没。享祚⑤久长，翻以为害，固已不足言。汉武末年，巫蛊事起⑥，自皇太子、公主、皇孙皆不得其死，悲伤愁沮。群臣上寿，拒不举觞⑦，以天下付之八岁儿。吴大帝废太子和，杀爱子鲁王霸。唐高祖以秦王之故，两子十孙，同日并命，不得已而禅位，其方寸⑧为如何？

然则五君者，虽有崇高之位，享耇耋⑨之寿，竟何益哉？若光尧太上皇帝⑩之福，真可于天人中求之。

[注释]

①寿考：高寿，寿命。②五季：即五代，指梁、唐、晋、汉、周五个朝代。③吴大帝：即孙权，字仲谋，吴国开国皇帝。谥号大皇帝。④播迁：流亡。⑤享祚：保持帝位。⑥巫蛊事起：巫蛊是用巫术诅咒或将土木偶人埋在地

下进行害人。汉武帝征和元年（前92年）巫蛊事发，第二年被镇压，有数万人被诛杀。⑦觞：酒杯。⑧方寸：心。⑨耆耋：老年人。六十为耆，六十以上为耋。⑩光尧太上皇帝：即南宋光宗。

[译文]

夏、商、周以前，君主的寿命，有超过一百岁的。从汉、三国、两晋、南北朝到唐、五代，总共一百三十六个帝王，只有汉武帝刘彻、东吴孙权、唐高祖李渊活到了七十一岁，唐玄宗活到七十八岁，南朝梁武帝活到八十三岁，其余活到五六十岁的也很少见。

就以以上五位长寿的君王而论，梁武帝召来侯景叛乱，都城陷落，自己被软禁，饱尝羞辱，气郁而死，随之亡国。唐玄宗时，出现安史之乱，流亡他乡，最终饮恨而没。他们二人在位时间长，反而成为祸害，本来已不值得多说。汉武帝末年，"巫蛊事件"爆发，株连六万人之多。皇太子刘据也被卷入这件事而自杀身亡，其他公主、皇孙多人也死于非命。汉武帝悲伤万分，愁眉不展，群臣为他大寿祝贺，他竟然不举酒杯，将皇位传给了八岁的小儿子刘弗陵。东吴孙权晚年废掉了太子孙和，杀掉了自己的爱子鲁王孙霸。唐高祖李渊因为秦王李世民的缘故，"玄武门之变"中，他的两个儿子即长子李建成、三子李元吉和他的十个孙子，同一天丧命，他不得已才让位给李世民，此时他的心里感受如何呢！

既然这五位君主身居九五之尊，并且皆得高寿，究竟有什么益处呢？像光尧太上皇帝那样福寿两全，真是只能到天上神仙中寻求了。

卷 九

尺棰取半

《庄子》载惠子①之语曰:"一尺之棰②,日取其半,万世不竭。"虽为寓言,然此理固具。盖但③取其半,正碎为微尘,余半犹存,虽至于无穷可也。特所谓卵有毛,鸡三足,犬可以为羊,马有卵,火不热;龟长于蛇,飞鸟之景④未尝不动,如是之类,非词说所能了⑤也。

[注释]

①惠子:惠施,战国思想家,宋人。与庄周友善。合纵策略的组织者,名辩学派代表人物。②棰:木棒。③但:只。④景:通"影"。⑤能了:能说明白。

[译文]

《庄子·天下》记载惠施说的一段话:"一尺长的木棒,每天截去一半,永远也截不完。"这句话虽是寓言,然而其中的道理却是客观存在的,因为每天只截取一半,即使截碎到微小的尘埃,而余下的另一半依然存在,可以截到无穷小。不过,所谓的蛋里有毛,鸡有三条腿，犬可以变成羊，马会生蛋，大火不热，乌龟比蛇长，飞鸟的影子不移动，诸如此类，就不是用文字言语能够讲明白的了。

汉文失材

汉文帝见李广①曰："惜广不逢时，令当高祖世②，万户侯③岂足道哉！"贾山上书言治乱之道，借秦为喻，其言忠正明白，不下④贾谊，曾⑤不得一官。史臣犹赞美文帝，以为山言多激切，终不加罚，所以广谏争⑥之路。观此二事，失材多矣。吴楚反时，李广以都尉战昌邑⑦下，显名⑧，以梁王授广将军印，故赏不行⑨。武帝时，五为将军击匈奴，无尺寸功，至不得其死⑩。三朝不遇⑪，命也夫！

[注释]

①李广：汉文帝时名将。②令当高祖世：若是活在汉高祖的那个年代。世，年代。③万户侯：汉代的爵位，食邑在万户以上。④不下：不比……差。下，差。⑤曾：竟然。⑥谏争：劝谏。⑦昌邑：今江西永修县北。⑧显名：名声显赫。⑨行：施行，实施。⑩至不得其死：到最后死也没得到任何功名。⑪不遇：得不到赏识。

[译文]

西汉文帝召见李广说："可惜你生不逢时，如果是在高祖时代，封个万户侯又算什么！"贾山上书谈论治理乱世的方法，借用秦朝的事打比方，他的言论忠烈正直、明白畅晓，不比贾谊差，可是，他始终没得到文帝的赏识而被授予一官半职。但史官们仍然赞美汉文帝，认为贾山言论偏激刻薄，汉文帝却没有惩罚他，这是汉文帝用来广开谏诤之路的方法，要让人们敢于指斥时政之失。以上两件事可以看出,汉文帝失去的人才太多了。

汉景帝时,吴王、楚王发动了"七国之乱"。李广以骁骑都尉的职位,在昌邑立下战功,名声远播。凯旋之后,因李广接受了梁王授予他的将军大印,故而景帝没有赏赐李广。

汉武帝时,李广五次以将军的身份抗击北方的匈奴,却没有建立什么战功,最后引刀自刎。

李广身为一代名将,历经汉文帝、景帝、武帝三朝,却没有得到君王的赏识,进爵封侯,难道真的是他命该如此吗?

老人推恩

唐世赦宥①,推恩②于老人绝优③。开元二十三年,耕籍田④。侍老百岁以上,版授⑤上州刺史;九十以上,中州刺史;八十以上,上州司马。二十七年,赦⑥。百岁以上,下州刺史,妇人郡君;九十以上,上州司马,妇人县君;八十以上,县令,妇人乡君。天宝七载,京城七十以上,本县令;六十以上,县丞;天下侍老除官与开元等。国朝之制,百岁者始得初品官封,比唐不侔矣。淳熙三年,以太上皇帝庆寿之故,推恩稍优,遂有增年诡籍⑦以冒荣命者。使如唐日,将如何哉?

[注释]

①赦宥:赦免有罪的人,宽宥人的过失。②推恩:实施恩惠。③绝优:非常优厚。④籍田:帝王于历年春耕前亲自耕作农田。⑤版授:封号,受封。⑥赦:皇帝大赦天下。⑦增年:虚报岁数。诡籍:谎报籍贯。

[译文]

唐代赦免罪人宽宥过失,对老人施及的恩惠非常优厚。开元二十三年(735年)皇帝亲行籍田礼。侍奉老人百岁以上的,封给上州刺史的头衔；九十岁以上的，封中州刺史；八十以上的，封上州司马。开元二十七年（739年），大赦天下。百岁以上的老人，封下州刺史，百岁以上的妇女，封为郡君；九十岁以上的老人，封上州司马，妇女封为县君；八十岁以上的，封县令，妇女封乡君。唐天宝七载（748年），京城里七十岁以上的老人，享受县令的待遇；六十以上的，按县丞对待；京城外全国侍奉老人，安排官衔跟开元年间一样。

我们宋朝的制度，百岁的人才能得到低品官的封衔，跟唐代就不相等了。淳熙三年（1176年），因为太上皇帝庆寿的缘故，施加恩惠稍为优厚，于是有虚报岁数谎报籍贯来冒领荣职衔命的人。如果在唐代，将会怎么样呢？

朋友之义

朋友之义甚重。天下之达道五：君臣、父子、兄弟、夫妇而至朋友之交。故天子至于庶人①，未有不须友以成者。"天子俗薄②，而朋友道绝。"见于《诗》。"不信乎朋友，弗获③乎上。"见于《中庸》、《孟子》。"朋友信之"，孔子之志也。"车马衣裘，与朋友共④"，子路之志也。"与朋友交而信"，曾子之志也。《周礼》六行⑤，五曰任⑥，谓信于友也。

汉、唐以来，犹有范张、陈雷、元白、刘柳⑦之徒，始终相与，不以死生贵贱易其心。本朝百年间，此风尚存。呜呼，今亡矣！

[注释]

①庶人：平民。②薄：淡薄。③弗获：不能得到。④共：共同享用。⑤六行：孝、友、睦、渊、任、恤六种好的行为。⑥任：信任。⑦范张、陈

雷、元白、刘柳：指范式和张劭、陈重和雷义、元稹和白居易、刘禹锡和柳宗元。

[译文]

朋友之间的信义是重要的。天下人共同遵循的伦理之道有五大类，即君臣之道、父子之道、兄弟之道、夫妇之道，乃至朋友交往之道。因此，上自天子，下及平民百姓，没有不需要朋友来成就事情的。《诗经》上曾说："天下风俗日坏，情义日薄。那么朋友之道也随之断绝。"《中庸》、《孟子》上也说："朋友之间不讲究信义，就不能得到主上的礼遇。""让朋友信任自己"，这是孔子的志向。"车马衣裘，与朋友共同分享"，这是子路的志向。"和朋友交往而讲究信义"，这是曾子的志向。《周礼·地官·大司徒》中讲了六种良好的品行，其中第五种是信任，指的就是对朋友讲究信义。

从汉朝、唐朝以来，还有范式和张劭、陈重和雷义、元稹和白居易、刘禹锡和柳宗元这些人，他们彼此之间，始终交好如一，从不因为生死贵贱而改变朋友之间的信义。我们宋朝建立之后的一百年间，这种风气还依然存在。到现在却丧失了，可叹啊！

唐扬州之盛

唐世盐铁转运使①在扬州，尽斡利权，判官②多至数十人。商贾③如织，故谚称"扬一益二"④，谓天下之盛。扬为一而蜀次之也。杜牧之有"春风十里""珠帘"之句。张祜诗云："十里长街市井连，月明桥上看神仙。人生只合扬州死，禅智山光好墓田。"王建诗云："夜市千灯照碧云，高楼红袖客纷纷。如今不似时平日，犹自笙歌彻晓闻。"徐凝诗云："天下三分明月夜，二分无赖是扬州。"其盛可知矣。自毕师铎、孙儒之乱，荡为丘墟⑤。杨行密复葺⑥之,稍成壮藩,又毁于显德⑦。

本朝承平百七十年,尚不能及唐之什一,今日真可酸鼻⑧也!

[注释]

①盐铁转运使:官名,负责盐铁管理与运输。②判官:唐宋地方长官的僚属,佐理政事。③商贾:商人。商,流动经营的商人。贾,坐地经营的商人。④扬一益二:扬州第一益州第二。益州,今四川成都市。⑤荡为丘墟:变成荒凉的废墟。⑥葺:修缮。⑦显德:后周世宗年号。⑧酸鼻:痛心悲凉。

[译文]

唐朝在扬州设盐铁转运使,掌握东南财政大权,负责管理的判官多至几十人。由于商贾云集,交易活跃,以致民谚有"扬一益二"之说。说的是天下最繁盛的地方,扬州为第一,而被称为天府之国的益州还次于它。

唐代许多著名诗人为此留下了许多脍炙人口的诗篇。大诗人杜牧前后在扬州为官十年,在《赠别二首》中写道:"春风十里扬州路,卷上珠帘总不如。"著名诗人张祜在《纵游淮南》中写道:"十里长街市井连,月明桥上看神仙。人生只合扬州死,禅智山光好墓田。"王建安史之乱后到过扬州,也写道:"夜市千灯照碧云,高楼红袖客纷纷。如今不似时平日,犹自笙歌彻晓闻。"徐凝在《忆扬州》诗里以"天下三分明月夜,二分无赖是扬州",形容扬州的繁盛。

从以上诗文中我们仿佛看到了昔日扬州的盛况。

但是,扬州却在唐末五代之时战争不绝,烟火不息,遭到了极大的破坏。先有唐朝末年毕师铎第一次劫掠扬州,后有孙儒争夺扬州之乱,扬州的繁华盛景荡然无存,乃至变为荒凉的废墟。唐末淮南节度使杨行密占领扬州之后,又重新修复扬州,苦心经营,几经努力,渐渐成为强大的藩镇,但不久在后周显德年间再次毁于战火。

　　我朝已经安定了一百七十多年,今日扬州的境况还不及唐朝的十分之一,实在令人感到鼻子发酸啊!

卷 十

杨彪陈群

魏文帝受禅①，欲以杨彪为太尉，彪辞曰："彪备汉三公，耄年被病②，岂可赞惟新之朝？"乃授光禄大夫。相国华歆以形色忤旨③，徙为司徒而不进爵。帝久不怿④，以问尚书令陈群："我应天受禅，相国及公独不怡⑤，何也？"群对曰："臣与相国，曾臣汉朝，心虽悦喜，犹义形于色。"夫曹氏篡汉，忠臣义士之所宜痛心疾首，纵力不能讨，忍复仕其朝为公卿乎？歆、群为一世之贤，所立不过如是。彪逊词以免祸，亦不敢一言及曹氏之所以得。盖自党锢祸起⑥，天下贤士大夫如李膺、范滂之徒，屠戮殆尽，故所存者如是而已。士风不竞⑦，悲夫！章惇、蔡京为政，欲殄灭元祐善类，正士禁锢者三十年，以致靖康之祸，其不为歆、群者几希⑧矣。

[注释]

①受禅：即位称帝。②耄年：年老。被病：生病。③忤旨：违抗朝廷的意图。④不怿：不高兴。⑤不怡：不高兴。⑥党锢祸起：东汉末年世家大族为

反对宦官擅权而进行的斗争。前后两次,持续十余年,结果宦官得势,李膺等百余人被处死。⑦不竞:不兴旺。竞,兴旺。⑧几希:太少了。

[译文]

　　魏文帝曹丕胁迫汉献帝禅让大宝,登基称帝,打算让旧臣杨彪做太尉,杨彪推辞说:"我曾任汉朝三公,身为重臣,现在年纪也大了,经常生病,怎么能辅佐新的朝廷呢?"魏文帝遂授予他光禄大夫之职。相国华歆对于曹丕受禅称帝略有不满,在表情上显露出来,违背了圣意,被降职为司徒而没有晋升爵位。魏文帝长久心里不高兴,就问尚书令陈群说:"我顺应天命受禅称帝,相国和您偏偏不高兴,这是为什么?"陈群回答说:"我和相国曾经是汉朝的臣子,即使内心喜悦,仍然不免在表情上显现出来要为先前的汉朝悲伤。"面对曹氏篡夺刘氏汉朝,忠臣义士应该痛心疾首,纵然没有实力起兵讨伐,难道忍心再在曹氏朝中做公卿大臣吗?华歆、陈群作为一代贤士,他们的立身之道不过如此而已。杨彪委婉地推辞以避免灾祸,也不敢说一句涉及曹氏怎样取得天下的话。

　　大概自从东汉党锢之祸、残酷地迫害士人以来,普天之下像李膺、范滂这些贤良士大夫,被杀得将近灭绝,所以生存下来的人也只有如此而已。

　　士人的风气再不像以前强盛了,可悲呀!我朝章惇、蔡京执掌朝政大权之时,想要杀尽元祐年间的忠臣良士,正直的士人被禁锢长达三十年之久,从而导致了靖康之祸,徽、钦二帝被掳金国,士人中像华歆、陈群那样的人也太少了!

玉蕊杜鹃

　　物以希见为珍,不必异种也。长安唐昌观玉蕊,乃今玚花,又名米囊，黄鲁直易①为山矾者。润州②鹤林寺杜鹃，乃今映山红，又名红踯躅者。二花在江东③弥山亘野，殆④与榛莽相似。而唐昌所产，至于神女下游，折花而去，以践玉峰之期；鹤林之花，至以为外国僧钵盂中所移，上玄命三女下司⑤之，已逾百年，终归阆苑。是不独土俗⑥罕见，虽神仙也不识也。王建宫词云："太仪前日暖房来，嘱向昭阳乞药栽。敕赐一窠红踯躅，谢恩未了奏花开。"其重如此，盖宫禁⑦中亦鲜云。

[注释]

①易：更改。②润州：今江苏镇江。③江东：长江北岸。④殆：几乎。⑤司：管理。⑥土俗：当地。⑦宫禁：皇宫。

[译文]

物以稀为珍贵，不一定要求都是奇品异种。长安唐昌观中的玉蕊花，就是现在的场花，又名米囊，黄鲁直改称它为山矾花。润州鹤林寺的杜鹃花，即今天的映山红，又叫红踯躅。这两种花在江东一带满山遍野，几乎和丛生的野草灌木一样。而唐昌观中的玉蕊花有个美丽动人的传说。相传神女下凡，到唐昌观中游赏，特意折了一枝玉蕊花，离开人间，去赴玉峰仙境的约会；鹤林寺的杜鹃花，相传是从外国僧人的钵盂中移植过来，上天命令三位仙女下凡管理它，已经超过一百年了，最后又回到仙人的花园里。这两种花不仅仅在当地非常少见，即使神仙也不认识。王建的宫词盛赞其珍贵：

太仪前日暖房来，嘱向昭阳乞药栽。

敕赐一窠红踯躅，谢恩未了奏花开。

从词中可以看出王建对此花的推崇，大概这种花在皇宫里也非常少见啊！

临敌易将

临敌易将，固①兵家之所忌，然事当审其是非，当易而不易,亦非也。秦以白起易王龁而胜赵,以王翦易李信而灭楚,魏公子无忌易晋鄙而胜秦,将岂②不可易乎!燕发骑劫易乐毅而败,赵以赵括易廉颇而败,以赵葱易李牧而灭,魏使人代信陵君将,亦灭,将岂可易乎!

[注释]

①固:当然。②岂:难道。

[译文]

双方交战,临战而更换将领,当然为兵家所忌讳。然而,应当慎重考虑的是正确与否,该更换而不更换的,也是不对的。秦国用白起代替王龁最终战胜了赵国,用王翦代替李信最终灭掉了楚国,魏公子无忌取代晋鄙战胜了秦国,难道说将领不能更换吗?燕国用骑劫代替乐毅结果战败,赵国用赵括代替廉颇结果战败,让赵葱代替李牧结果赵国灭亡,魏国让人取代信陵君为将,结果也遭灭亡,难道说将领可以更换吗?

汉丞相

汉丞相或终于位①,或免就国②,或免为庶人③,或致仕④,或以罪死,其复召用者,但为光禄大夫或特进优游散秩⑤,未尝有除⑥他官者也。御史大夫则间为九卿、将军。至东汉则大不然。始于光武时,王梁⑦罢大司空而为中郎将,其后三公⑧去位,辄复为大夫、列卿。如崔烈⑨历司徒、太尉之后,乃为城门校尉,其礼貌大臣之礼亦衰矣。

[注释]

①终于位:死在任职期间。②就国:回到封地。③庶人:平民。④致仕:退休。⑤散秩:没有实际职务的虚衔。⑥未尝:不曾有。除:授予,委任。

⑦王梁：字君实，初从刘秀为偏将军。刘秀即位后，官至大司空，封武强侯。以事免官后，复任中郎将、河南太守、山阳尹，改封阜城侯。卒于任上。⑧三公：帝王之下的最高官职。各个时期所指不同。汉代三公为太尉、司徒、司空。⑨崔烈：崔实从兄。汉灵帝时官至司徒、太尉。

[译文]

西汉时丞相的结局，有的死于任职期间，有的免职回到封地，有的被免职成为平民，有的离职退休归里，有的因犯法而死。其中被再次召用者，只赐以光禄大夫或特进名义，都是优闲自由没有固定职责，没有授予其他官职的。御史大夫有的做了九卿、将军。到东汉时情况就大不相同了。开始在光武帝时，王梁被免去大司空后做了中郎将，这以后位至太尉、司徒、司空三公的离职后，有的很快做了大夫、列卿，例如崔烈，历任司徒、太尉之后，仍然当了城门校尉，那种优礼大臣的礼节也就衰微了。

卷十一

将帅贪功

以功名为心,贪①军旅之寄,此自将帅习气,虽古来贤卿大夫,未有能知止自敛者也。廉颇②既老,饭斗米、肉十斤,被甲上马③,以示可用,致困郭开④之口,终不得召。汉武帝大击匈奴,李广数自请行,上以为老,不许。良久,乃许之,卒有东道失军之罪。宣帝时,先零羌⑤反,赵充国年七十余,上老之⑥,使⑦丙吉问谁可将,曰:"亡逾于老臣者矣。"即驰至金城,图上方略,虽全师制胜,而祸及其子卬。光武时,五溪蛮夷畔⑧,马援请行,帝愍其老,未许。援自请曰:"臣尚能被甲上马。"帝令试之,援据鞍顾盼,以示可用。帝笑曰:"矍铄⑨哉,是翁也。"遂用为将,果有壶头之厄⑩。李靖为相,以足疾就第,会吐谷浑⑪寇边,即往见房乔曰:"吾虽老,尚堪一行。"既平其国,而有高甑生诬罔之事,几于不免。太宗将伐辽,召入谓曰:"高丽未服,公亦有意乎?"对曰:"今疾虽衰,陛下诚不弃,病且瘳⑫矣。"帝悯⑬其老,不许。郭子仪年八十余,犹为关内副元帅、朔方河中节度；不求退身，竟为德宗册罢⑭。此诸公皆人杰也，犹不免此，况其下者乎！

[注释]

①贪：热心。②廉颇：战国时赵国名将。官至相国，封信平君。③被甲上马：披上铠甲，跨上战马。④困：约束。郭开：战国赵王迁的宠臣。⑤先零羌：即先零，羌人的一支，居住在今甘肃、青海湟水流域。⑥上老之：圣上以为他年老。⑦使：让。⑧畔：通"叛"，反叛。⑨矍铄：精神矍铄。⑩厄：灾难。⑪吐谷浑：在今甘肃、青海之间。⑫瘳：康复。⑬悯：同"悯"。⑭册罢：下令罢免。

[译文]

内里时刻想着建功立业、树立威名，寄身军旅，贪图征战，这自然是长期统兵打仗的将帅养成的习气。即使是古往今来的文臣贤士、公卿宰辅，从来都没有能激流勇退、自我收敛的。

战国时，赵国名将廉颇，到老依然贪图功名。秦国攻打赵国，赵王派使者去察看廉颇还能不能领兵打仗。廉颇当着使者的面，吃了一斗米饭十斤熟肉，披上铠甲，跨上战马，抖擞精神，表示尚可战场厮杀。最终，因郭开在赵王面前进谗言，不仅未被重新起用，甚至连故土也无法回去。

汉武帝时，大举征讨匈奴，老将李广多次请求统兵，武帝以为他年纪大了，没有答应。不久，武帝看他态度坚决、征战心切，就任命他为卫青大将军的前将军，负责先锋。最终有贻误军机的罪过。

汉宣帝时，西北部少数民族先零羌反叛，营平侯赵充国已经七十多岁了。宣帝以为他老了，就派丞相丙吉去问他，任命谁为将帅，赵充国非常自信地说："没有超过老臣的了。"随即受诏命前往金城，谋划运筹，献上方略图，大获全胜。但是，他的儿子赵卬却因此招来了杀身之祸。

东汉光武帝时，五溪少数民族反叛，八十多岁的新息侯马援主动请缨，光武帝怜悯他年纪大了，没有同意。马援就亲自去拜见光武帝说："我还能披甲上马。"光武帝让他试一试，马援跨上马鞍，回头看看，表示尚可征战。光武帝笑道："老头子精神矍铄，威风不减当年啊！"于是，任命他为将，结果有壶头（今湖南桃源县西南）死于军中的厄运。

唐朝宰相李靖，因为脚上有病，在府第休养。恰遇西北的吐谷浑大举来犯。他马上去拜见宰相房玄龄，说："我虽然老了，但还能出征一次。"唐太宗就拜他为西海道行军大总管，大破吐谷浑，但却遭到高甑生的诬陷欺骗，几乎不能幸免于难。唐太宗打算攻打辽东高丽时，召他入宫，说："高丽不肯臣服我大唐，您也有领兵出征的意思吗？"李靖回答说："现在我虽然有病，年老体弱，如果陛下真的不嫌弃我的话，我的病很快就会好。"唐太宗怜悯他，没有答应。

唐德宗时，郭子仪已经八十多岁了，仍然任关内副元帅、朔方河中节度使，并不要求辞官隐退，最后被德宗册封为汾阳郡王之后才免去军职。

以上这些人都是人间的英雄豪杰，尚不能免于贪求功名，何况那些比他们职位低、见识短浅的人呢？

汉二帝治盗

汉武帝末年，盗贼滋①起，大群至数千人，小群以百数。上使使者衣绣衣②，持节虎符③，发兵以兴击，斩首大部或④至万余级，于是作"沈命法"，曰："群盗起⑤不发觉，觉⑥而弗捕，满品者二千石⑦以下至小吏主者皆死。"其后小吏畏诛，虽有盗，弗敢发，恐不能得，坐⑧课累府，府亦使不言。故盗贼寖多⑨，上下相为匿，以避文法⑩焉。光武时群盗处处并起，使者下郡国，听郡盗自相纠摘，五人共斩一人者除⑪其罪。吏虽逗留回避故纵者，皆勿问，听从禽讨为效。其牧守令长坐界内有盗贼而不收捕者，及以畏懦捐城委守者，皆不以为负，但取获贼多少为殿最⑫，唯蔽匿者乃罪之。于是更相追捕，贼并解散。此二事均为治盗，而武帝之严，不若光武之宽，其效可睹也。

[注释]

①滋：生长，滋生，加多。②衣绣衣：穿上锦绣衣服。③持节虎符：拿着符节作凭证。持节，拿着旄节。节，旄节，也叫符节，以竹为竿，上缀以旄牛尾，是使者所持凭证。虎符，古时帝王调兵遣将用的兵符，用青铜或者黄金做成伏虎形状的令牌，一分为二，其中一半交给将帅，另一半由皇帝保存。只有两个虎符同时使用，才可以调兵遣将。④或：有的。⑤起：出现。⑥觉：揭发，上报。⑦二千石：汉代的郡守、诸侯国相。⑧坐：定罪。⑨寖多：日益增多。⑩文法：法令条文。⑪除：免除。⑫殿最：评定优劣。

[译文]

汉武帝末年，盗贼越来越多，大的盗匪团伙多达数千人，小的也有几百人。朝廷派使者身穿绣衣，拿着符节凭证，调集军队进行围攻，把大股的盗贼都斩首了，有的达一万多首级。于是制定"沈命法"，规定："成群的盗匪出现没有发觉，发觉了而没有捕获到规定的标准的，二千石以下的官员到下级官吏主持这件事的人都判死刑。"这以后，下级官吏害怕被杀，即使有盗贼也不敢上报，唯恐不能捕获，违犯规定，连累郡府。郡府也让他们不要上报。因此盗贼渐渐增多，上上下下却相互隐瞒，以躲避法令条文的制裁。东汉光武帝时，成群的盗贼到处兴起。汉光武帝派遣使者到各郡，听任盗贼们自己相互纠纷揭发，五个人共同斩杀一人的，免除他们的罪行。官吏们即使停留拖延、回避不前、故意放纵盗贼的，都不加追问，只以捉获讨伐的成效论处。那些郡守、县令犯了管辖区域内有盗贼而不收容捕捉的罪过的，及因为害怕、软弱丢弃城池和职守的人，都不看做过失，只根据捕获盗贼人数多少来评定优劣，只有包庇隐藏的人才判罪。于是互相追捕，盗贼们都解体逃散。这两件事都是治理盗贼的，而汉武帝的严厉不如汉光武帝的宽缓，它们的效果不同是很明显的。

汉诽谤法

汉宣帝诏群臣议武帝庙乐①，夏侯胜曰："武帝竭民财力，奢泰亡度，天下虚耗，百姓流离，赤地数千里，亡德泽于民，不宜为立庙乐。"于是丞相、御史劾奏胜非议诏书，毁先帝，不道，遂下狱；系再更冬②，会赦，乃得免。章帝时，孔僖、崔骃游太学③，相与论武帝始为太子，崇信圣道，及后恣己，忘其前善。为邻房生告其诽谤先帝，刺激当世，下④吏受讯。僖以书自讼⑤，乃勿问。元帝时，贾捐之论殊崖事曰："武帝籍兵厉马，攘服夷狄，天下断狱⑥万数，寇贼并起，军旅数发，父战死于前，子斗伤于后，女子亭障⑦，孤儿号于道，老母寡妇饮泣巷哭，是皆廓地泰大⑧，征伐不休之故也。"

考三人所指武帝之失，捐之言最切，而三帝或罪或否，岂非夏侯非议诏书，僖、骃诽谤，皆汉所禁。如捐之直指其事，则在所不同乎？

[注释]

①庙乐：庙祭音乐。②系再更冬：关了三个冬天。③太学：当时的最高学府。④下：交付。⑤自讼：自己责备自己。⑥断狱：被判入狱。⑦亭障：边境上构筑的防守堡垒。⑧廓地泰大：过分地扩展地盘。廓，扩展。

[译文]

汉宣帝诏命群臣讨论汉武帝庙祭祀音乐,夏侯胜说:"武帝竭尽百姓民力与财力,奢侈浪费没有节制,国家消耗空虚,百姓流离失所,荒芜土地数千里,没有恩德布施于百姓,不宜为他制作祭祀音乐。"于是丞相、御史参劾夏侯胜攻击朝廷诏书,毁谤先帝,大逆不道,就将他关进狱中;一直关了三个冬天,遇上朝廷大赦,才得到免罪。

汉章帝时,孔僖、崔骃在太学读书,相互议论说汉武帝开始做皇帝时,崇尚信奉圣人之道,到了后来,任意放纵,忘记了以前的善行。被隔壁的太学生揭露了出来,说他诽谤先帝,诽谤当代,发交有关官吏审讯。孔僖上书自我辩护,才不再问罪。

汉元帝时,贾捐之在谈论殊崖一事时说:"武帝凭借武力,征服各地的少数民族,全国被判决有罪的人数以万计,各地盗贼同时而起,军队多次出动,父亲在前战死,儿子在后受伤,女儿戍守边境堡垒,孤儿在路上号哭,老母寡妇在巷子里失声哭泣。这都是由于过分扩充土地,征战没有休止造成的。"

考察这三个人指责汉武帝的过失,贾捐之的话最为确切。可是三朝皇帝或者下令治罪,或者不治罪,难道不是夏侯胜非议皇帝的诏书,孔僖、崔骃背后毁谤,都是为汉朝法令所禁止的。像贾捐之直接指责事实,就在不问罪之列了吗?

卷十二

曹操用人

曹操为汉鬼蜮①，君子所不道②，然知人善任使，实后世之所难及。荀彧、荀攸、郭嘉皆腹心谋臣，共济大事，无待赞说。其余智效一官，权分一郡，无小无大，卓然③皆称其职。恐关中诸将为害，则属司隶校尉钟繇以西事④，而马腾、韩遂遣子入侍。当天下乱离，诸军乏食，则以枣祗、任峻建立屯田，而军国饶裕，遂芟⑤群雄。欲复盐官之利，则使卫觊镇抚关中，而诸将服。河东未定，以杜畿为太守，而卫固、范先束手禽戮⑥。并州初平，以梁习为刺史，而边境肃清。扬州陷于孙权，独有九江一郡，付之刘馥而恩化大行。冯翊困于鄜盗，付之郑浑而民安寇灭。代郡三单于⑦，恃力骄恣，裴潜单车之⑧郡，而单于慑服。方得汉中，命杜袭督留事，而百姓自乐，出徙于洛、邺者至八万口。方得马超之兵，闻当发徙，惊骇欲变，命赵俨为护军，而相率还降，致于东方者亦二万口。凡此十者，其为利岂不大哉！张辽走孙权于合肥，郭淮拒蜀军于阳平，徐晃却关羽于樊，皆以少制众,分方面忧。操无敌于建安之时,非幸⑨也。

[注释]

①鬼蜮:阴险的叛逆。②不道:不愿提及。③卓然:相当突出。④以西事:主管西部边防事务。⑤芟:削平。⑥禽戮:被擒被杀。禽,通"擒",擒拿。⑦单于:匈奴首领。⑧之:到达。⑨非幸:不是侥幸。

[译文]

曹操是汉朝的叛逆,是正人君子们都不愿提及的,然而他的知人善任,实在是后世所难比得上的。荀彧、荀攸、郭嘉都是他的心腹谋士,共同成就大事,不必称赞评说,为人所共知。其他的人,凡是智慧能够授予一定官职的,能力能分掌一个郡的,无论官职大小,都能明显地跟他们的职位相称。

曹操担心关中的将领们起来闹事,祸害关中,就让司隶校尉钟繇主管西部边防事务,结果马腾、韩遂让自己的儿子到官中侍读。当时,天下动乱,人民逃亡,各地军队严重缺粮,就让枣祗、任峻在许昌等地实行屯田,生产自给,结果军队、国家富裕起来,于是削平了各地群雄。为了恢复国家食盐专卖官制度,就让卫觊镇守安抚关中,结果诸将心悦诚服。河东地区尚未收复平定,让杜畿去担任太守,结果卫固、范先先后束手被擒被杀。并州刚刚收复平定,让梁习出任刺史,使得边境平静安宁。扬州为孙权所攻取,只剩九江一个郡,曹操将这个地方交给刘馥,结果恩德教化广泛施行。冯翊为鄜州盗贼围困,曹操让郑浑去处理,结果百姓安定盗贼平息。代郡地方匈奴三个单于凭借手中拥有的军队骄横跋扈,裴潜一人乘车前往,使得单于折服。曹操刚刚取得汉中地区,委任杜袭负责留守,结果百姓自得其乐,迁出到洛阳、邺地的人口达八万口。刚刚收取马超的兵马,听说要迁走他们,个个惊恐不安,想举行兵变,曹操任命赵俨为护军,结果马超的部下纷纷回来归降,安置到东方的也有二万口。

以上十事，其成效之大岂不是明显可见吗？张辽在合肥打跑孙权，郭淮在平阳抵御蜀军，徐晃在樊城阻击关羽，都是以少胜多，解除了一方的忧患。曹操在建安时没有敌手，不是一时的侥幸啊。

卷十三

谏说之难

韩非①作《说难》而死于说难,盖谏说之难,自古以然。至于知其所欲说,迎而拒之,然卒②至于言听而计从者,又为难可喜者也。秦穆公执晋侯,晋阴饴甥往会盟,其为晋游说无可疑者。秦伯曰:"晋国和乎?"对曰:"不和。小人曰必报仇,君子曰必报德。"秦伯曰:"国谓君何?"曰:"小人谓之不免,君子以为必归;以德为怨,秦不其然。"秦遂归晋侯。秦伐赵,赵求救于齐,齐欲长安君③为质。太后不肯,曰:"复言者,老妇必唾其面。"左师触龙愿见④,后盛气而揖之入,知其必用此事来也。左师徐坐,问后体所苦,继乞以少子补黑衣⑤之缺。后曰:"丈夫亦爱怜少子乎?"曰:"甚于妇人。"然后及其女燕后,乃极论赵王三世之子孙无功而为侯者,祸及其身。后既寤⑥,则言:"长安君何以自托于赵?"于是后曰:"恣君之所使。"长安君遂出质。范雎见疏于秦,蔡泽入秦,使人宣言感怒雎,曰:"燕客蔡泽,天下辩士也。彼一见秦王,必夺君位。"雎曰:"百家之说，吾既知之，众口之辩，吾皆摧之，是恶⑦能夺我位乎？"使人召泽，谓之曰："子宣言欲代我相，有之乎？"对曰："然。"即引商君、吴起、大夫种之事。睢知泽欲困己以说，谬曰："杀身成名，何为不可？"泽以身名俱全之说诱之，极之以闳夭⑧、周公之忠圣。今秦王不倍功臣，不若秦孝公、楚越王，睢之功不若三子，劝其归相印以让贤。睢竦然⑨失其宿怒，忘其故辩，敬受命，延入⑩为上客。卒之代为秦相者泽也。秦始皇迁其母，下令曰："敢以太后事谏者杀之。"死者二十七人矣。茅焦请谏，王召镬将烹之。焦数以桀、纣狂悖之行，言未绝口，王母子如初。吕甥之言出于义，左师之计伸于爱，蔡泽之说激于理，若茅焦者真所谓蹶虎牙者矣。范睢亲困穰侯而夺其位，何遽⑪不如泽哉！彼此一时也。

[注释]

①韩非：战国末期韩国公子，法家代表人物之一，与李斯同就学于荀子。主要著作有《孤愤》、《五蠹》、《内外储》、《说难》等。②卒：最后，终于。③长安君：赵惠文王之子，孝成王时，当做人质被送到齐国。④左师：春秋时的执政官，有左师与右师。战国时地位下降，有名而无实际权力。触龙：也叫触詟，有远见卓识。⑤少子：小儿子。黑衣：王宫卫士，因身着黑衣而得名。⑥窹：省悟过来。⑦是：这样。恶：如何，怎么样。⑧闳夭：西周协助文王治理天下十大名臣之一。⑨竦然：惊竦的样子。⑩延入：引进，请。⑪遽：猝然，一下子。

[译文]

韩非作《说难》，却死于劝谏君王而招致的灾难。规劝君主的困难，自古就是如此。至于国君知道有人要进行规劝的内容，接见他却不接纳他的意见，可是终究采纳他的建议，这又是变灾难而成可喜可贺的事。

秦穆公俘虏了晋惠公，晋国的阴饴甥到秦国参加会盟，他将替晋国游说，这是毫无疑问的。秦穆公问："晋国上下和睦吗？"阴饴甥回答说："不和睦。小人说一定要报仇，君子说一定要报答恩德。"秦穆公问："晋国国人以为国君的前途将如何？"阴饴甥答："小人认为他不会被赦免，君子认为他一定会回来；把感恩变成怨恨，秦国是不会这样的吧？"秦国终于让晋惠公回到晋国。

秦国攻打赵国，赵国向齐国请求援救。齐国提出要让赵太后的小儿子长安君做人质，赵太后不肯，说："有谁再说让长安君做人质的，老妇一定要向他脸上吐唾沫！"触龙提出希望晋见太后，太后气呼呼地请他进来，知道他必定是因为这件事而来的。左师从容落座，先询问太后身体有无病痛，接着请求让自己的小儿子当个宫中黑衣卫士以补空缺。太后问："男子汉也爱怜自己的小儿子吗？"触龙答："比女人们更爱怜。"后来说到太后的女儿燕国王后，详细陈述赵王三代以下子孙没有功绩而被封为侯，灾祸将要波及他们自身的情况。太后明白之后，触龙就问："长安君凭什么能使自己在赵国安身？"在这种情况下，太后说："任凭您的支派吧！"长安君于是被派到齐国去做人质。

范雎在秦国受到冷落，蔡泽来到秦国，让人公开讲一些激怒范雎的话，说："燕国来的客卿蔡泽是天下的善辩之士，他只要一见到秦王，一定会使范雎丧失相位。"范雎说："诸子百家的学说，我全都懂得；众人的论辩，我都挫败过他们，他怎么能使我失去相位呢？"让人召来蔡泽，问他说："您扬言要取代我相国的位置，有这事吗？"蔡泽答道："是的。"接着又引据商鞅、吴起、越国大夫文种的事例。范雎知道蔡泽要用游说之词难为自己，故意心口不一地说："牺牲性命，成就名声，为什么不可以？"蔡泽拿生命、名声都要保全的道理诱导他，以闳夭、周公的忠贞圣明为榜样。忠告他当今秦王并不加倍优遇功臣，不像秦孝公、楚越王那样，你范雎的功劳也比不上商鞅等三人。规劝他归还相印，把相位让给贤者。范雎对蔡泽肃然起敬，抛却了原先的恼怒，失去了原有的辩才，恭恭敬敬听他的意见，把他请到家中待如上宾。最终取代范雎做了秦相的就是蔡泽。

秦始皇统一前，生母曾助人发动叛乱，遂把母亲逐出秦都，下令说："谁敢拿太后的事来劝谏，杀无赦！"为这件事已有二十七人被杀。茅焦请求入宫劝谏，秦王让人抬来大锅准备煮死他。茅焦借夏桀、殷纣狂乱背理的行为来劝说，发于情理，秦始皇母子和好如初。阴饴甥所说之话出于义，触龙的计谋是出于爱，蔡泽之说是基于理，至于茅焦真是所谓老虎嘴里拔牙的人了。范雎曾使擅权三十余年的王的舅父穰侯遭受困厄，从而夺取了他的相位，为什么一下子就不如蔡泽了呢？就叫此一时彼一时啊！

萧房知人

汉祖至南郑，韩信亡去①，萧何自追之。上②骂曰："诸将亡者以十数，公无所追；追信，诈③也。"何曰："诸将易得，至如信，国士无双，必欲争天下，非信无可与计事者。"乃拜信大将，遂成汉业。唐太宗为秦王时，府属④多外迁，王患⑤之。房乔曰："去者虽多不足吝，杜如晦⑥王佐才也，王必欲经营四方，舍如晦无共功者。"乃表留幕府⑦，遂为名相。二人之去留，系兴替治乱如此，萧、房之知人，所以为莫及也。樊哙从高祖起丰、沛，劝霸上之还，解鸿门之厄，功亦不细矣，而韩信羞与为伍。唐俭赞太宗建大策，发蒲津之谋，定突厥之计，非庸臣也，而李靖⑧以为不足惜。盖以信、靖而视哙、俭，犹熊罴⑨之与狸猫耳。帝王之功，非一士之略，必待将如韩信，相如杜公，而后用之，不亦难乎！惟能置萧、房于帷幄⑩中，拔茅汇进⑪，则珠玉无胫而自至矣⑫。

[注释]

①亡去：逃走。②上：指汉高祖刘邦。③诈：欺骗，诓骗。④府属：府中幕僚臣属。⑤患：担忧。⑥杜如晦：字克明，唐初名相，凌烟阁二十四功臣之一。⑦幕府：古代将军的府署。⑧李靖：字药师，唐朝著名统帅，是隋朝名将韩擒虎的外甥。⑨熊罴：熊和罴，皆为猛兽。⑩帷幄：军中的帐幕。⑪拔茅汇进：选贤进能。⑫珠玉无胫而自至：像珠玉般宝贵的人才便会不请而来。珠玉，珍珠宝玉。胫，小腿。

[译文]

汉高祖刘邦行军到达南郑，韩信不告而别，萧何亲自去追赶。高祖骂萧何道："将领们逃跑了几十人，你都没有去追赶，说追赶韩信是假的，是想自己逃跑。"萧何说："将领不难找到，至于像韩信这样的人，是国之奇士，独一无二。您一定要争夺天下，除了他再没有能一起商量大事的人了。"于是高祖授韩信为大将，终于完成汉朝开国大业。唐太宗李世民为秦王时，幕府属吏很多外调任职，秦王为此忧虑。房乔说："离去的人尽管不少，也不值得可惜，杜如晦有辅佐君王之才，大王想要经营天下大业舍弃如晦就没有能共事的人了。"于是上疏请求将杜如晦留在幕府中，终成一代名相。韩、杜二人的去留，与兴衰治乱的关系密切到这种程度，萧、房二人的善于发现人才，是无人能比得上的。樊哙跟随高祖在丰、沛起兵，攻占咸阳后劝高祖还军霸上，鸿门宴上解除高祖困厄，使之脱险，功劳也不算小了，但是韩信把自己与樊哙身份同等看做是羞辱。唐俭帮助高祖、太宗下决心灭隋建唐，在蒲津揭发独孤怀恩发动叛乱的阴谋，帮太宗制定诱降突厥的办法，不能说是平庸之臣，可是李靖认为失去他也不值得惋惜。以韩信和李靖的眼光看樊哙、唐俭，就如同拿熊罴和狸猫比一样。创建帝王大业，绝非个别谋士的谋略可成，一定要等到有了韩信那样的大将、杜如晦那样的贤相，然后才加以重用，岂不太难了吗？只要能把萧何、房玄龄一类人安排到军中帐下，选贤进能，那么，珍珠宝玉般珍贵的人才就会不请而来了。

晏子扬雄

齐庄公之难，晏子①不死不亡，而曰："君为社稷死则死之，为社稷亡则亡之；若为己死而为己亡，非其私昵②，谁敢任③之？"及崔杼、庆封盟国人曰："所不与崔、庆者。"晏子叹曰："婴所不唯忠于君，利社稷④者是与，有如上帝⑤！"晏子此意正与豫子所言众人遇我之义同，特不以身殉⑥庄公耳。至于毅然据正以社稷为辞，非豫子可比也。扬雄仕汉，亲蹈王莽之变，退托其身于列大夫中，不与高位者同其死，抱道没齿⑦，与晏子同科。世儒或以《剧秦美新》贬之；是不然，此雄不得已而作也。夫诵述新莽之德，止能美于暴秦，其深意固可知矣。序所言配五帝⑧，冠三王⑨，开辟以来未列之闻，直⑩以戏莽尔，使雄善为谀佞，撰符命⑪，称功德，以邀⑫爵位，当与国师公同列，岂固穷如是哉！

[注释]

①晏子：晏婴，字平仲。春秋齐国大夫，任卿，历仕灵公、庄公、景公三世。②私昵：宠爱。③任：承担。④社稷：国家。⑤上帝：天帝。⑥殉：献出生命。⑦没齿：终身。⑧五帝：传说人物。说法不一，常见一说是太昊、炎帝、黄帝、少昊、颛顼五人。⑨三王：一般指夏、商、周三代之君，即夏禹、商汤和周武王。⑩直：只不过。⑪撰：杜撰。符命：符兆，预示着天命神授。⑫邀：求取。

[译文]

齐庄公被崔杼逼死时，晏子既不去死，也不逃亡，而是说：

"君主为国家而死那么就为他而死,为国家而逃亡就为他而逃亡。如果君主为自己而死,为自己而逃亡,不是他个人宠爱的人,谁敢承担责任?"等到崔杼、庆封和国内的人在太公的宗庙结盟说"有不亲附崔氏、庆氏"的时,晏子叹气说:"我晏婴如果不亲附忠君利国的人,有天帝为证!"晏子这番话正和豫让所说"以对一般人的态度对我"的那番话意思相同,只是不为庄公献出生命罢了。至于他坚决地据守正义,拿国家利益作理由,不是豫子所能比得上的。扬雄在西汉做官,亲身经历王莽篡汉的变乱。退而托身在一般士大夫行列之中,不和官位高的人一同去死,终身坚持正道,与晏子相同。社会上有些儒生拿他的《剧秦美新》来贬斥他,其实是不对的,因为扬雄是迫不得已才写的。颂扬新莽的恩德,结果只能是美化残暴的秦王朝,其中深意不难想象。序中所说新莽与传说中圣明的五帝一样,甚至比夏禹、商汤、周武王还强之类的话,有史以来没有听人说过,这只不过是在取笑王莽罢了。如果扬雄善于逢迎讨好,拟撰符命,称颂功德,以此求取高官厚禄,他就应与国师公等同,怎会一直穷困如此呢?

孙膑减灶

孙膑胜庞涓之事,兵家以为奇谋,予独有疑焉,云:"齐军入魏地为十万灶①,明日为五万灶,又明日为二万灶。"方师行逐利,每夕而兴此役,不知以几何②人给之,又必人人各一灶乎?庞涓行三日而大喜曰:"齐士卒亡者③过半。"则是所过之处必使人枚数之矣,是岂救急赴敌之师乎?又云:"度其暮④当至马陵,乃斫大树,白而书之⑤,曰:'庞涓死于此树之下。'遂伏⑥万弩,期⑦暮见火举而俱发。涓果夜至斫木下,见白书,钻火烛之⑧。读未毕，万弩俱发。"夫军行迟速，既非他人所料，安能必其以暮至，不差晷刻⑨乎？古人坐于车中，既云暮矣，安知树间之有白书，举火读之乎？齐弩尚能俱发，而涓读八字未毕。皆深不可信，殆⑩好事者为文，而不精考耳。

[注释]

①灶：炉灶。②几何：多少。③亡者：减少。④度其暮：估计到了天黑。暮，天黑。⑤白而书之：削去树皮，在白色的树干上写字。书，书写。⑥伏：埋伏。⑦期：约定。⑧钻火烛之：取火照亮。⑨不差晷刻：不差分秒。⑩殆：恐怕。

[译文]

孙膑战胜庞涓这件事，军事家认为是奇特的策略，而我对此有怀疑。说："齐国军队进入魏国修了十万口炉灶，第二天减为五万，第三天减为二万。"正当军队进发追逐战果的时候，每天晚上都要做这样的事，不知道要耗费多少人工，难道非得是每一人一口炉灶吗？

庞涓率军行走了三天，非常高兴，说："齐国的士卒逃亡过了半数。"那就是所经过的地方必定派人一一清点炉灶数目；这难道像是紧急危难而奔赴的军队吗？史书中又说："估计庞涓是天黑到达马陵的，立即斫伐大树，削去树皮，在白色的树干上写道：'庞涓死于此树之下。'同时将万名弓弩手埋伏在附近，约定天黑时看见火光同时齐发。庞涓果然入夜来到削去树皮的树下，看到白色树干上写有字，取火照亮。没有读完，万弩齐发而来。"

军队行军速度快慢，不是人们所能够预料的，怎么能料定在天黑，不差分秒一齐到达？古时人坐在车子里，既然说是天黑了，怎么会知道树干上有字，举火去读？齐军万弩能齐发，而庞涓八个字还不能读完？这些都绝不可信，恐怕是好事的人编造出来的，而且人们又不用心加以考证鉴别。

卷十四

汉祖三诈

汉高祖用韩信为大将,而三以诈临①之。信既定赵,高祖自成皋度河②,晨自称汉使驰入信壁③,信未起,即其卧④,夺其印符⑤,麾召诸将易置之⑥;项羽死,则又袭夺其军;卒⑦之伪游云梦而缚信。夫以豁达大度开基⑧之主,所行乃如是,信之终于谋逆⑨,盖有以启之矣。

[注释]

①临:对付。②成皋:今河南荥阳成皋。度河:渡过黄河。③壁:营垒,军营。④即其卧:就进入他的卧室。⑤印符:帅印符节。⑥麾:大将的旗帜。易:更改。置:处置。⑦卒:最后。⑧开基:开创基业,代指开国。⑨谋逆:图谋叛乱。

[译文]

汉高祖任用韩信作为大将,却三次用诈术对付他。韩信平定赵地之后,高祖从成皋渡过黄河,一大早自称汉王使节飞马驰入韩信军营,韩信尚未起床,进入他的卧室,收取他的印信符节,用大将的旗帜召来将领们，改变了他们的职位；项羽死后，又用突然袭击的方式收取韩信的军权，最后假装出游云梦而捉拿了韩信。凭着豁达大度的开国君主的身份，所作所为竟然如此。韩信终于图谋叛乱，看来萌生这种念头是有原因的。

有心避祸

有心于避祸，不若无心于任运①，然有不可一概论者。董卓盗执国柄②，筑坞③于郿，积谷为三十年储，自云："事不成，守此足以毕老。"殊不知一败则扫地，岂容老于坞耶？公孙瓒④据幽州，筑京于易地，以铁为门，楼橹⑤千重，积谷三百万斛，以为足以待天下之变，殊不知梯冲舞于楼上，城岂可保耶？曹爽⑥为司马懿所奏，桓范⑦劝使举兵，爽不从，曰："我不失作富家翁。"不知诛灭在旦暮耳，富可复得耶？张华⑧相晋，当贾后⑨之难不能退，少子以中台星坼⑩，劝其逊位⑪，华不从，曰："天道玄远，不如静以待之。"竟为赵王伦⑫所害。方事势不容发，而俗以静待，又可嗤⑬也。他人无足言，华博物有识，亦暗⑭于几事如此哉！

[注释]

①任运：听凭命运安排。②盗执国柄：窃取国家大权。③坞：城堡。④公孙瓒：字伯圭，西汉辽西人。好战，才能过人，官至中郎将，后盘踞北方。与袁绍相争，兵败自焚。⑤楼橹：城楼。⑥曹爽：字昭伯，沛国谯县人，曹操孙。⑦桓范：字元则，为人颇有见识，曹爽谋士。⑧张华：字茂先，西晋文学家、政治家。封广武县侯，官至司空。撰有《博物志》。⑨贾后：贾南风，西晋惠帝的皇后，又称惠贾皇后。⑩坼：裂开。⑪逊位：退位。⑫赵王伦：字子彝，晋宣帝司马懿第九子，武帝司马炎建国后，封琅琊郡王。后自

立，改元建始，被赐死。⑬嗤：讥笑。⑭暗：糊涂，真伪不明。

[译文]

　　为躲避灾祸费尽心机，倒不如漫不经心地听凭命运作安排，不过也有不能一概而论的情况。董卓盗取国务大权，在郿（今陕西眉县东北）修筑号称"万岁坞"的城堡，屯积了足可用三十年的粮食，自称："大事不成，守着这座城堡，也完全可善得其终。"殊不知，一朝中计被杀，财产即刻被扫荡净尽，哪里容他老死在郿坞？公孙瓒占据幽州，在易州修筑高丘，人称易京，用铁造门，高台望楼千层，积存粮食三百万斛，以为足以应付天下之变。殊不知袁绍的云梯、冲车舞动在楼前，坚城怎能守得住呢？曹爽被司马懿弹劾，桓范鼓动他发动兵变，曹爽说："我即使不行还可做个大富翁嘛。"岂不知满门抄斩就在眼前，富翁还能做成吗？张华辅佐西晋任司空，当贾后在宫廷发动事变时，不能辞官避祸。小儿子张韪因中台星分裂，劝他让出官位，他不听，说："天象的规律玄奥深远，不如静心等待。"终于被赵王司马伦所害。当情势万分紧迫时，却想静心等待，太可笑了。别人且不说，张华学识渊博，也对机密之事糊涂到这种程度吗？

士之处世

　　士之处世，视富贵利禄，当如优伶①之为参军，方其据几②正坐，嚘呜诃垂，群优拱而听命，戏罢则亦已矣。见纷华盛丽，当如老人之抚节物③，以上元、清明言之，方少年壮盛，昼夜出游，若恐不暇，灯收花暮，辄④怅然移日不能忘，老人则不然，未尝置欣戚⑤于胸中也。睹金珠珍玩，当如小儿之弄戏剧⑥，方杂然前陈，疑若可悦，即委之⑦以去，了无恋想。遭横逆机阱，当如醉人之受骂辱，耳无所闻，目无所见，酒醒之后，所以为我者自若也，何所加损哉？

[注释]

①优伶：戏剧表演者。②几：桌案。③节物：时节景物。④辄：总是。⑤欣戚：喜怒哀乐。⑥戏剧：摆弄玩具。⑦委之：丢弃。

[译文]

士大夫们立身社会，有自己的为人处世之道。

对待富贵名利，就像舞台上演戏一般，扮演军官，在几案上正襟危坐，哇哇啦啦发号施令，或者怒斥，或者行刑，一群下属俯首听命，唯唯诺诺，戏演完之后，一切都结束了。

对待荣华盛丽，应当像老年人对待时节景物一般，就拿上元节和清明节来说，正当年轻气壮之人，身体强健，不分昼夜尽情享受，似乎唯恐时间不足；到了收灯之后，暮色降临之时，总是一副懊恼的样子，长时间不能忘怀；老年人却不然，从来不曾把欣喜忧愁放在心上。

对待金银珠玉、珍宝奇玩，应当像小孩子摆弄玩具一样，反复排列，兴趣盎然，喜不自胜，一会儿丢掉离去，却一点也不眷恋。

对于遭受到的横祸、逆境、陷害、打击、诽谤、挫折等，应当像醉酒之人那样听任他人的斥骂羞辱，充耳不闻，视而不见，酒醒之后，我还像平常一样，对我有什么损害呢？

光武仁君

汉光武虽以征伐定天下，而其心未尝不以仁恩招怀为本。隗嚣受官爵而背叛，赐诏告之曰："若束手自诣①，保无他也。"公孙述据蜀，大军征之垂灭②矣，犹下诏谕之曰："勿以来歙、岑彭受害自疑,今以时自诣,则家族全,诏书手记不可数得,朕不食言③。"遣冯异西征,戒以平定安集为急。怒吴汉杀降,责以失斩将吊民之义,可谓仁君矣。萧铣举荆楚降唐,而高祖怒其逐鹿④之对,诛之于市,其隘⑤如此,《新史》⑥犹以高祖为圣,岂理也哉?

[注释]

①束手自诣:主动投降。②垂灭:行将灭亡,危在旦夕。③食言:背弃诺言。④逐鹿:争夺。⑤隘:狭隘,心胸狭窄。⑥《新史》:《新唐书》。

[译文]

汉光武帝刘秀虽然用武力统一了天下,而他的用心每时每刻都是以仁爱、恩惠、招抚、安慰为本。

原汉臣隗嚣盘踞陇西,起初依附刘玄,任御史大夫;不久,又依附光武帝,光武帝封他为西州大将军;后又背叛光武帝,投靠了自立为蜀王的公孙述,公孙述封他为朔宁王。光武帝赐给他诏书说:"你如果放弃抵抗,主动投降,我保证你不受任何处罚。"但他不识时务,继续抵抗。光武帝只好率军西征,隗嚣逃往西域,悲愤而死。

自称蜀王的公孙述先后派人杀了征蜀的汉将来歙、岑彭,盘踞蜀地,实则不堪一击,危在旦夕,光武帝的大军一到,即可将其灭掉。但是,光武帝还是下诏告诉他说:"不要因为来歙、岑彭二人被害之事,疑虑重重,如今及时来归顺,那么您的家族可以保全,我的亲笔诏书不可多得,我绝对不食言。"但公孙述依然顽抗,最终灭亡。光武帝派遣大将冯异率军西征时,一再告诫他以平定地方安抚百姓为急务。对于偏将军吴汉滥杀投降的蜀地将士一事,光武帝非常恼怒,痛责他有失斩杀敌将、吊慰民众的大义。光武帝可以称得上是仁爱的君主了。隋末,拥兵割据荆、楚之地的萧铣投降唐朝,而唐高祖李渊恼怒他曾跟自己争夺天下,把他杀掉了。李渊的心胸竟如此狭窄,《新唐书》还认为唐高祖圣明,难道合乎情理吗?

卷十五

世事不可料

秦始皇并①六国，一②天下，东游会稽，度③浙江，捆绤然④谓子孙帝王万世之固，不知项籍已纵观其旁，刘季⑤起喟然之叹于咸阳矣。曹操芟夷⑥群雄，遂定海内，身为汉相，日夜窥伺龟鼎⑦，不知司马懿已入幕府矣。梁武帝杀东昏侯，覆齐祚⑧，而侯景以是年生于漠北。唐太宗杀建成、元吉，遂登天位，而武后已生于并州。宣宗之世，无故而复河陇⑨，戎狄既衰，藩镇顺命，而朱温生矣。是岂⑩智力谋虑所可为哉？

[注释]

①并：吞并。②一：统一。③度：通"渡"，渡过。④捆绤然：倨傲。⑤刘季：刘邦，字季，西汉王朝的创建人。⑥芟夷：剪除，消灭。⑦龟鼎：元龟与九鼎。古时是国家的重器，常用来比喻帝位。⑧覆齐祚：颠覆齐朝王室。⑨无故：没有什么波动。复：收复。⑩岂：难道。

[译文]

秦始皇兼并六国，统一天下，东巡来到会稽，渡过了浙江，倨傲地宣称子子孙孙相继为帝王,千秋万代绝不会动摇,不知道项籍已经在其旁观看,立志取而代之,刘季在咸阳时亦曾为之喟然长叹"大丈夫当如此"了。曹操扫除群雄,进而平定海内,身为汉相,日夜盘算着篡夺帝位,不知司马懿已经进入其幕府之中。梁武帝杀掉了东昏侯,倾覆齐朝帝统,可是侯景在这一年出生于大漠之北。唐太宗杀掉了李建成、李元吉,而登上天子之位,可是武后已经降生于并州(今山西太原)。唐宣宗时代,太平无事,而且收复了河州、陇州,少数民族势力衰减,所造成的外部威胁也随之而减弱,内部的藩镇势力也顺从听命于朝廷,可是朱温出生了。这些难道是凭借他们的智慧谋略所能预料的吗?

有　若

《史记·有若①传》云:"孔子没,弟子以若状似孔子,立②以为师。他日,进问曰:'昔夫子当行,使弟子持雨具,已而果雨。弟子问何以知之,夫子曰:《诗》不云乎?月离于毕,俾滂沱矣③。昨暮月不宿毕乎?他日,月宿毕,竟不雨。商瞿年长无子,孔子曰瞿年四十后当有五丈夫子④,已而果然。敢问何以知此?'有若无以应。弟子起曰:'有子避之,此非子之座也!'"予谓此两事殆⑤近于星历卜祝之学,何足以为圣人⑥而谓孔子言之乎?有若不能知,何所加损,而弟子遽以是斥退之乎!

《孟子》称:"子夏、子张、子游,以若似圣人,欲以所事孔子事之,曾子不可",但言"江汉、秋阳不可尚"⑦而已,未尝深诋⑧也。《论语》记诸善言,以有子之言为第二章,在曾子之前;使有避坐之事,弟子肯如是哉?《檀弓》载有子闻曾子"丧欲速贫,死欲速朽"⑨两语,以为"非君子之言",又以为"夫子有为言之"。子游曰:"甚哉!有子之言似夫子也。"则其为门弟子所敬久矣。太史公之书,于是为失矣。且人所传者道也,岂应以状貌之似而师之邪?世所图《七十二贤画像》,其画有若遂与孔子略等,此又可笑也。

[注释]

①有若:春秋鲁国人,孔子弟子。因貌似孔子,而受到特别敬重。②立:推举,拥立。③月离于毕,俾滂沱矣:处暑前后,月亮附着于毕宿,就会大雨滂沱。④五丈夫子:五个儿子。⑤殆:几乎。⑥圣人:道德智能极为高尚的人。⑦江汉、秋阳不可尚:意思是像长江、汉水一样,清澈可鉴;像秋天的太阳一样,光明洁白,没有人能比得上。⑧深诋:进行严厉的指责。⑨丧欲速贫,死欲速朽:丢失掉官位流亡的人,希望快点贫穷;人死了以后,还是希望快点腐朽。

[译文]

司马迁对孔子弟子有若的记载也有与史实不符之处。《史记·有若传》说:"孔子去世之后,他的弟子们因为有若的相貌、身材非常像先师孔子,就拥立有若为老师。有一天,弟子进见有若,请教说:'从前先师要出行,让弟子们拿着雨具,随即下起了雨。弟子们就问先师怎么知道天要下雨,先师说,《诗经》上不是说过,处暑前后,月亮靠近毕宿,就会大雨滂沱。昨天晚上月亮不是停留在毕宿的位置上吗?又有一天,月亮停留在毕宿的位置上,竟然没有下雨。商瞿年龄大了还没有儿子,先师就说商瞿四十岁以后会有五个儿子。后来果真如此。请问先师是怎么知道的?'有若无法回答。弟子们就催促他起来说:'有子离开这里吧,这不是您的座位!'"

我认为这两件事情有点近似于古代星相学和占卜学,怎么能称之为圣人,难道孔子说过这些话吗?有若不知道这些,对他有什么损害,难道弟子们会因此而斥退有若吗!

《孟子》里说:"子夏、子张、子游认为有若貌似圣人,打算用侍奉先师孔子的礼节侍奉他，曾子不同意"，也只是说"先师的道德学问就像长江、汉水一样，清澈可鉴；就像秋天的太阳一样，光明洁白，没有人能比得上"而已，未曾进行严厉的批评。《论语》中记载的诸位弟子们的嘉言，把有子的嘉言排在第一章的第二段，在曾子之前；假若有避坐的事，弟子们能这样去排列吗？《礼记·檀弓》记载：有子听到曾子转述"丢失官位流亡的人，希望快点贫穷；人死了以后，还是希望快点腐朽"两句话，认为这不像君子所说的话，又认为"这是老师有所指而发的义愤之词"。

子游感叹道："深刻啊，有子的话多么像老师呀。"那么，有子被孔门弟子所尊敬已不是一朝一夕的事。

太史公的《史记》在这件事情的记载上是有误的。况且，孔门弟子所传承的是老师的道德学问，怎么能会因为相貌与孔子相似而尊他为师呢？世人所画的《七十二贤画像》，他们画的有若的像和孔子的差不多，这又很可笑呀！

卷十六

三长月

佛教以正、五、九月为三长月，故奉佛者皆茹素①。

其说云：天帝释以大宝镜，轮照四天下；寅、午、戌月，正临南瞻部州②，故当食素以徼福。官司③谓之断月。故受驿券有所谓羊肉者，则不支。俗谓之恶月。士大夫赴官者，辄避之。或人以为唐曰藩镇莅事，必大享军。屠杀羊豕至多。故不欲以其月上事④。今之他官，不当尔也⑤。然此说亦无所经见。予读《晋书·礼志》，穆帝纳后，欲用九月，九月是忌月。《北齐书》云高洋谋篡魏，其臣宋景业言："宜以仲夏受禅。"或曰："五月不可入官⑥，犯之，终于其位。"景业曰："王为天子，无复下期，岂得不终于其位乎？"乃知此忌相承，由来已久。竟不能晓其义及出何经典也。

[注释]

①茹素：吃素。②南瞻部州：佛经说的四大部州之一，在须陀山南。③官司：官府。④上事：上任。⑤不当尔也：不应当如此。⑥入官：上任

就职。

[译文]

佛教把正月、五月、九月当做"三长月",所以信奉佛教的人在这"三长月"期间都吃素不吃荤。

他们的说法是:释迦牟尼佛用大宝镜,依次轮流照耀天下四方,不停地移动,察看人间的善恶。寅、午、戌三个月,正好照到南瞻部州,所以应当吃素食,用诚心求佛祖赐福。官府称这三个月为"断月",所以接受了快马送来的证券,其中有羊肉等,也就不去支取。民间都称这三个月为"恶月",士大夫们做官赴任,总是避开这三个月。有的人认为唐朝时,藩镇节度使处理政事,必然大肆犒赏三军,屠宰的羊猪极多,所以不想在这三个月上任。如今其他官员也有此避讳,不应当如此。然而这种说法史书里没有记载。

我读《晋书·礼志》,其中说到穆帝司马聃娶皇后,打算在九月进行,可九月是"忌月"。

《北齐书》记载:高洋图谋篡夺孝静帝的宝座,他的大臣宋景业说:"应该在仲夏五月受禅即位。"有人提出异议:"五月不能赴官上任,如果违犯这个禁忌,将死于其位。"宋景业说:"齐王贵为天子,不能更改日期,难道不能保持其帝位到老吗?"

我这才知道这种禁忌世代相承,由来已久,竟然不能明白它的真正含义以及出于何种典籍。

前代为监

人臣引古规戒,当近取前代,则事势相接,言之者有证,听之者足以监[①]。《诗》曰:"殷监不远,在夏后之世[②]。"《周书》曰:"今惟殷坠厥命,我其不可大监?"又曰:"我不可不监于有殷。"又曰:"有殷受天命,惟有历年,惟不敬厥德,乃早坠厥命。"

周公作《无逸》,称商三宗③。汉祖命群臣吾所以有天下,项氏④所以失天下,又命陆贾著秦所以失天下。张释之为汉文帝言秦、汉之间事,秦所以失,汉所以兴。贾山借秦朝为喻。贾谊请主人引商、周、秦事而观之。

魏郑公⑤上书太宗云:"方⑥隋之未乱,自谓必无乱;方隋之未亡,自谓必无亡。臣愿当今动静以隋为鉴。"马周云:"炀帝笑齐、魏之失国,今之视炀帝,亦犹炀帝视齐、魏也。"张玄素谏太宗治洛阳宫曰:"乾阳宫毕,隋人解体,恐陛下⑦之过,甚于炀帝。若此役不息⑧,同归于亡乱耳!"

考《诗》、《书》反载及汉、唐名臣之论,有国者龟镜⑨也,议论之臣,宜以为法。

[注释]

①监:通"鉴",借鉴,引鉴。②夏后之世:夏朝,中国第一个王朝。③商三宗:指商朝三个国王,即中宗、高宗和祖甲。④项氏:即项羽,名籍,字羽。秦亡后自立为西楚霸王。⑤魏郑公:魏征,唐魏郡内黄人,字玄成,官至太子太师。因封郑国公,故称。⑥方:当。⑦陛下:朝廷。⑧不息:不停止。⑨龟镜:借鉴。

[译文]

臣僚引述古代的事例规劝君主时,应当选取时代较近的前代史实,这样事势相接,说的人得到了强有力的证据,听的人足以引以为戒。《诗经》里说:"殷监不远,在夏后之世。"《周书》说:"现在商朝已经葬送了自己的江山,我们周朝难道能不深深地引以为鉴吗?"又说:"我们不能不以商朝为借鉴。"又说:"商朝承受天命的年数不少了,因为不敬天命,不修其德,以致过早地亡了国。"

周公旦作《无逸》，文中称颂商朝的中宗、高宗和祖甲三位国王。汉高祖命群臣谈论自己为什么能得天下，项羽为什么失天下，又命陆贾撰文论述秦朝之所以灭亡的原因。张释之为汉文帝讲解秦、汉之间的史事，以此证明秦朝之所以失败、汉朝之所以成功的根源。贾山借秦朝作比喻来说明王朝更替的原因。贾谊建议君主阅读有关商朝、周朝和秦朝历史的书籍。

魏征上书给唐太宗说："当隋朝尚未乱的时候，自以为必定不会乱；当隋朝尚未亡的时候，自以为必定不会亡。我希望现在的举措应以隋朝为鉴。"马周说："隋炀帝嘲笑齐、魏亡国，今天看隋炀帝，也如同炀帝看齐、魏。"张玄素谏唐太宗整修洛阳宫说："乾阳宫修成，隋朝瓦解，我担心陛下的过失比隋炀帝更甚。如果这项工程不停止，唐朝也将与隋朝一样陷于动乱！"

《诗经》和《尚书》所载，以及汉、唐诸名臣的论述，的确可以作为国君拥有国家之人的借鉴，负责谏议的大臣们也应当深入学习，用心加以体会。

和诗当和意

古人酬和诗，必答其来意，非若今人为次韵所局①也。观《文选》②所编何劭、张华、卢谌、刘琨、二陆③、三谢④诸人赠答，可知已。唐人尤多，不可具载⑤。姑取杜集数篇，略纪于此。

高适寄杜公云："愧尔东西南北人。"杜则云："东西南北更堪论。"高又有诗云："草《玄》今已毕，此外更何言？"杜则云："草《玄》吾岂敢，赋或似相如。"严武寄杜云："兴发会能驰骏马，终须重到使君滩。"杜则云："枉沐旌麾出城府，草茅无径欲教锄。"杜公寄严诗云："何路出巴山"，"重岩细菊斑，遥知簇鞍马，回首白云间。"严答云："卧向巴山落月时"，"篱外黄花菊对谁，跂马望君非一度。"杜送韦迢云："洞庭无过雁，书疏莫相忘。"迢云："相忆无南雁⑥，何时有报章⑦？"杜又云："虽无南去雁，看取北来鱼。"郭受寄杜云："春兴不知凡几首？"杜答云："药里关心诗总废。"皆如钟磬在算簴⑧，叩之则应，往来反复，于是乎有余味矣。

[注释]

①次韵所局：诗歌用韵的次序。②《文选》：即《昭明文选》，南朝梁昭明太子萧统编，选录先秦至梁各体诗文。③二陆：陆机、陆云兄弟。④三谢：南朝谢灵运、谢惠连、谢朓。⑤具载：一一记载。⑥南雁：往南飞的大雁。⑦报章：报纸。这里代指音讯、消息。⑧算簴：架子。

[译文]

古人酬和诗歌，必定要答其来意，不像当今的人在与人唱和时拘泥于原诗用韵次序。从《昭明文选》中所编的何劭、张华、卢谌、刘琨，陆机、陆云兄弟，南朝的谢灵运、谢惠连、谢朓等人的赠答诗，就可清楚地看到这一点。唐人的例子尤其多，无法一一记载，这里姑且从杜甫集中选取几首，略记于此。

高适给杜甫的诗说："愧尔东西南北人。"杜则说："东西南北更堪论。"高又有诗说："草《玄》今已毕，此外更何言？"杜则说："草《玄》吾岂敢，赋或似相如。"严武寄给杜甫的诗说："兴发会能驰骏马，终须重到使君滩。"杜则回答："枉沐旌麾出城府，草茅无径欲教锄。"杜甫寄给严武的诗说："何路出巴山"，"重岩细菊斑，遥知簇鞍马，回首白云间。"严的答诗说："卧向巴山落月时"，"篱外黄花菊对谁，跂马望君非一度。"杜甫送韦迢说："洞庭无过雁，书疏莫相忘。"迢说："相忆无南雁，何时有报章？"杜甫又说："虽无南去雁，看取北来鱼。"郭受寄给杜甫的诗说："春兴不知凡几首?"杜答说:"药里关心诗总废。"这些诗句都如挂在架子上的钟磬,叩之即应,往来反复,因而余味无穷。

一世人材

一世人材,自可给一世之用。苟①有以致之,无问其取士之门如何也。今之议者,多以科举经义②、诗赋③为言,以为诗赋浮华无根柢,不能致实学,故其说常右经而左赋,是不然。成周之时,下及列国,皆官人以世④。

周之刘、单、召、甘,晋之韩、赵、荀、魏,齐之高、国、陈、鲍,卫之孙、宁、孔、石,宋之华、向、皇、乐,郑之罕、驷、国、游,鲁之季、孟、臧、展,楚之斗、芳、申、屈,皆世不乏贤,与国终毕。汉以经术及察举⑤,魏、晋以州乡中正,东晋、宋、齐以门第,唐及本朝以进士,而参之以任子⑥,皆足以尽⑦一时之才。则所谓科目⑧,特借以为梯阶耳!经义、诗赋,不问可也。

[注释]

①苟:只要。②经义:考试的文体,从经书文句中出题,作文阐述其中义理。③诗赋:考试文体,从诗赋中命题,作文发挥。④官人以世:官吏世袭,即世卿世禄制。⑤经术及察举:用经术与察举形式选择官吏。察举,由官吏推荐,经过考核,授之以官。⑥任子:因父兄的功绩,得保举授予官职。⑦尽:取用。⑧科目:科举时代分科选拔录用官吏的名目。

[译文]

一世人才,自然可以满足一世之用。只要能够网罗人才,不必计较取士的途径、方法如何。当今以经义、诗赋取士,有人认为诗赋浮华无根底,不能选拔具有真才实学的士人,因而往往推崇经义而贬低诗赋。其实，这种看法是不正确的。从西周初年直至战国时代，官员都是世卿世禄制，即世袭制。

周朝的刘、单、召、甘，晋国的韩、赵、荀、魏，齐国的高、国、陈、鲍，卫国的孙、宁、孔、石，宋国的华、向、皇、乐，郑国的罕、驷、国、游，鲁国的季、孟、臧、展，楚国的斗、芳、申、屈等著名家族，都是世代不乏贤才，直至其国覆亡。汉代以经术及察举取士，魏、晋时代实行九品中正制，东晋、南朝留任靠门第，唐朝及本朝以进士取士，同时兼行任子之法。这些方法都足以取尽一世之才。由此可见，所谓的取士科目，只不过是用来作为阶梯而已！至于说是以经义为主还是诗赋为主取士，完全可以不必过问。

谶纬之学

图谶星纬之学[①]，岂不或中，然要为误人，圣贤所不道[②]也。眭孟睹公孙病已之文，劝汉昭帝求索贤人，禅[③]以帝位，而不知宣帝实应之，孟以此诛。孔熙先知宋文帝祸起骨肉、江州当出天子，故谋立江州刺史彭城王，而不知孝武实应之，熙先以此诛。当涂高之谶，汉光武以诘[④]公孙述，袁术、王浚皆自以姓名或父字应之，以取灭亡，而其兆为曹操之魏。两角犊子之谶，周子谅以劾牛仙客，李德裕以议牛僧孺，而其兆为朱温。隋炀帝谓李氏当有天下，遂诛李金才之族，而唐高祖乃代隋。唐太宗知女武将窃国命，遂滥五娘子之诛，而阿武婆几易姓。武后谓代武者刘，刘无强姓[⑤]，殆流人也[⑥]，遂遣六道使悉杀之。而刘幽求佐临淄王[⑦]平内难，韦、武二族皆殄灭[⑧]。晋张华、郭璞，魏崔伯深，皆精于天文卜筮，言事如神，而不能免于身诛家族，况其下者⑨乎！

[注释]

①图谶星纬之学：起于秦而大盛于东汉，附会经义以占验吉凶。谶即预言吉凶得失的文学和图记。纬即儒家经义，附会人事吉凶祸福，预言治乱兴废。星即通过观察天上星象的变异来预言世间之事。这种神秘之学到隋唐之后逐渐绝迹。②不道：不予称道。③禅：传授。④诘：诘问。⑤强姓：强有力的人物。⑥殆流人也：几乎全是流民。⑦临淄王：李隆基，唐睿宗第三子。始封楚王，后封临淄王，即位后称玄宗。⑧殄灭：诛灭。⑨其下者：水平还不如精于天文卜筮学的人们。

[译文]

古代图谶星纬之学，当然也有偶尔言中应验的，然而确实害人不浅。因而为历代圣贤所不齿。

公孙病已（汉宣帝刘询）流落民间时，有些地方出现大石头自己站立起来的怪现象。符节令眭孟上书劝汉昭帝下诏求索圣贤之人，禅让帝位，却被大将军霍光以妖言惑众的罪名杀了。但哪里知道后来恰恰应在公孙病已的身上。

南宋孔熙先知道宋文帝的灾祸将发生于骨肉之间，认为江州当出真龙天子，所以图谋拥立江州刺史彭城王刘义康为帝，却不知道孝武帝刘骏做了皇帝，孔熙先因此被杀。

西汉末，出了个谶纬之言，即"当涂高"三字。这时公孙述自立蜀王，建号"龙兴"。光武帝刘秀曾怀疑会应在公孙述的身上。袁术、王浚都认为自己的名字或者父亲的字能应图谶之言，结果都自取灭亡，而其预兆恰恰是曹操的魏。

唐朝，出了个"两角犊子"的谶纬之言。玄宗时，周子谅以这个谶纬之言为由，弹劾工部尚书牛仙客；后来，唐穆宗时，李德裕又以这个谶纬之言议论牛僧孺。但是，它的预兆恰恰应在朱温身上。

隋炀帝听信谶言，认为李姓当拥有天下，于是诛灭了李金才全族，最终还是唐高祖李渊取代了隋朝。

唐太宗听信术士之言，知道将有一个姓武的女人篡夺李氏江山，于是滥杀姓武的女子，可是武则天这个老太婆却要取代李家唐朝。

武则天听信术士之言，认为"代武者刘"，但姓刘的没有显赫的人物，几乎都是平民百姓，于是派遣几路使者到各地捕杀姓刘的。而恰恰是刘幽求辅佐临淄王李隆基平定了内乱，韦、武二族全部诛灭。

晋代的张华、郭璞，北魏的崔伯深，都精通天文星象占卜算命，言事如神，尚且不能避免身死族灭，更何况那些不如他们的人呢？

续 笔

卷 一

戒石铭

"尔俸尔禄，民膏民脂，下民易虐，上天难欺。"太宗皇帝书此以赐郡国，立于厅事之南，谓之《戒石铭》。

按成都人景焕，有《野人闲话》一书，乾德三年所作，其首篇《颁令箴》，载蜀王孟昶为文颁诸邑云："朕念赤子①，旰食宵衣②。言之令长③，抚养惠绥。政存三异④，道在七丝⑤，驱鸡为理，留犊⑥为规。宽猛得所，风俗可移。无令侵削，无使疮痍。下民易虐，上天难欺。赋舆是切，军国是资⑦。朕之赏罚，固不逾时。尔俸尔禄，民膏民脂。为民父母，莫不仁慈。勉尔为戒⑧，体朕深思。"凡二十四句。昶区区爱民之心，在五季诸僭伪之君为可称也⑨，但语言皆不工⑩，唯经表出者，词简理尽，遂成王言⑪，盖诗家所谓夺胎换骨法也。

[注释]

①念：关心、想念。赤子：忠于朝廷的百姓。②旰食宵衣：天很晚才吃饭，天不亮就穿衣起床。形容勤于政务。③令长：县令、县长。万户以上设

令，万户以下设长。④政存三异：处理政务要达到三种奇迹出现，即蝗虫不入境内，鸟兽也知礼教化，儿童也明了仁厚之心。⑤七丝：古琴的七根弦。⑥留犊：三国时时苗出任寿春县令，驾黄牛赴任，后牛生一犊，离任时将牛犊留下。比喻为官清廉高洁。⑦赋舆是切，军国是资：田赋收入是国家切身大事，军队和政府都要依靠它。⑧勉尔为戒：劝导你们要以此为戒。⑨五季：五代。僭伪：割据一方的非正统的王朝政权。可称：值得称道。⑩不工：不够精练。⑪王言：不朽名言。

[译文]

"你们做官人所得的俸禄，都是人民的血汗脂膏；虽然虐待平民百姓容易，可是上天却难以欺骗。"宋太宗将这四句话颁发给各郡国的官员，让他们镌刻在石碑上，然后竖立在官府大堂南面，称为《戒石铭》。

成都人景焕著有《野人闲话》一书，是在宋太祖乾德三年（965年）写成的，书中第一篇《颁令箴》中，记载了后蜀国王孟昶曾作文告颁发给各地官员，说："朕关心百姓疾苦，因为他们每天很晚才吃饭，天不明就起床，所以才给你们讲这番话，希望你们尽心尽力抚养百姓。治理地方要争取达到蝗虫不入境、鸟兽懂礼仪、儿童有仁心这三种异事的标准。其关键在于官员们必须像弹奏七弦琴一样，把各种政务调理好；要像驱鸡那样恰到好处，要像时苗留下牛犊那样清正廉明。政治宽猛相济，各得其宜，才能移风易俗。不能侵夺百姓的利益，不能让百姓遭受苦难。虽然虐待平民百姓容易，可是上天却难以欺骗。赋税车马是国家的急务，是军队和国家赖以生存的凭证。我赏功罚罪，决不会拖延时间。你们的俸禄都是人民的血汗脂膏。身为百姓的父母官，要对百姓仁慈爱护。希望你们将我的话引以为戒，深刻地体会我的一番苦心。"

《颁令箴》共二十四句。孟昶的一片爱民之心，在五代十国时期割据一方、自称帝王的君主中，却是难得的。但是，他的这篇文告语言不够精练，只有从中归纳出来的四句，言简意赅，说理透彻，于是成为不朽名言。这种归纳法，就是诗人们所说的夺胎换骨的写作方法。

卷 二

岁旦饮酒

今人元日①饮屠酥酒,自小者起,相传已久,然固有来处②。后汉李膺、杜密以党人同系狱③,值元日,于狱中饮酒,曰:"正旦从小起。"《时镜新书》晋董勋云:"正旦饮酒先从小者,何也？勋曰:'俗以小者得岁,故先酒贺之,老者失时,故后饮酒。'"《初学记》④载《四民月令》:"正旦进酒次第,当从小起,以年小者先起。"唐刘梦得、白乐天元日举酒赋诗,刘云:"与君同同甲子,寿酒让先杯。"白云:"与君同甲子⑤,岁酒合谁先？"白又有《岁假内命酒》一篇云:"岁酒先拈辞不得,被君推作少年人。"顾况云:"不觉老将春共至,更悲携手几人全。还丹寂寞羞明镜,手把屠苏让少年。"裴夷直云:"自知年几偏应少,先把屠苏不让春。倘更数年逢此日,还应惆怅羡他人。"成文干云:"戴星先捧祝尧觞⑥,镜里堪惊两鬓霜。好是灯前偷失笑,屠苏应不得先尝。"方千云:"才酌屠苏定年齿,坐中皆笑鬓毛斑。"然则尚矣。东坡亦云:"但把穷愁博长健,不辞最后饮屠酥。"其义亦然。

[注释]

①元日：又叫正旦，每年第一天。②来处：出处，来源。③系狱：关进监狱。④《初学记》：唐徐坚、韦述等编纂，30卷，23门，313子目。⑤同甲子：同岁。⑥觞：酒杯。

[译文]

现在的人在元日的时候喜欢饮屠酥酒，饮酒时从年纪小的人开始。这个风俗相传已经很久了，然而它是有来历的。东汉时的李膺、杜密因为都是结党的人而被关进了监狱，当元日之时，他们在狱中饮酒，说道："元日饮酒应当从年龄小的开始。"

《时镜新书》里记载晋朝董勋说："元日饮酒应当从年龄最小的开始，为什么呢？勋说：'旧时的习俗认为年最小的又长了一岁，所以先饮酒，表示祝贺；年龄大的人，已经过了很多时间，所以后饮酒。'"

《初学记》记载《四民月令》说："元日饮酒要按照次序，应当从年龄最小的开始。"唐朝刘梦得、白乐天在元日时举杯饮酒赋诗，刘梦得对他说："与君同甲子，寿酒让先杯。"白乐天说："与君同甲子，岁酒合谁先？"白乐天又有《岁假内命酒》一首诗说："岁酒先拈辞不得，被君推作少年人。"顾况有诗云："不觉老将春共至，更悲携手几人全。还丹寂寞羞明镜，手把屠苏让少年。"裴夷直也有诗说："自知年几偏应少，先把屠苏不让春。倘更数年逢此日，还应惆怅羡他人。"成文干有诗云："戴星先捧祝尧觞，镜里堪惊两鬓霜。好是灯前偷失笑，屠苏应不得先尝。"方干的诗中说："才酌屠苏定年齿，坐中皆笑鬓毛斑。"从这些诗句可以看出，元日饮酒的习俗。

苏东坡也曾经说过："但把穷愁博长健，不辞最后饮屠酥。"他的意思也是一样的。

汉唐置邮

赵充国在金城①,上书言先零②、罕羌事,六月戊申奏,七月甲寅玺书报从其计。按金城至长安一千四百五十里,往反③倍之,中间更下公卿议臣,而自上书至得报,首尾才七日。唐开元十年八月己卯夜,权楚璧作乱,时明皇幸洛阳,相去八百余里。壬午,遣河南尹④王怡如⑤京师按问宣慰,首尾才三日。置邮传命,既如此其速,而廷臣共议,盖亦未尝淹久,后世所不及也。

[注释]

①金城:今甘肃兰州西南。②先零:即先零羌。③往反:来回。反,通"返",回。④尹:省府行政长官。⑤如:到达。

[译文]

西汉名将赵充国驻守金城,防御羌人,向朝廷上书,陈述对付先零、罕羌的军事计划。六月戊申日派使者将奏章送到京师长安,七月甲寅日便收到了盖有皇帝印玺的批复,同意这个计划。金城距离长安一千四百五十里,往返要加倍,中间还有将奏章交大臣讨论的时间,可是从上书到收到批复,前后只用了七天时间。

唐玄宗开元十年八月己卯夜,权楚璧在京师长安发动叛乱,当时唐明皇在洛阳,两地相距八百余里。壬午日,派河南府尹王怡前往京师审理此事,慰问平乱官兵,前后只有三天时间。设立驿传传达命令和消息,其速度竟如此快捷,而朝廷大臣在商议军政大事时,也没有一点拖延,这是后世所不及的。

巫蛊之祸

汉世巫蛊之祸①,虽起于江充,然事会之来,盖有不可晓者。武帝居建章宫，亲见一男子带剑入中龙华门，疑其异人，命收之，男子捐剑走，逐之弗获。上怒，斩门侯，闭长安城门，大索②十一日，巫蛊始起。又尝昼寝，梦木人数十，持杖欲击己，乃惊寤，因是体不平，遂苦忽忽善忘。此两事可谓异矣。木将腐，蠹③实生之；物将坏，蠹④实生之。是时帝春秋⑤已高，忍而好杀，李陵所谓法令无常，大臣无罪夷灭⑥者数十家。由心术既荒，随念招妄，男子、木人之兆，皆迷不复开，则谪见于天，鬼瞰⑦其室。祸之所被，以妻则卫皇后，以子则戾园，以兄子则屈牦，以女则诸邑、阳石公主，以妇则史良娣，以孙则史皇孙。骨肉之酷如此，岂复顾他人哉？且两公主实卫后所生，太子未败数月前，皆已下狱诛死，则其母与兄岂有全理？固不待江充之谮也。

[注释]

①巫蛊之祸：汉武帝时宫中内部激烈争斗的一起事件。征和元年，有人告发丞相公孙贺用巫术诅咒，在驰道埋木偶人，遂下狱而死。次年江充诬告事与太子有关，太子刘据举兵杀了江充。武帝发兵追杀太子，双方激战五日，太子兵败自杀，史称"巫蛊之祸"。巫蛊，古代巫师用邪术加害于人称巫蛊。蛊，传说中的一种人工培养的毒虫。②大索：大肆搜捕。③蠹：蠹虫。④蠹：蛀虫。⑤春秋：年岁。⑥夷灭：全部杀死。⑦瞰：窥视。

[译文]

汉朝巫蛊事件虽说起于江充，很多人遭难。然而，其事的由来，还有一些不为人们所知的原因。

汉武帝住在建章宫，亲眼看见一个男子携带宝剑进入中龙华门，觉得形迹可疑，便命人捉拿此人。这个男子扔下宝剑就跑，追捕的人没有捉到。汉武帝大怒，斩杀了守门官吏，下令紧闭京师长安的城门，在城内大规模搜查了十一天，这也是"巫蛊之祸"的一个诱因。

还有一次，汉武帝在白天睡着了。梦见几十个木偶人拿着棍，来打自己，因而十分恐慌，一下子就惊醒了，从此，身体不适，时常苦于恍惚和失眠健忘。这两件事都是很寻常的。

众所周知，木材将腐朽时，是因为内部生了蠹虫；东西要败坏时，是因为内部生了蛀虫。当时，汉武帝的年纪已经很大了，性情却变得残忍好杀。投降匈奴的汉朝名将李陵曾说，国家的法令变化无常，大臣无罪被灭族的有数十家。由于汉武帝心思糊涂，经常胡思乱想，以致精神失常，行动乖张，男子并木偶人的出现，都是因为他自己迷糊，于是上天以此警告。大白天鬼也在宫中出没。因汉武帝心迷神乱，受到祸害的，妻子有卫皇后被废自杀，儿子有戾太子刘据逃亡自杀，哥哥的儿子则有刘屈牦下狱腰斩，女儿有诸邑、阳石两位公主，儿媳有史良娣遇害，孙子有史皇孙惨遭毒杀。对待骨肉之亲尚且如此残酷，更何况其他人呢？况且诸邑、阳石两位公主都是皇后亲生的，她们在太子刘据败亡前几个月，都已经被投入监牢处死了，在这种情况下，她们的母亲和哥哥怎么能够得以保全呢？显然，即使没有江充的诬陷，太子和皇后也难免一死。

卷 三

太史慈

三国当汉、魏之际,英雄虎争,一时豪杰志义之士,磊磊落落,皆非后人所能冀①,然太史慈者尤为可称。慈少仕东莱本郡为奏曹史②,郡与州有隙③,州章劾之,慈以计败其章,而郡得直④。孔融在北海为贼所围,慈为求救于平原,突围直出,竟得兵解融之难。后刘繇为扬州刺史,慈往见之,会孙策至,或劝繇以慈为大将军。繇曰:"我若用子义,许子将不当笑我邪?"但使慈侦视轻重,独与一骑,卒遇策,便前斗,正与策对⑤,得其兜鍪⑥。及繇奔豫章,慈为策所执。捉其手曰:"宁识神亭时邪?"又称其烈义,为天下智士,释缚用之,命抚安繇之子,经理其家⑦。孙权代策,使为建昌都尉,遂委以南方之事,督治海昏⑧。至卒时,才年四十一,葬于新吴,今洪府奉新县也,邑人立庙敬事。乾道中封灵惠侯,予在西掖⑨当制,其词云:"神蚤赴孔融,雅谓青州之烈士。晚从孙策,遂为吴国之信臣。立庙至今,作民司命⑩,搃⑪一同之言状,择二美以建侯,庶几江表之间,尚忆神亭之事。"盖为是也。

[注释]

①冀:比较。②奏曹史:小吏。③隙:过节,矛盾。④直:澄清。⑤对:对峙。⑥兜鍪:头上戴的盔。⑦经理其家:安排好刘繇家属的生活。⑧督治:治理。海昏:今江西永修县。⑨西掖:中书省。⑩司命:敬奉的神灵。⑪擥:收集。

[译文]

三国正当汉、魏之交,英雄如龙争虎斗,一时间豪杰义士,做事光明磊落,不是后人能够比拟的。其中吴将太史慈这个人,尤其值得称道。太史慈早年在家乡东莱郡任奏曹史,当时郡守和州官之间有矛盾,州里有奏章弹劾郡守,太史慈设计撕毁奏章,郡守的冤屈得以澄清。孔融任北海相,被黄巾军围困,太史慈愿为孔融前去向平原相刘备求救,单骑突围而出,终于搬来救兵解除了孔融的危难。后来刘繇担任扬州刺史,太史慈前去见他,正赶上孙策也来了。有人劝说刘繇任用太史慈为大将军,刘繇说:"我如果用太史慈为将,善于评论人物的许劭恐怕会笑话我手下没有能人。"他只是让太史慈侦察孙策军队的情况。有一次,他一人在神亭碰上了孙策,便进行搏斗,恰好与孙策正面相对,夺得孙策的头盔。等到刘繇逃奔豫章时,太史慈被孙策活捉,孙策拉着太史慈的手说:"难道还记着神亭战败的事吗?"又称赞太史慈忠烈仁义,是天下的智者,给他松绑并任用他为将。刘繇死后,孙策又让他去抚慰刘繇的子女,安排好家属生活。

孙权接替孙策以后,任命太史慈为建昌都尉,把吴国南方的事务全都委托给他,让他专心治理海昏这个地方。到太史慈死的时候,他才不过四十一岁,埋葬在新吴,也就是现在洪州奉新县,当地人为他建立祠堂,恭恭敬敬地侍奉他。乾道年间,封太史慈为灵惠侯,我那时正在西掖任职,负责起草制词,制词说:"这个神灵早年投奔孔融，堪称是青州的忠烈之士；晚年跟随孙策，成了吴国的诚信之臣。从立庙那天到现在，一直是老百姓敬奉的神灵。收集方圆百里以内民众的议论，根据神灵早年和晚年两个时期的美好事迹，特封为灵惠侯，这样江南一带的百姓，还能时常回忆神亭大战的壮烈。"这些就是上面所说的。

谥 法

"先王谥①以尊名，节以壹惠②。"语出《表记》。然不云起于何时，今世传《周公谥法》，故自文王、武王以来始有谥。周之政尚文，斯可验矣。如尧、舜、禹、汤皆名，皇甫谧③之徒附会为说，至于桀、纣，亦表以四字，皆非也。周王谥以一字，至威烈、贞定益④以两。而卫武公曰睿圣武公，见于《楚语》；孔文子曰贞惠文子，见于《檀弓》；各三字，意⑤当时尚多有之。唐诸帝谥，经三次加册⑥，由高祖至明皇皆七字，其后多少不齐。代宗以四字，肃、顺、宪以九字，余以五字，唯宣宗独十八字，曰"元圣至明成武献文睿智章仁神聪懿道大孝"。国朝祖宗谥十六字，唯神宗二十字，曰"体元显道法古立宪帝德王功英文烈武钦仁圣孝"，盖蔡京所定也。

[注释]

①谥：死后加给的称号。②壹惠：概括一生的公德。③皇甫谧：名静，字思安，自号玄宴先生，西晋史学家、医学家。著有《帝王世纪》、《针灸甲乙经》等。④益：增加。⑤意：推测。⑥加册：追加册封。

[译文]

"古代帝王死后加一个尊贵的称号，以概括他一生的公德。"此说见于《礼记·表记》，但没有说明加谥号的做法开始于什么时候。

现在流行的《周公谥法》一书，可以知道从周文王、周武王以来才有加谥的做法。

周朝崇尚文治，从这里也可以得到验证。譬如尧、舜、禹、汤都是名字，皇甫谧这些人牵强附会进行解释，说至于桀、纣加上了四个字的称号，这些都不是事实。周朝帝谥号只一个字，至于威烈、贞定（姬介）才增加成两个字。而卫武公称睿圣武公，见于《国语·楚语》；孔文子称贞惠文子，见于《礼记·檀弓》；各用三个字，估计当时这种用法的人还有不少。

唐代历代帝王的谥号，经过三次追加，尊号从唐高祖至明皇都是七个字，其后多多少少不等。唐代宗用的是四个字，肃宗、顺宗、宪宗用的都是九个字，其余几位皇帝的都是五个字，只有唐宣宗竟然用了十八个字，叫做"元圣至明成武献文睿智章仁神聪懿道大孝"。

我大宋朝先前的各位皇帝，谥号都是十六个字。唯有神宗皇帝用了二十个字，叫做"体元显道法古立宪帝德王功英文烈武钦仁圣孝"，这是蔡京拟定的。

诗文当句对

唐人诗文，或于一句中自成对偶，谓之当句对。盖起于《楚辞》"蕙蒸兰藉"、"桂酒椒浆"、"桂棹兰枻"、"斫冰积雪"。自齐、梁以来，江文通、庾子山诸人亦如此[①]。如王勃《宴滕王阁序》一篇皆然。谓若"襟三江带五湖，控蛮荆引瓯越；龙光牛斗，徐孺陈蕃；腾蛟起凤，紫电青霜；鹤汀凫渚，桂殿兰宫，钟鸣鼎食之家，青雀黄龙之轴；落霞孤鹜，秋水长天；天高地迥，兴尽悲来；宇宙盈虚，丘墟已矣"之辞是也。于公异《破朱泚露布》亦然。如："尧、舜、禹、汤之德，统元立极之君；卧鼓偃旗，养威蓄锐；夹川陆而左旋右抽，抵丘陵而浸淫布灌；声塞宇宙，气雄钲鼓②；貅儿作威，风云动色；乘其跆藉③，取彼鲸鲵④；自卯及酉，来拒复攻；山倾河泄，霆斗雷驰；自北徂南，舆尸折首；左武右文，销锋铸镝"之辞是也。杜诗："小院回廊春寂寂，浴凫⑤飞鹭晚悠悠；清江锦石伤心丽，嫩蕊浓花满目斑；书签药裹封蛛网，野店山桥送马蹄；戎马不如归马逸，千家今有百家存；犬羊曾烂漫，宫阙尚萧条；蛟龙引子过，荷芰逐花低；干戈况复尘随眼，鬓发还应雪满头；百万传深入，环区望菲他；象床玉手，万草千花；落絮游丝，随风照日；青袍白马，金谷铜驼；竹寒沙碧，菱刺藤梢；长年三老，捩柁开头；门巷荆棘底，君臣豺虎边；养拙干戈，全生麋鹿；舍舟策马，拖玉腰金；高江急峡，翠木苍藤，古庙杉松，岁时伏腊，三分割据⑥，万古云霄，伯仲之间，指挥若定，桃蹊李径，栀子红椒，庾信罗含，春来秋去，枫林桔树，复道重楼"之类，不可胜举。

李义山⑦一诗，其题曰《当句有对》云："密迩平阳接上兰，秦楼鸳瓦汉宫盘。池光不定花光乱，日气初涵露气干。但觉游蜂饶舞蝶，岂知孤凤忆离鸾。三星自转三山远，紫府程遥碧落宽。"其他诗句中，如"青女素娥"对"月中霜里"；"黄叶风雨"对"青楼管弦"；"骨肉书题"对"蕙兰蹊径"；"花须柳眼"对"紫蝶黄蜂"；"重吟细把"对"已落犹开"；"急鼓疏钟"对"休灯灭烛"；"江鱼朔雁"对"秦树嵩云"；"万户千门"对"凤朝露夜"。如是者甚多。

[注释]

①江文通：江淹，字文通，南朝著名诗人。庾子山：庾信，字子山，南朝新野人，著名文学家。②钲鼓：钲和鼓两种乐器。③跆藉：践踏。④鲸鲵：鲸鱼，此指凶恶的敌人。⑤浴凫：在水中游荡的野鸭。⑥三分割据：魏蜀吴三

国鼎立。⑦李义山：李商隐，字义山，晚唐著名诗人。

[译文]

　　唐朝人的诗文，常有在一句中自成对偶，人们叫做当句对。它起源于楚辞里的"蕙蒸兰藉"、"桂酒椒浆"、"桂棹兰枻"、"斫冰积雪"。自齐、梁以来，江淹、庾信诸人亦是如此。如唐人王勃《宴滕王阁序》一篇中当对句甚多。如："襟三江带五湖，控蛮荆引瓯越；龙光牛斗，徐孺陈蕃；腾蛟起凤，紫电青霜；鹤汀凫渚，桂殿兰宫，钟鸣鼎食之家，青雀黄龙之轴；落霞孤鹜，秋水长天；天高地迥，兴尽悲来；宇宙盈虚，丘墟已矣"之辞即是。于公异《破朱泚露布》亦是这样。如："尧、舜、禹、汤之德，统元立极之君；卧鼓偃旗，养威蓄锐；夹川陆而左旋右抽，抵丘陵而浸淫布灌；声塞宇宙，气雄钲鼓；貙兕作威，风云动色；乘其跆藉，取彼鲸鲵；自卯及酉，来拒复攻；山倾河泄，霆斗雷驰；自北徂南，舆尸折首；左武右文，销锋铸镝"之辞即是。杜甫诗中："小院回廊春寂寂，浴凫飞鹭晚悠悠；清江锦石伤心丽，嫩蕊浓花满目斑；书签药裹封蛛网，野店山桥送马蹄；戎马不如归马逸，千家今有百家存；犬羊曾烂漫，宫阙尚萧条；蛟龙引子过，荷芰逐花低；干戈况复尘随眼，鬓发还应雪满头；百万传深入，环区望菲他；象床玉手，万草千花；落絮游丝，随风照日；青袍白马，金谷铜驼；竹寒沙碧，菱刺藤梢；长年三老，捩柂开头；门巷荆棘底，君臣豺虎边；养拙干戈，全生麋鹿；舍舟策马，拖玉腰金；高江急峡，翠木苍藤，古庙杉松，岁时伏腊，三分割据，万古云霄，伯仲之间，指挥若定，桃蹊李径，栀子红椒，庾信罗含，春来秋去，枫林桔树，复道重楼"之类的例子，不胜枚举。

　　诗人李商隐有一首诗，题目叫《当句有对》。其内容是："密迩平阳接上兰，秦楼鸳瓦汉宫盘。池光不定花光乱，日气初涵露气干。但觉游蜂饶舞蝶，岂知孤凤忆离鸾。三星自转三山远，紫府程遥碧落宽。"除此之外，在其他诗句中，如"青女素娥"对"月中霜里"；"黄叶风雨"对"青楼管弦"；"骨肉书题"对"蕙兰蹊径"；"花须柳眼"对"紫蝶黄蜂"；"重吟细把"对"已落犹开"；"急鼓疏钟"对"休灯灭烛"；"江鱼朔雁"对"秦树嵩云"；"万户千门"对"凤朝露夜"。诸如此类，还有许多。

台谏不相见

嘉祐六年，司马公①以修起居注②同知谏院③，上章乞立宗室为继嗣；对毕，诣中书④，略为宰相韩公言其旨。韩公摄飨明堂⑤，殿中侍御史⑥陈洙监祭，公问洙："闻殿院与司马舍人甚熟。"洙答以"顷年⑦曾同为直讲⑧"。又问："近日曾闻其上殿言何事？"洙答以"彼此台谏官⑨不相往来，不知言何事"。此一项温公私记之甚详。然则国朝故实，台谏官元不相见。故赵清献公⑩为御史，论陈恭公⑪，而范蜀公⑫以谏官与之争。元丰中，又不许两省官相往来，鲜于子骏乞罢此禁。元祐中，谏官刘器之、梁况之等论蔡新州，而御史中丞以下，皆以无章疏罢黜。靖康时，谏议大夫冯澥论时政失当，为侍御史李光所驳。今两者合为一府，居同门，出同幕，与故事异，而执政⑬祭祠行事，与监察御史不相见云。

[注释]

①司马公：即司马光。②起居注：侍从皇帝、记录皇帝言行。③同知谏院：谏院的副长官，职责是向皇帝提出批评和建议。④中书：即中书省，总掌行政大权。⑤明堂：朝廷宣明政教的地方。⑥侍御史：御史台的监察官员，职责是纠察朝会时的失仪的官员。⑦顷年：近年。⑧直讲：国子监讲解经术的官员。⑨台谏官：御史台官与谏院官。⑩赵清献公：赵抃，字阅道，宋衢州西安

(今浙江衢县）人，官至参知政事，卒谥清献。⑪陈恭公：字昭誉，宋洪州南昌（今属江西）人，官至中书门下平章事，卒谥节。⑫范蜀公：范镇，字景仁，宋成都华阳（今四川成都）人，历官端明殿学士，提兴崇福官，封蜀郡公。⑬执政：宋朝宰相。

[译文]

嘉祐六年（1061年）司马光由修起居注升任同知谏院，成为谏院的副长官，负责向皇帝提出批评和建议，上奏章建议宋仁宗赵祯从宗室中选出一位侄子作为继承人。与仁宗对话以后，又到总掌行政大权的中书省，向宰相韩琦简要陈述了他的建议。不久，韩琦在皇帝宣明政教的明堂主持飨祭，负责纠察百官礼仪的殿中侍御史陈洙监督祭祀。韩公问陈洙："听说您和司马光很熟。"陈洙回答说："近几年曾经和他同在国子监担任直讲。"韩公又问："这几天曾听说他上殿面见皇帝，知道他说些什么事吗？"陈洙回答说："我们御史台和谏院的官员彼此不相往来，不知他说些什么事。"这件事温公司马光写进了他的日记，非常详细。既然如此，那么可以证明本朝的制度，御史台和谏院的长官是不许见面的。所以当赵清献公任殿中侍御史，评论陈恭公执中不学无术时，范蜀公镇却以谏院长官知谏院的身份同他争辩。元丰年间，又不允许门下省的给事中、起居郎、左散骑常侍、左谏议大夫、左司谏、左正言和中书省的中书舍人、起居舍人、右散骑常侍、右谏议大夫、右司谏、右正言之间互相往来，鲜于子骏上书要求废除这个禁令。元祐年间，谏官右正言刘器之、左谏议大夫梁况之连上奏章要求确定蔡新州确有罪，而御史台方面因为失职不报，从御史中丞以下都被罢官。靖康时，谏议大夫冯澥评论当时的政治措施有不妥当的地方，遭到殿中侍御史李光的反驳。现在御史台和谏院合成一府，位在同一个门里、同在一个地方办公，与旧日的典章制度全然不同，执政的宰相大臣在进行祭祀活动时，不能与监察御史见面。

无望之祸

自古无望之祸①玉石俱焚者,释氏②谓之劫数,然固自有幸不幸者。汉武帝以望气者③言长安狱中有天子气,于是遣使者分条中都官诏狱④系者,亡⑤轻重一切皆杀之,独郡邸狱系者,赖丙吉得生。隋炀帝令嵩山道士潘诞合炼金丹不成,云无石胆、石髓,若得童男女胆、髓各三斛⑥六斗,可以代之,帝怒,斩诞。其后,方士言李氏当为天子,劝帝尽诛海内李姓。以炀帝之无道嗜杀人,不啻⑦草莽,而二说偶不行。

唐太宗以李淳风⑧言女武当王,已在宫中,欲取疑似者尽杀之,赖淳风谏而止。以太宗之贤尚如此,岂不云幸不幸哉!

[注释]

①无望之祸:飞来的横祸。②释氏:释迦牟尼,通常指佛家。③望气者:方术之士。④诏狱:朝廷监狱。⑤亡:不分,不论。⑥斛:量器,十斗为一斛。⑦不啻:不如。⑧李淳风:唐初天文历算学家,官至太史令。著有《法象志》。

[译文]

自古以来,因为飞来的横祸而致玉石俱焚的,佛家称之为劫数,说是在劫难逃。不过,这里面也有幸运与不幸运的区别。汉武帝时,有望气的方术之士说京城长安的监狱中升起天子之气,于是汉武帝派遣使者分头到京师各衙门查询诏狱的囚犯,不论罪行轻重一律处死,唯有关押在郡邸狱的皇曾孙刘询(即后来的汉宣帝,因受巫蛊之祸的牵连而入狱),依赖廷尉监丙吉的保护而幸免于难。

隋炀帝杨广命令嵩山道士潘诞用各种东西炼制金丹,可是这种可以使人长生不老的金丹一直炼不成。潘诞为了开脱自己,便谎称金丹炼不成是因为没有石胆、石髓，如果能够得到童男童女的胆、髓各三斛六斗，就可以代替石胆、石髓，炼出宝贵的金丹。隋炀帝听了勃然大怒，立即下令处死潘诞。此后，方术之士又对隋炀帝说李姓当为天子，因而劝他将姓李的人全部杀掉。隋炀帝没有采纳。以隋炀帝的昏庸无道，嗜杀成性，甚至连强盗土匪都不如，而这两件事却例外地没有实行。

唐太宗李世民听到李淳风说武姓女子将做皇帝，而且此人已经进入宫中，便准备下令将可疑的宫女全部杀死。只是因为李淳风的极力劝谏，才没有付诸实施。以唐太宗的圣明睿智，行事尚且如此，难道能不认为是有幸运与不幸运的区别吗？

乌鹊鸣

北人以乌声为喜，鹊声为非；南人闻鹊噪则喜，闻乌声则唾而逐①之，至于弦弩挟弹，击使远去。《北齐书》奚永洛与张子信对坐，有鹊正鸣于庭树间，子信曰："鹊言②不善，当有口舌③事，今夜有唤，必不得往。"子信去后，高俨使召之，且云敕唤④，永洛诈称堕马，遂免于难。

白乐天在江州，《答元郎中杨员外喜乌见寄》曰："南宫鸳鸯地，何忽乌来止。故人⑤锦帐郎，闻乌笑相视。疑乌报消息，望我归乡里。我归应待乌头白，惭愧元郎诶⑥欢喜。"然则鹊言固不善，而乌亦能报喜也。又有和元微之《大觜乌》一篇云："老巫生奸计，与乌意潜通。云此非凡鸟，遥见起敬恭。千岁乃一出，喜贺主人翁。此乌所止家，家产日夜丰。上以致寿考⑦，下可宜⑧田农。"按微之所赋云："巫言此乌至，财产日丰宜⑨。主人一心惑，诱引不知疲。转见乌来集，自言家转挚。专听乌喜怒，信受若长离。"今之乌则然也。世有传《阴阳乌鸦经》，谓东方朔所著，大略言凡占乌之鸣，先数其声，然后定其方位，假如甲日一声，即为甲声，第二声为乙声，以十干数之⑩，乃辨其急缓，以定吉凶，盖不专于一说也。

[注释]

①逐：驱赶。②言：叫声。③口舌：口角，争执。④敕唤：奉皇帝旨意传唤。⑤故人：老朋友。⑥诶：空，白白地。⑦寿考：长寿。⑧宜：有益于。⑨日丰宜：一天比一天丰盛。⑩十干数之：以甲乙丙丁戊己庚辛壬癸十天干顺序排列。

[译文]

北方地区的人们认为乌鸦叫是喜事，而喜鹊叫则相反。南方地区的人们听到喜鹊的叫声就会很高兴，听到乌鸦的叫声就要生气地吐唾沫把它赶走，甚至要拿来弓箭、弹弓射它，以便把它赶到远处。

《北齐书》记载：奚永洛和张子信两人相对而坐，正巧有只喜鹊在庭院的树上鸣，张子信听到后说："喜鹊的叫声不吉利，应当会有口舌之争。今天晚上如果有人召唤你，你一定不要前去。"张子信离开以后，果然琅琊王高俨派人来召奚永洛前去，并说是奉皇帝的旨意而来的，奚永洛诈称从马上摔下来，身受重伤，不能从命，于是避免了一场灾难。白居易在江州做官时，写了一首诗名叫《答元郎中杨员外喜乌见寄》："南宫鸳鸯地，何忽乌来止。故人锦帐郎，闻乌笑相视。疑乌报消息，望我归乡里。我归应待乌头白，惭愧元郎诶欢喜。"

由这两件事可以看出，喜鹊鸣叫固然不是好事，而乌鸦也是能够报喜的。

另外，白居易又有一首唱和元稹《大觜乌》的诗："老巫生奸计，与乌意潜通。云此非凡乌，遥见起敬恭。千岁乃一出，喜贺主人翁。此鸟所止家,家产日夜丰。上以致寿考,下可宜田农。"

元稹的原诗是:"巫言此鸟至,财产日丰宜。主人一心惑,诱引不知疲。转见乌来集,自言家转孳。专听乌喜怒,信受若长离。"

现在,人们对乌鸦鸣叫的态度也是这样。世上流传有一本名叫《阴阳乌鸦经》的书,据说是西汉人东方朔所著的。书中大略说,凡是占卜乌鸦的叫声,应当先数它鸣叫的次数,然后测定其方位,假如是甲日叫的第一声就是甲声,第二声便是乙声,以下皆按十天干的次序计数,然后再辨别它叫声轻重缓急,以判定吉凶。可见,该书认为乌鸦的叫声有吉有凶,应当根据叫的次数、方位以及轻重缓急来综合判断,而不能一概而论。

卷 四

汉代文书式

汉代文书，臣下奏朝廷，朝廷下郡国，有《汉官典仪》、《汉旧仪》等所载，然不若金石刻所著见者为明白。《史晨祠孔庙碑》，前云："建宁二年三月癸卯朔①，七日己酉，鲁相臣晨、长史臣谦顿首死罪上尚书，臣晨顿首顿首，死罪死罪。"末云："臣晨诚惶诚恐，顿首顿首，死罪死罪上尚书。"副②言太傅、太尉、司徒、司空、大司农府。《樊毅复华下民租碑》前后与此同。《无极山碑》："光和四年某月辛卯朔廿二日壬子，太常臣耽、丞敏顿首上尚书。"末云："臣耽愚戆，顿首顿首上尚书。制③曰：可。大尚承书从事④，某月十七日丁丑，尚书令忠奏雒阳宫。光和四年八月辛酉朔，十七日丁丑，尚书令忠下。"又云："光和四年八月辛酉朔，十七日丁丑，太常耽、丞敏下。"《常山相孔庙碑》，前云："司徒臣雄、司空臣戒稽首言。"末云："臣雄、臣戒愚戆⑤，诚惶诚恐，顿首顿首，死罪死罪，臣稽首⑥以闻。制曰：可。元嘉三年三月廿七日壬寅，奏雒阳宫。元嘉三年三月丙子朔廿七日壬寅，司徒雄、司徒戒下鲁相。"又云："永兴元年六月甲辰朔十八辛酉，鲁相平行长史事、卞守长擅，叩头死罪，敢言之司徒、司空府。"末云："平惶恐叩头，死罪死罪，上司空府。"此碑有三公⑦奏天子，朝廷下郡国，郡国上公府三式，始末详备。文惠公⑧《隶释》有之。无极山祠事，以丁丑日奏雒阳宫，是日下太常；孔庙事，以壬寅日奏雒阳宫，亦以是日下鲁相，又以见汉世文书之不滞留⑨也。

[注释]

①朔：初一日。②副：公文副本。③制：皇帝的诏令。④承书从事：管文书的从事官。⑤愚戆：愚笨。⑥稽首：叩头。⑦三公：司徒、司空、司马。⑧文惠公：洪适，字景伯，号盘洲，洪皓长子。⑨滞留：积压。

[译文]

汉代官府公文的格式，无论是臣下上奏给朝廷的，还是朝廷下达给各郡国的，《汉官典仪》、《汉旧仪》等书中都有记载，只是不如金石碑刻中所载原文清楚明白。例如：《史晨祠孔庙碑》碑文的开头说："建宁二年（169年）三月癸卯朔，七日己酉，鲁相臣晨、长史臣谦顿首死罪上尚书，臣晨顿首顿首，死罪死罪。"末尾说："臣晨诚惶诚恐，顿首顿首，死罪死罪上尚书。"副本说太傅、太尉、司徒、司空、大司农府。《樊毅复华下民租碑》前后的格式都与《史晨祠孔庙碑》相同。

《无极山碑》开头说："光和四年（181年）某月辛卯朔廿二日壬子，太常臣耽、丞敏顿首上尚书。"末尾说："臣耽愚戆，顿首顿首上尚书。制曰：可。大尚（读为太常）承书从事，某月十七日丁丑，尚书令忠奏雒阳宫。光和四年八月辛酉朔，十七日丁丑，尚书令忠下。"又说："光和四年八月辛酉朔，十七日丁丑，太常耽、丞敏下。"

《常山相孔庙碑》的开头说："司徒臣雄、司空臣戒稽首言。"

末尾说:"臣雄、臣戒愚戆,诚惶诚恐,顿首顿首,死罪死罪,臣稽首以闻。制曰:可。元嘉三年(153年)三月廿七日壬寅,奏雒阳宫。元嘉三年三月丙子朔廿七日壬寅,司徒雄、司空戒下鲁相。"文说:"永兴元年(153年)六月甲辰朔十八辛酉,鲁相平行长史事、卞守长擅,叩头死罪,敢言之司徒、司空府。"最后是:"平惶恐叩头,死罪死罪,上司空府。"这通碑中有三公上奏皇帝、朝廷下达郡国以及郡国上报公府的三种文书的格式,始末都很详备。

文惠公洪适所著的《隶释》一书中有记载,无极山祭祀一事,是丁丑日在雒阳宫奏请朝廷的,当天皇帝就批给太常办理。孔庙祭祀的事,是壬寅日在雒阳宫上奏给皇帝的,同样是在当天就批下来交给鲁国相办理。由此也可以看出,汉代的公文是不滞留的。

资治通鉴

司马公修《资治通鉴》,辟范梦得①为官属,尝以手帖论缵述②之要,大抵欲如《左传》叙事之体。又云:"凡年号皆以后来者为定。如武德元年,则从正月,便为唐高祖,更不称隋义宁二年。梁开平元年正月,便不称唐天祐四年。"故此书用以为法③。然究其所穷,颇有窒④而不通之处。公意正以《春秋》定公为例,于末即位,即书正月为其元年。然昭公以去年十二月薨,则次年之事,不得复系于昭。故定虽未立,自当追书,兼经文至简,不过一二十字,一览可以了解。若《通鉴》则不侔⑤,隋炀帝大业十三年,便以为恭皇帝上,直到下卷之末,恭帝立,始改义宁,后一卷,则为唐高祖。盖凡涉历三卷,而炀帝固存,方书其在江都时事。明皇后卷之首,标为肃宗至德元载,至一卷之半,方书太子即位。代宗下卷云:"上方励精求治,不次⑥用人。"乃是德宗也。庄宗同光四年，便系于天成，以为明宗，而卷内书命李嗣源讨邺，至次卷首，庄宗方殂⑦。潞王清泰三年，便标为晋高祖，而卷内书石敬瑭反，至卷末始为晋天福。凡此之类，殊费分说。此外，如晋，宋诸胡僭国，所封建王公及除拜⑧卿相，纤悉⑨必书，有至二百字者。又如西秦丞相南川宣公出连乞都卒，魏都坐大官章安侯封懿、天部大人白马文正公崔宏、宜都文成王穆观、镇远将军平舒侯燕凤、平昌宣王和其奴卒，皆无关于社稷治乱。而周勃薨，及不书。及书汉章帝行幸⑩长安，进幸槐里、岐山，以幸长平，御池阳宫，东至高陵，十二月丁亥还宫；又乙未幸东阿，北登太行山，至天井关，夏四月乙卯还宫。又收魏主七月戊子如⑪鱼池，登青冈原，甲午还宫；八月己亥如漖泽；甲寅登牛头山，甲子还宫。如此行役⑫，无岁无之，皆可省也。

[注释]

①辟：聘请。范梦得：范祖禹，字梦得。②缵述：编辑。③用以为法：采取这种方法。④窒：阻塞。⑤不侔：不能同等看待。侔，同等。⑥不次：不以寻常次序，破格提拔。⑦殂：死去。⑧除拜：任命官职。⑨纤悉：大大小小，细微末节。⑩幸：皇帝到达某地之称。⑪如：到达。⑫行役：出行。

[译文]

北宋时期，著名历史学家司马光奉旨编撰《资治通鉴》一书，特意聘请范祖禹为属官，以便参与编写。司马光曾亲笔写了一些帖子论述编纂《通鉴》的要点，大体上是想仿效《左传》叙事的体例。他还说："凡是同一年内使用不同年号的，都以后来的为准。比如唐高祖武德元年（618年），同时又是隋炀帝大业十四年三月炀帝被部将所杀，李渊、李世民父子所拥立的隋恭帝杨侑，于义宁二年五月被迫让位于李渊，唐高祖李渊是五月份才称帝的。但是要从正月起便称唐太祖武德元年，而不称隋义宁二年。五代时期，后梁开平元年（907年）正月，就不称为唐天祐四年。尽管梁太祖朱温是本年四月才废掉唐宣帝，改国号为梁，年号开平的。"所以，《资治通鉴》一书就以此为准则。但是，如果深究起来，就会觉得这种处理方法颇有不合情理之处。

司马光的本意是以《春秋》定公元年（前509年）为例，定公是六月底即位的，在他还没有即位时，《春秋》就记正月是他的元年。可是，鲁昭公是在上年的十二月份死的，那么第二年的事情当然不能再放在他的名下。所以，定公当时虽然尚未即位，但是理当追述他即位前的这半年时间的事情。况且，《春秋》的经文非常简洁，记载一件事情不过一二十字，眼光一扫就可以看得清清楚楚，明明白白。而《资治通鉴》与《春秋》相比，就为不同了。比如隋炀帝大业十三年（617年），《通鉴》就标为隋恭帝上卷，可是直至下卷的末尾，恭帝才即位，并改元为义宁，紧接着一卷则是唐高祖武德元年。这里前后共涉及三卷，而此时隋炀帝尚在位，书中大量记述他在江都的事。

又如《通鉴》唐明皇后卷的开头，标为唐肃宗至德元载（756年），可是直写到一卷过半，才写到太子李亨（即肃宗）即位。唐代宗的下卷说："皇上正励精图治，不拘一格提拔人才。"这说的却是唐德宗。后唐庄宗同光四年（926年），便标为明宗天成元年，而卷内所记载的却是唐庄宗命令李嗣源讨伐邺都（今河北大名东），直到下一卷的卷首，唐庄宗才被叛兵杀死，之后明宗李嗣源才即位，改元天成。潞王李从珂清泰三年，便标为晋高祖石敬瑭天福元年（936年），而卷内记载的是石敬瑭反叛，直到卷末才是后晋天福元年。诸如此类的情况，在辨别的时候都十分费事。此外，还有晋、宋等少数民族政权，他们所分封的王公，以及所任命的宰相、大臣等，甚至很细小的事情也记载得十分详尽，有的多达二百余字。

又比如西秦丞相南川宣公出连乞都死，魏都坐大官章安侯封懿、天部大人白马文正公崔宏、宜都文成王穆观、镇远将军平舒侯燕凤、平昌宣王和其奴等人的死，都无关于国家的治乱，可《通鉴》都不厌其烦地记载了。而对汉朝有重大贡献、声名显赫的周勃之死，《通鉴》却只字不提。而且，《通鉴》还记载了汉章帝巡游长安（今陕西西安），并游历槐里、岐山，又到长平，住进池阳宫，又向东到达高陵，十二月丁亥日回到洛阳的皇宫。他又在乙未日游历东阿（今属山东），向北登上太行山，又到天井关（在今山西晋城南），直到夏天四月乙卯日回到洛阳的皇宫。《通鉴》又记载了魏国君主七月戊子日到鱼池，又登上青冈原，甲午日回到宫中；八月己亥日来到㴥泽，甲寅日登上牛头山，甲子日回到宫中。像这样的巡游，没有一年没有，完全可以省略不记。

汉武心术

《史记·龟策传》："今上即位，博开艺能之路，悉延百端之学，通一技①之士咸得自效。数年之间，太卜②大集。会上欲击匈奴，西攘大宛③，南收百越④，卜筮⑤至预见表象，先图其利。及猛将推锋执节，获胜于彼，而蓍龟⑥时日亦有力于此。上尤加意，赏赐至或数千万。如丘子明之属，富溢贵宠，倾于朝廷⑦。至以卜筮射蛊道，巫蛊时或颇中，素有眦睚⑧不快，因公行诛，恣意所伤，以破族灭门者，不可胜数。百僚荡恐，皆曰龟策⑨能言。后事觉奸穷，亦诛三族⑩。"《汉书音义》，以为史迁⑪没后十篇缺，有录无书。元、成之间，褚先生⑫补阙，言辞鄙陋，《日者》、《龟策列传》在焉，故后人颇薄其书。然此卷首言"今上即位"，则是史迁指武帝，其载巫蛊之冤如是。今之论议者，略不及之。《资治通鉴》亦弃不取，使丘子明之恶，不复著见。此由武帝博采异端，驯致斯祸，倘心术趋于正当，不如是之酷也。

[注释]

①通一技：拥有一技之长。通，精通。一技，一种技能。②太卜：又叫卜正，卜筮官的首领。③大宛：古西域国名，在今俄罗斯中亚费尔干纳盆地纳伦河流域。④百越：今越南。⑤卜筮：占卜。用龟甲称卜，用蓍草称筮，合称占卜。⑥蓍龟：占卜。蓍，蓍草；龟，龟甲，都是占卜用的工具。⑦倾于朝廷：权势压倒百官。⑧眦睚：怨恨。⑨龟策：龟壳蓍草。⑩诛三族：诛灭三族。三族，父族、母族、妻族，也有说是父、子、孙。⑪史迁：指司马迁。⑫褚先生：褚少孙，西汉历史学家。

[译文]

《史记·龟策传》："当今皇上即位，广开各种技艺才能的门路，把各种学说的人都请了来，通一种技艺的人都得以发挥其功效。几年之中，掌管卜筮的人大量聚集。正遇到皇上想对匈奴发动进攻，西边开拓大宛，南向收取百越，卜筮的术士们已预见征兆，先图谋其利益。待猛勇的将军手执锋刃符节，冲锋陷阵，在那些地方取胜，而那些蓍草龟卜及推算时日的术士们也有一份功劳。皇上尤其注意，所以有些人受赏赐到几千万。像丘子明等人，富比王侯，又贵幸得宠，一时之间，权倾朝廷。甚至以卜筮来查察利用蛊术进行的谋害活动，有时也能查出一些巫蛊的情况。因此，对于平日结怨的人，就乘机进行诛杀，随意伤害，甚至遭到灭门诛族的人，数不胜数。百官们大为恐惧，都以为龟壳蓍草能向皇帝进言。不久他们干的坏事被发觉，他们的阴谋诡计也用尽了，最后也被诛灭三族。"

《汉书音义》以为司马迁死后，《史记》缺少十篇，有目录而无内容。元帝、成帝之间褚少孙进行补缺，内容可取，但文辞鄙陋。《日者》、《龟策列传》在其中，所以后来人很看不起这些篇。此卷开头说"今皇上即位"，这里所说的皇上，司马迁指的就是汉武帝，其中所载巫蛊之祸就是如此。今天议论《史记》后十篇是否伪作的人，完全忽略了这一点。《资治通鉴》也将这些材料弃之而不用，这样就使丘子明的罪恶活动，后世很少有人知道。此事原本是由于汉武帝博采种种异端邪说，不分好坏，全都拿来，才造成这场灾祸，如果他的心术比较正直，就不会产生这样残酷的后果。

禁天高之称

周宣帝自称天元皇帝，不听①人有天、高、上、大之称。官名有犯，皆改之。改姓高者为姜，九族②称高祖者为长祖。政和中，禁中外③不许以龙、天、君、玉、帝、上、圣、皇等为名字。于是毛友龙但④名友，叶天将但名将，乐天作但名作，句龙如渊但名句如渊；卫上达赐名仲达，葛君仲改为师仲，方天任为大任，方天若为元若，余圣求为应求；周纲字君举，改曰元举；程振字伯玉，改曰伯起；程瑀亦字伯玉，改曰伯禹；张读字圣行，改曰彦行。盖蔡京当国⑤，遏绝史学，故无有知周事者。宣和七年七月，手诏以昨臣僚建请，士庶名字有犯天、玉、君、圣及主字者悉禁，既非上帝名讳，又无经据⑥，谄佞不根⑦，贻讥后世，罢之。

[注释]

①不听：不许。②九族：指本人以上的父、祖、曾祖、高祖和以下的子、孙、曾孙、玄孙。③中外：朝中内外。④但：只。⑤当国：专权。⑥经据：经典依据。⑦不根：胡说。

[译文]

北周的宣帝自称"天元皇帝"，不许别人使用"天、高、上、大"几个字为称谓。官名中若有与这几个相重的字，必须全部更换。改姓高的人为姓姜，九族中的高祖父改为长祖。

宋徽宗政和年间（1111～1117年），下令禁止全国各地人们用"龙、天、君、玉、帝、上、圣、皇"等几个字作名字。在这种情况下，毛友龙只得改名为毛友；叶天将只得改名为叶将；乐天作只得改名为乐作；句龙如渊只得改名为句如渊；卫上达被皇帝赐名为卫仲达；葛君仲被改名为葛师仲；方天任改名为方大任；方天若改名为方元若；余圣求改名为余应求；周纲字君举，改为字元举；程振字伯玉，改为字伯起；程瑀的字也是伯玉，改为字伯禹；张读字圣行，改为字彦行。这是因为当时蔡京专权，遏止人们学习和研究历史，所以没有人知道北周宣帝已经闹过这样的笑话。

宣和七年（1125年）七月，宋徽宗才发下手诏说：近几天臣僚们提出，以前官员和百姓名字中有犯天、玉、君、圣，以及主字的，一律禁止。可是，这些字既不是上帝的名字，又没有经典可以作为依据，只不过是谄媚者的无稽之谈，不足为训。为了不给后人留下千古笑柄，所有这些规定一概废除。

卷 五

买马牧马

国家①买马,南边于邕管②,西边于岷、黎,皆置使提督,岁所纲发者盖逾万匹③。使臣、将校得迁秩转资④,沿道数十州。驿程券食⑤、厩圉薪刍⑥之费,其数不赀⑦,而江、淮之间,本非骑兵所能展奋,又三牙遇暑月,放牧于苏、秀以就水草⑧,亦为逐处之患⑨。因读《五代旧史》云:"唐明宗间枢密院使范延光⑩内外马数。对曰:'三万五千匹。'帝叹曰:'太祖在太原,骑军不过七千。先皇自始至终,马才及万,今有铁马如是,而不能使九州混一⑪,是吾养士练将之不至也。'延光奏曰:'国家养马太多,计一骑士之费可赡步军五人,三万五千骑,抵十五万步军,既无所施,虚耗国力。'帝曰:'诚如卿言。肥骑士而瘠吾民,民何负哉?'"明宗出于蕃戎⑫,犹能以爱民为念。李克用父子以马上立国制胜,然所蓄只如此。今盖数倍之矣。尺寸之功⑬不建,可不惜哉!且明宗都洛阳,正临中州,尚以为骑士无所施。然则今虽纯用步卒,亦未为失计也。

[注释]

①国家：本朝，即宋朝。②邕管：今广西南宁。③岁所纲发者盖逾万匹：每年成批从这些地方送往内地的马匹大约超过一万匹。纲，转运大批货物所实施的方法。逾，超过。④迁秩转资：升职。迁，晋升。秩，官职级别。⑤券食：凭券供应的膳食。⑥厩圉薪刍：修缮马厩，准备柴禾、草料。⑦不赀：无法估算。⑧放牧于苏、秀以就水草：为了方便马匹喝水吃草，将马匹赶往苏州、秀州。⑨逐处之患：给这些地方每处都造成很大的损失。⑩范延光：字子瑰，相州临漳人，唐明宗时任节度使。⑪混一：统一。⑫蕃戎：少数民族。⑬尺寸之功：一点功劳。

[译文]

宋朝为了充实骑兵，在南边的邕管，西边的岷州、黎州等边远地区购置马匹，并且设有专门的机构与官员，每年运往内地的马大概能超过一万匹，主管这一事务的官员、将校往往因此得以升迁。为运送这些马匹，沿途几十个州县，命令各地驿站招待官兵，盖马圈、备草料等，费用支出无法估算。然而长江、淮河之间的广大地区，本来就不适应骑兵奔驰作战，到炎热天气，还得将幼马赶到苏州、秀州一带放牧，给各地造成很大损失。据《旧五代史》记载："后唐明宗李嗣源询问枢密使范延光国家所养的马匹数目。范延光回答说：'有三万五千匹马。'唐明宗叹息道：'太祖在太原时，骑兵也不过才七千人。先皇庄宗自始至终，也仅有一万匹马。现在有这么多的军马，却不能统一天下，这是我养兵和训练将帅还做得不够啊。'范延光上奏说：'国家养的马匹太多了，一个骑兵的开支，可以养活五个步兵，三万五千名骑兵的费用可以抵消十五万步兵的费用，这么多骑兵既不能发挥作用，又白白消耗国家财力。'后唐明宗说：'确实像你说的那样。厚养骑兵而使人民受苦，人民怎能承受得了？'"后唐明宗出生于少数民族家庭，还能想到爱护老百姓。李克用父子靠骑兵打胜仗建立国家，然而所蓄养的马匹却如此之少。而今所养的马是其祖上的好几倍，却一点功劳也没有建立，真让人为之可惜啊！何况自后唐明宗定都洛阳，面对中原，还以为骑兵无用武之地。所以，现在虽然单纯使用步兵，也未必失策啊。

后妃命数

《左传》所载郑文公之子十余人，其母皆贵胄①，而子多不得其死，惟贱妾燕姞生穆公，独继父有国，子孙蕃衍盛大，与郑存亡。薄姬入汉王宫，岁余不得幸②，其所善管夫人、赵子儿先幸汉王，为言其故，王即召幸之，岁中生文帝，自有子后希见③。及吕后幽诸幸姬不得出宫，而薄氏以希见故，得从子之代，为代太后。终之承汉大业者，文帝也。景帝召程姬，程姬有所避不愿进，而饬侍者唐儿使夜往，上醉不知而幸之，遂有身，生长沙王发。以母微无宠，故王卑湿贫国④。汉之宗室十有余万人，而中兴炎祚⑤，成四百年之基者，发之五世孙光武也。元帝为太子，所爱司马良娣⑥死，怒诸娣妾，莫得进见。宣帝令皇后择后宫家人子五人，虞侍太子。后令旁长御问所欲，太子殊无意于五人者，不得已于皇后，强应曰："此中一人可。"乃王政君⑦也。一幸有身，生成帝，自有子后，希复进见。然历汉四世，为天下母六十余载。观此四后妃者，可谓承恩有限，而光华启佑⑧，与同辈辽绝⑨，政君遂为先汉之祸。天之所命，其亦各有数乎？徽宗皇帝有子三十人，唯高宗皇帝再复大业。显仁皇后在宫掖⑩时，亦不肯与同列争进，甚类薄太后云。

[注释]

①贵胄：贵族之家。②幸：宠幸。③希见：很少见。④卑湿贫国：低下潮湿贫穷的地方。⑤炎祚：此指汉朝。⑥司马良娣：汉元帝刘奭为太子时的爱妃。⑦王政君：汉元帝刘奭的皇后。⑧光华启佑：荣华富贵。⑨同辈辽绝：其

他后妃所不能比拟。⑩宫掖：后宫。

[译文]

《左传》记载，郑文公有十多个儿子，他们的母亲都出身于贵族家庭，但这些儿子大多数死于非命，只有出身贫贱的燕姞所生的穆公，得以继承王位做了郑国国君，并且子孙繁盛，与郑国存亡。薄姬进入汉王刘邦的后宫，一年多时间没有得到宠幸，和她关系要好的管夫人、赵子儿先得到刘邦的宠爱，在刘邦面前替她美言，于是，她才被召入内宫得到汉王的宠幸，一年之内便生了后来的汉文帝刘恒。自从有了儿子，薄姬很少与刘邦见面。后来，吕后幽禁刘邦所宠爱的妃子，薄姬因为与刘邦很少见面，因而得以跟随儿子到了代国，并做了代国的太后。最后继承汉朝江山社稷的，是文帝刘恒。汉景帝召程姬陪夜，程姬有所回避，不想进宫，就派自己的侍女唐儿在夜里去陪皇帝。汉景帝喝醉了酒，不知真相，便与唐儿同房，于是唐儿有了身孕，生下后来的长沙王刘发。由于母亲地位低贱而且不被景帝宠爱，所以刘发被封在地势低下潮湿而且贫穷的地方。

汉朝的宗室有十余万人，而中兴汉朝，使汉朝成就四百年基业的，却是刘发的五世孙光武帝刘秀。汉元帝还是太子的时候，所喜欢的妃子司马良娣死了，他就迁怒于其他妃子，谁也不召见。他的父亲汉宣帝让皇后从后宫中选择了五个女子，侍候太子。皇后派人问太子的想法，太子本来对这五个女子没有好感，但又不敢违背母后的旨意，勉强应承说："五人中有一个还可以。"此人就是王政君。王政君得到太子一次宠幸便有了身孕，生下成帝刘骜。王政君自从生了儿子之后，也就没有机会再次得到元帝的宠幸。王政君身历汉朝四世，做国母六十余年。

观察以上四个后妃的经历，可以说她们得到皇帝的宠幸都很有限，但享受的荣华富贵却是其他后妃所不能比拟的。而王政君最终成为西汉王朝的祸害。天之所命，莫非是天命各有定数？本朝徽宗皇帝有子三十人，只有高宗皇帝赵构复兴了宋朝大业。高宗母亲显仁皇后在后宫时，也不愿与其他妃子们争宠，与西汉时的薄太后很有相似之处。

公为尊称

柳子厚①《房公铭》阴曰："天子之三公②称公，王者之后称公，诸侯之人为王卿士亦曰公，尊其道而师之③称曰公。古之人通谓年之长者曰公。而大臣罕能以姓配公者，唐之最著者曰房公④。"东坡《墨君堂记》云："凡人相与⑤称呼者，贵之则曰公。"范晔《汉史》："惟三公乃以姓配之，未尝或紊。"如邓禹称邓公，吴汉称吴公，伏公湛、宋公宏、牟公融、袁公安、李公固、陈公宠、桥公玄、刘公宠、崔公烈、胡公广、王公龚、杨公彪、荀公爽、皇甫公嵩、曹公操是也。三国亦有诸葛公、司马公、顾公、张公⑥之目。其在本朝，唯韩公、富公、范公、欧阳公、司马公、苏公⑦为最著也。

[注释]

①柳子厚：柳宗元，字子厚，唐代著名文学家。②三公：辅佐皇帝的三个最高长官，具体所指在各个历史时期不完全相同。汉代三公通常指太师、太傅、太保。③师之：以他为师。④房公：房玄龄，字乔，封魏国公，唐初大臣，居相位十五年，卒谥文昭。⑤相与：相互。⑥诸葛公、司马公、顾公、张公：即诸葛亮、司马懿、顾雍、张昭。⑦韩公、富公、范公、欧阳公、司马公、苏公：即韩琦、富弼、范仲淹、欧阳修、司马光、苏轼。

[译文]

柳宗元的《房公铭》中说："辅佐天子的三大最高官员三公称

为公,王爵的后人称为公,诸侯晋升为王、卿、士等爵位也称公,敬重某人的学问而拜他为师的称为公。古时候人们称年纪大的人为公。而一般大臣极少有人能在姓氏的后面配以公字的。而唐朝最有名的大臣叫房玄龄,人称房公。"

宋代的苏东坡在《墨君堂记》中说:"人们在相互称呼时,如果十分推崇对方,就称之为公。"

南朝范晔在《后汉书》中说:"只有贵为三公即太师、太傅、太保的人才能在姓氏的后面配以公字,从没有发生过混乱。"比如邓禹称为邓公,吴汉称吴公,伏湛称伏公,宋宏称宋公,牟融称牟公,袁安称袁公,李固称李公,陈龙称陈公,桥玄称桥公,刘宠称刘公,崔烈称崔公,胡广称胡公,王龚称王公,杨彪称杨公,荀爽称荀公,皇甫嵩称皇甫公,曹操称曹公。三国时期也有蜀汉诸葛公亮,曹魏司马公懿,东吴顾公雍、张公昭等称呼。大宋朝唯有韩琦称韩公、富公弼称富公、范公仲淹称范公、欧阳修称欧阳公、司马光称司马公、苏轼称苏公,最为著名。

卷 六

百六阳九

史传称百六①、阳九②为厄会③。以历志考之，其名有八。初入元④百六日阳九，次日阴九⑤，又有阴七、阳七、阴五、阳五、阴三、阳三，皆谓之灾岁。大率⑥经岁四千五百六十，而灾岁五十七。以数计之，每及八十岁，则值其一。今人但知阳九之厄。云经岁者，常岁也。

[注释]

①百六：一百零六年。②阳九：九年旱灾。③厄会：灾难的会聚。④元：术数家纪年以四千六百一十七年为一元。⑤阴九：九年水灾。⑥大率：大概。

[译文]

史书上称百六、阳九为"厄会"，是灾祸来临的时刻。

查考历志，知道厄的名目有八个。天文历算学家把历法分为：三统三元，上、中、下三元，一元四千六百一十七年。刚进入第一个元的一百零六年，内有九年旱灾，并把它叫做阳九。往后，三百七十四年后有九年水灾；七百二十年后有七年水灾；七百二十年后有七年旱灾；又六百年后有五年水灾；又六百年后有五年旱灾；又四百八十后年有三年水灾；又四百八十年后有三年旱灾。大概一元之中，正常年景有四千五百六十年，水灾、旱灾发生五十七年。上述的"阴九"、"阳九"、"阴七"、"阳七"、"阴五"、"阳五"、"阴三"、"阳三"八次都叫做灾岁。按照灾岁的数量算，平均每八十年就要遇到一个灾年，现在的人们只知道刚入元的一百零六年内有九年旱灾。所谓的"经岁"，就是指正常的年份。

卷 七

俗语算数

三三如^①九,三四十二,二八十六,四四十六,三九二十七,四九三十六,六六三十六,五八四十,五九四十五,六九五十四,七九六十三,八九七十二,九九八十一,皆俗语算数^②,然《淮南子》中有之。三七二十一,苏秦说齐王之辞也。《汉书·律历志》刘歆典领钟律奏其辞,亦云八八六十四。杜预注《左传》,天子用八,云八八六十四人,又六六三十六人,四四十六人。如淳、孟康、晋灼注《汉志》,亦有二八十六,三四十二,六八四十八,八八六十四等语。

[注释]

①如:等于。②算数:计算数目。

[译文]

三三得九,三四一十二,二八一十六,四四一十六,三九二十七,四九三十六,六六三十六,五八四十,五九四十五,六九五十四,七九六十三,八九七十二,九九八十一,这些都是民间计算时所用的口诀,然而《淮南子》一书中也有记载。三七二十一,这是战国时期著名纵横家苏秦劝说齐王的话。

《汉书·律历志》记载:刘歆负责校定音律,在向皇帝上奏时,他也说过"八八六十四"。西晋时期的著名学者杜预为《左传》作注释时,在"天子用八修"下注道:八八六十四人,他还说过"六六三十六人"、"四四一十六人"等话。

著名学者如淳、孟康、晋灼在注释《汉书》时,也说过"二八一十六"、"三四一十二"、"六八四十八"、"八八六十四"等话。

卷 八

地名异音

郡邑之名有与本字大不同者,颜师古①以为土俗各有别称者是也②。姑以《汉书·地理志》言之:冯翊之栎阳为药阳,莲勺为辇酌;太原之虑虒为庐夷;上党之沾为添;河内之隆虑为林庐,荡阴为汤阴;颍川之不羹为不郎;南阳之郦为掷,堵阳为者阳,酂为赞;沛之酂为嵯,郸为多;清河之鄃为输;汝南之平舆为平预;济阴之宛句为冤朐;江夏之沙羡为沙夷;九江之橐皋为拓姑;庐江雩娄为吁间;山阳之方与为房豫;琅邪之不其为不基;东海之承为证;长沙之承阳为丞阳;临淮之取虑为秋庐;会稽之诸暨为诸既,太末为闼末;豫章之余汗为余干;广汉之汁方为十方;蜀郡之徙为斯;益州之味为昧;金城之允吾为铅牙,允街为铅街;武威之朴剌为蒲环;张掖之番禾为盘和;安定之乌氏为乌支;上郡之龟兹为丘慈;西河之鹄泽为梏泽;代郡之狋氏为权精;辽西之且虑为趄庐,令支为铃祗;辽东之番汗为盘寒;乐浪之黏蝉为黏提;南海之番禺为潘隅;苍梧之荔浦为肄浦;交趾之赢隣为莲娄；九真③之都庞为都聋；日南④之西卷为西权；淮阳之阳夏为阳贾；鲁国之蕃为皮。皆不可求之于义训⑤，字书亦不尽载也。

[注释]

①颜师古：名籀，字以显，官终秘书监，唐代训诂学家。著有《汉书注》、《匡谬正俗》等。②是也：是对的。③九真：今越南北部。④日南：今越南中部。⑤义训：字义训诂。

[译文]

郡县的名称有一些读音与本字大不相同，颜师古认为各地习俗各有读法是对的。姑且以《汉书·地理志》中的记载来说：

冯翊之栎阳读做药阳，莲勺读做辇酌；太原的虑虒读做庐夷；上党的沾读做添；河内的隆虑读做林庐，荡阴读做汤阴；颍川的不羹读做不郎；南阳的郦读做掷，堵阳读做者阳，酂读做赞；沛的鄼读做嵯，郸读做多；清河的鄃读做输；汝南的平舆读做平预；济阴的宛句读做冤劬；江夏的沙羡读做沙夷；九江的橐皋读做拓姑；庐江雩娄读做吁间；山阳的方与读做房豫；琅邪的不其读做不基；东海的承读做证；长沙的承阳读做烝阳；临淮的取虑读做秩庐；会稽的诸暨读做诸既，太末读做闼末；豫章的余汗读做余干；广汉的汁方读做十方；蜀郡的徙读做斯；益州的味读做昧；金城的允吾读做铅牙，允街读做铅街；武威的朴刺读做蒲环；张掖的番禾读做盘和；安定的乌氏读做乌支；上郡的龟兹读做丘慈；西河的鹄泽读做桔泽；代郡的狋氏读做权精；辽西的且虑读做趄庐，令支读做铃祇；辽东的番汗读做盘寒；乐浪的黏蝉读做黏提；南海的番禺读做潘隅；苍梧的荔浦读做肆浦；交趾的赢隣读做莲娄；九真的都庞读做都聋；日南的西卷读做西权；淮阳的阳夏读做阳贾；鲁国的蕃读做皮。以上这些都不可在字义训诂上去求得解释，字书里亦不完全记载。

蜘蛛结网

佛经云:"蠢动含灵,皆有佛性。"《庄子》云:"惟虫能虫,惟虫能天。"盖虽①昆虫之微,天机所运②,其善巧方便,有非人智虑技解③所可及者。蚕之作茧,蜘蛛之结网,蜂之累④房,燕之营巢,蚁之筑垤⑤,螟蛉之祝子之类是已。虽然亦各有幸不幸存乎其间。蛛之结网也,布丝引径⑥,捷急上下⑦,其始为甚难。至于纬⑧而织之,转盼可就⑨,疏密分寸⑩,未尝不齐⑪。门槛及花梢竹间,则不终日⑫,必为人与风所败。唯闲屋(危)垣,人迹罕至,乃可久久而享其安。故燕巢幕上⑬,季子以为至危。李斯见吏舍厕中鼠食不洁,近人犬,数惊恐之⑭,仓中之鼠食积粟,居大庑⑮之下,不见人犬之忧,叹曰:"人之贤不肖,譬如鼠矣,在所自处⑯耳!岂不信⑰哉?"

[注释]

①虽:即便。②运:联系。③智虑技解:智慧思虑,技能技巧。④累:通"垒",构筑。⑤垤:蚂蚁做窝时堆在洞口的土。⑥布丝引径:布置蛛丝,牵引经线。⑦上下:上下爬动。⑧纬:与"经"相对,编织东西时的横线。⑨转盼可就:转眼之间就织成了。⑩疏密分寸:宽窄疏密很有分寸。⑪不齐:不整齐。⑫不终日:一日未完,不到一天。⑬燕巢幕上:燕子在帷幕上筑巢。⑭数惊恐之:常常为之惊恐、害怕。⑮大庑:大房子。庑,堂下周围的走廊、廊屋。⑯在所自处:在于自己所处的位置。⑰信:正确、有道理。

[译文]

佛经中说:"蠢动含灵,皆有佛性。"《庄子》中也说:"惟虫能虫,惟虫能天。"意思是说,虽然昆虫很微小,但也和天机有联系，它们的巧妙便利，有着人类智慧和技能所比不上的地方。像蚕作茧，蜘蛛织网，蜜蜂垒房，燕子筑巢，蚂蚁做窝在穴口堆起的小土堆，螟蛉寄养幼虫等都是。

  虽然这样，它们之间也有幸与不幸。如蜘蛛织网，布置蛛丝，牵引经线，敏捷迅速地上下爬动，开始的时候非常艰难。到了织纬线时，转眼之间就织好了，而且疏密很有分寸，没有不整齐的。织在门槛和花木、竹林之间的，往往不到一天就被人或风破坏了。只有织在没人住的空屋里和残垣断壁之间、没有人迹的地方，才能长时间地安然无恙。所以，燕子在帷幕上筑巢，苏秦认为这样很危险。李斯看见衙门厕所中的老鼠吃不干净的食物，见到人和狗靠近时就惊慌不安，而粮仓中的老鼠吃积储的粮食，住在大房子下面，没有人和狗接近时的惊恐，李斯由此感叹地说："人有才能或没有才能，就如同老鼠一样，在于他所处的位置不同啊！"难道这话没有道理吗？

卷 九

萧何先见

韩信从项梁,居戏下①,无所知名。又属羽,数以策干羽,羽弗用,乃亡归汉②。

陈平事③项羽,羽使击降河内。已而④汉攻之下。羽怒,将诛定河内者。平惧诛,乃降汉。信与平固能择所从,然不若萧何之先见。何为泗水卒史事⑤第一⑥。秦御史欲入言召⑦何,何固请,得毋行。则当秦之未亡,已知其不能久矣,不得献策弗用,及惧罪且诛,然后去之也。

[注释]

①戏下:部下。②乃亡归汉:于是就逃走,投奔了刘邦。汉,刘邦。③事:事奉,跟随。④已而:不久。⑤泗水卒史事:泗水管理士卒的小吏。泗水,今江苏沛县。⑥第一:办事能力第一。⑦召:征召、聘用。

[译文]

韩信跟随项梁,地位低下,没有什么知名度。后来投奔项羽,几次向项羽献计献策,项羽都没有采纳,于是他就去投奔刘邦。

陈平为项羽效力，项羽派他率兵攻打河内（今河南沁阳一带）。陈平成功地迫使河内守将投降归顺。不久，汉军攻占了河内，项羽大怒，准备诛杀平定河内的将领。陈平害怕被诛杀，于是投奔汉王刘邦，最终为汉王朝的建立和稳固作出了重大贡献。

韩信和陈平固然算是善于选择可以投奔的君主，然而都不像萧何那样具有先见之明。

萧何在秦末担任泗水掾吏时，政绩为国内第一，秦朝的御史打算向皇帝进言，请求征召萧何入朝为官，萧何坚决谢绝，此事这才作罢。可见，在秦朝尚未灭亡之时，萧何已经预见到秦王朝不能长久了，根本不必等到出谋献策不被采纳，甚至有了罪过，惧怕被诛杀时，才匆忙离去。这就是韩信、陈平不及萧何高明的地方。

卷 十

汉唐辅相

前汉宰相四十五人,自萧、曹、魏、丙①之外,如陈平、王陵、周勃、灌婴、张苍、申屠嘉以高帝故臣②;陶青、刘舍、许昌、薛泽、庄青翟、赵周以功臣侯子孙;窦婴、田蚡、公孙贺、刘屈氂以宗戚③;卫绾、李蔡以士伍。唯王陵、申屠嘉及周亚夫、王商、王嘉有刚直之节④,薛宣、翟方进有材⑤;其余皆容身保位,无所建明⑥。

至于御史大夫,名为亚相⑦,尤录录不足数。刘向所谓御史大夫未有如儿宽者,盖以余人可称者少也。若唐宰相三百余人,自房、杜、姚、宋⑧之外,如魏征、王珪、褚遂良、狄仁杰、魏元忠、韩休、张九龄、杨绾、崔祐甫、陆贽、杜黄裳、裴垍、李绛、李藩、裴度、崔群、韦处厚、李德裕、郑畋,皆为一时名宰。考其行事,非汉诸人可比也。

[注释]

①萧、曹、魏、丙:萧何、曹参、魏相、丙吉的简称。②故臣:旧臣。

③宗戚：皇亲国戚。④节：气节。⑤有材：才能出众。⑥建明：业绩，建树。⑦亚相：副宰相。⑧房、杜、姚、宋：房玄龄、杜如晦、姚崇、宋璟的简称。

[译文]

西汉一代共有宰相四十五位，除著名的萧何、曹参、魏相、丙吉之外，如陈平、王陵、周勃、灌婴、张苍、申屠嘉等人拜相是因为他们是高祖刘邦的旧臣；陶青、刘舍、许昌、薛泽、庄青翟、赵周等人拜相是因为他们是功臣列侯的子孙；窦婴、田蚡、公孙贺、刘屈氂等人拜相是因为他们是皇亲国戚；卫绾、李蔡拜相是因为他们出身士林，很有学问。只有王陵、申屠嘉及周亚夫、王商、王嘉五人有刚直的气节，薛宣、翟方进二人有出众的才能；其余的三十八位都是贪恋富贵、明哲保身之人，因而没有什么建树。

至于御史大夫，名义上说是副宰相，而实际上更是庸碌无为，不值得一提。刘向曾说御史大夫没有像兒宽那样的，大概是因为其余的御史大夫中可以称道的人太少了。唐朝的宰相前后有三百余人，除了房玄龄、杜如晦、姚崇、宋璟之外，像魏征、王珪、褚遂良、狄仁杰、魏元忠、韩休、张九龄、杨绾、崔祐甫、陆贽、杜黄裳、裴垍、李绛、李藩、裴度、崔群、韦处厚、李德裕、郑畋等人，都是一时名相。如果考察一下他们的所作所为，就会发现，这些人的确远非汉代各位丞相所能比拟。

汉武留意郡守

汉武帝天资高明，政自己出，故辅相之任，不甚择使，若但使之奉行文书而已。其于除用①郡守，尤所留意。庄助②为会稽太守，数年不闻问③，赐书曰："君厌承明之庐④，怀⑤故土，出为郡吏。间者，阔焉久不闻问。"吾丘寿王为东郡⑥都尉，上以寿王为都尉，不复置太守，诏赐玺书曰："子在朕前之时，知略辐凑，及至连十余城之守，任四千石之重⑦，职事并废，盗贼纵横，甚不称⑧在前时，何也？"汲黯⑨拜淮阳太守，不受印绶⑩，上曰："君薄淮阳邪，吾今召君矣，顾淮阳吏民不相得⑪，吾徒⑫得君重，卧而治之。"观此三者，则知郡国之事无细大，未尝不深知之，为长吏者常若亲临其上，又安有不尽力者乎？惜其为征伐，奢侈所移，使民间不见德泽，为可恨耳！

[注释]

①除用：任用。②庄助：字详，会稽吴人，有才名，汉武帝擢为大夫。③闻问：得到问候。④承明之庐：承明庐，汉承明殿旁侍臣值宿所居之屋。一般用指入官。⑤怀：怀念、想念。⑥东郡：今河南濮阳。⑦任四千石之重：肩负着品级都是两千石的郡太守和郡都尉两项重任。⑧不称：不相称。⑨汲黯：字长孺，濮阳人，孝景帝时为太子洗马，武帝时位列九卿。⑩印绶：官印。⑪不相得：不融洽。⑫徒：特别。

[译文]

汉武帝天资聪明过人，亲自处理国家政事，所有的事都是自己说了算，因而对辅政的宰相人选不太重视，似乎只是让他们执行成命而已。但是，对于任用郡守一级的高级地方官员，汉武帝却十分留心。辞赋家庄助任会稽（今浙江绍兴）太守后，汉武帝数年没有得到他的问候，于是给庄助写了一封信说："你厌倦了京师豪华的住宅，怀恋故乡会稽的山水，因而出任会稽郡守。转眼间，我已经很久没有得到你的问候了。"

吾丘寿王任东郡都尉，武帝鉴于有寿王任都尉，就未再设置郡太守，后来又写了一封盖有御玺的书信说："你在我面前的时候，足智多谋，有很多建树，可是现在到地方上治理十几个城池，肩负着品级都是两千石的郡太守和郡都尉两项重任，却荒废了所有的政事，使得盗贼横行、民不聊生，这样的表现与先前在我面前时很不相称，究竟是什么缘故？"

汲黯被任命为淮阳太守，却不接受印绶，汉武帝说："莫非你看不起淮阳？我现在召命你，是因为淮阳的官民关系很不融洽，所以特意借重你的威名，让你亲自前去治理。"

从这三件事可以看出，诸侯国和郡中之事，无论大小，汉武帝都十分熟悉，做地方官的常常感到皇帝好像就在自己的面前，怎能不尽心尽力呢？可惜，他后来被对外征战和奢侈腐化迷住了心窍，使得老百姓看不到他的恩德，实在可恨啊！

唐诸生束脩

《唐六典》："国子生①初入，置束帛一箧②、酒一壶、脩一案，为束脩之礼。太学、四门③、律学、书学、算学皆如国子之法。其习经有暇者，命习隶书，并《国语》、《说文》、《字林》、《三苍》、《尔雅》，每旬前一日，则试其所习业。"乃知唐世士人多攻书，盖在六馆④时以为常习⑤。其《说文》、《字林》、《苍》、《雅》诸书，亦欲责以结字合于古义，不特铨选⑥之时，方取楷法遒美者也。束脩之礼，乃于此见之。《开元礼》载皇子束脩束帛一箧五匹，酒一壶二斗，脩一案三脡⑦。皇子服⑧学生之服，至学门外，陈三物于西南，少进曰："某方受业于先生，敢请见。"执箧者以箧授皇子，皇子跪，奠箧，再拜，博士⑨答再拜，皇子还避，遂进跪取箧，博士受币，皇子拜讫，乃出。其仪如此，州县学生亦然。

[注释]

①国子生：国子监的学生。国子，国子监，唐代最高学府，也是教育管理机构。②束帛：五匹为一束。箧：箱。③四门：即四门学，设于京师四门，

原为小学，唐时属于大学的一种，性质同于太学、国子学。④六馆：六个学习的地方。⑤常习：经常学习的内容。⑥铨选：官吏的选授。⑦脡：根。⑧服：穿。⑨博士：国子学学官。

[译文]

《唐六典》记载："国子监的学生初入学时，需要置办装帛五匹的一个箱子、酒一壶、干肉一盘，这就是酬谢老师的束脩之礼。太学、四门学、律学、书学、算学的学生也依照国子学学生的办法进行。那些在攻读经学之外，还有余暇时间的学生，将被安排学习隶书，以及学习《国语》、《说文》、《字林》、《三苍》、《尔雅》等书。教师在每旬的前一天，考查学生所修的功课。"由此可知，唐代士人多用心钻研书法，大约在国子、太学、四门、律学等六馆学习时，练习书法已经成为经常性的功课。教师们要求学生学习《说文》、《字林》、《三苍》、《尔雅》等书，也是要求人们写字时安排框架结构能够合乎古代造字的本义，并非只是在科举考试时，才选拔楷书刚劲优美的士人。入学拜师的礼节，由此就可以看出来了。

《开元礼》中记载了皇子的束脩礼，具体内容是：装帛五匹的一个箱子、酒一壶二斗、干肉一盘共三根。皇子穿着学生的服装，来到学校门外，将上述三样东西陈列在西南方位。然后前行几步说："我希望拜先生为师学习知识，现在冒昧地前来求见。"于是，提箱子的人把箱子交给皇子，皇子跪下，放好箱子，拜两拜；博士也回报以两拜，皇子必须回避，随后跪着上前提起箱子进献；博士接受礼物，皇子再次恭拜，然后才能离去。这就是皇子拜师入学的礼仪，州县学生也是这样的。

民不畏死

老子曰："民常不畏死，奈何以死惧之？若使人常畏死，则为奇者吾得执①而杀之,孰敢?"读者至此,多以为老氏好杀。夫老氏岂好杀者哉! 旨意盖以戒时君,世主视民为至愚、至贱,轻尽其命,若刈②草菅,使之知民情状,人人能与我为敌国,懔乎③常有朽索驭六马之惧④。故继之曰:"常有司⑤杀者杀。夫代司杀者杀,是代大匠斫⑥。夫代大匠斫,希⑦有不伤其手矣。"下篇又曰:"人之轻死,以其生生之厚,是以轻死。"且人情莫不欲寿,虽衰贫至骨⑧,濒于饿隶,其与受僇而死有间矣,乌有不畏者哉? 自古以来,时运俶扰⑨,至于空天下而为盗贼,及夷考⑩其故,乱之始生,民未尝有不靖之心也。秦、汉、隋、唐之末,土崩鱼烂,比屋可诛。然凶暴如王仙芝、黄巢,不过俛觊⑪一官而已,使君相御之得其道,岂复有滔天之患哉! 龚遂之清渤海,冯异之定关中,高仁厚之平蜀盗,王先成之说王宗侃,民情可见。世之君子,能深味⑫老氏之训,思过半矣。

[注释]

①得执:可以抓起来。②刈:铲除。③懔乎:凛然警惕的样子。④惧:恐惧。⑤司:掌管。⑥斫:砍伐。⑦希:少。⑧衰贫至骨:穷困潦倒到极点。⑨俶扰:多变。⑩考:探究。⑪俛觊:觊觎。⑫深味:仔细体察。

[译文]

老子说:"老百姓通常是不怕死的,用死来吓唬他们有什么用呢? 如果真能使人们怕死,那么对于极少数胆敢作奸犯科、不顾身家性命的人,我就可以把他们抓起来统统处死,这样谁还敢违法取死呢?"读到这里,多数人都会认为老子是个好杀之人。实际上,老子哪里是什么好杀之人啊? 他的本意只不过是想告诫那些高高在上的统治者,千万不要把老百姓视为最愚蠢、最卑贱之人,随心所欲地处死他们,就像铲除小草那样。老子希望君主们能全面了解老百姓的真实情况,明白每一个人可能像敌对国家一样对自己构成严重的威胁,因而时刻提心吊胆、高度警惕,犹如使用腐朽的绳索套着六匹马拉的一辆破车。他还接着说："经常有专管杀人的人去杀，代替专管杀人的人去杀，就如同代替木匠砍木头。代替木匠砍木头，很少有不伤自己手指的。"老子在下篇中又说："老百姓之所以轻率地不惜以生命去冒险，是由于统治者拼命地想使自己生活得更加舒适，以致逼得百姓不惜以生命去冒险。"但希望长寿是人之常情，即使是穷困潦倒到了极点的人，其处境已与饥寒交迫的奴隶相似，但是和受戮而死还是大不相同的，难道会有人不怕吗？自古以来，世道多变，甚至于普天之下的人都揭竿而起、铤而走险，可是仔细地探究事变发生的原因，就会发现，事变初起时，老百姓并没有不安分之心。秦汉、隋唐之末，天下土崩瓦解，鱼腐肉烂，几乎家家有罪、人人可诛。然而像王仙芝、黄巢那样的人所觊觎的也不过是一官半职而已。如果国君宰相御下有方，岂能造成天下无法收拾的局面！自西汉龚遂之廓清渤海郡，东汉冯异平定关中，高仁厚平息四川大盗，王先成劝说王宗侃等，可以看出百姓只要能够活下去，他们并不愿意犯上作乱。世上的君子们，如果能够仔细地体察老子这一番话，就可以少犯很多错误。

武官名不正

文官郎、大夫，武官将军、校尉，自秦、汉以来有之。至于阶秩品著①，则由晋、魏至唐始定。唐文散阶②二十九，自开府、特进之下，为大夫者十一，为郎者十六。武散阶③四十五，为将军者十二，为校尉者十六。此外怀化、归德大将军，讫于司戈、执戟，皆以待蕃戎之君长臣仆。本朝因之。元丰正官制，废文散阶，而易旧省部寺监④名，称为郎、大夫，曰寄禄官。政和中，改选人七阶亦为郎，欲以将军、校尉易横行，以下诸使至三班借职⑤，而西班用事者嫌其途辙太殊，亦请改为郎、大夫，于是以卒伍厮圉玷污此名，又以节度使至刺史专为武臣正任。且郎、大夫，汉以处名流，观察使在唐为方伯，刺史在汉为监司，在唐为郡守，岂介胄⑥恩幸所得处哉？此其名尤不正者也。

[注释]

①阶秩品著：古代职官制有阶有秩有品。阶，表示等级而无实际职权。秩，俸禄。品，等级。著，衣饰。②文散阶：文职官员的等级品秩。③武散

阶：武官的等级品秩。④省部寺监：宋朝中央机构的简称。省，即尚书省、中书省、门下省；部，即六部，吏户礼兵刑工；寺，大理寺；监，国子监。⑤三班借职：宋朝最低级的武官阶。⑥介胄：武官。

[译文]

文官的"郎"、"大夫"，武官的"将军"、"校尉"等名目，从秦汉以来就有。至于官阶、俸禄、品级、衣着，则由晋代、北魏到唐朝才定下来。唐朝文官散阶二十九等，从开府、特进以下，称大夫的十一等，称郎的十六等。武官散阶四十五等，称将军的十二等，称校尉的十六等，此外为怀化、归德大将军，直到司戈、执戟等衔，都是专门用来授给少数民族的君主酋长以及他们的臣子奴仆的。本朝承袭唐制，元丰年间改正官制，废除文官散阶，而更改旧的省部寺监的名称，称为"郎"、"大夫"，叫做"寄禄官"。政和年间，改入选人员为七等，也称"郎"。要用"将军"、"校尉"代替"横行"以下各使到三班借职的名目，而西班武官当权的人嫌这个办法使仕进的人途径悬殊太大，也请求改为"郎"、"大夫"，于是士兵以至军中奴仆马夫都滥用玷污了这一官名，又把节度使至刺史专门用作武官正式的官名。况且"郎"、"大夫"在汉朝是用来授予名流的，观察使在唐朝是一方的长官，刺史在汉朝是监察一州吏治的长官，在唐朝是一郡的太守，难道是穿盔甲得恩宠的人所能胜任的吗？这是其名称尤其不正的例子。

唐帝称太上皇

唐诸帝称太上皇者，高祖、睿宗、明皇、顺宗凡四君。顺宗以病废之故，不能临政①；高祖以秦王杀建成、元吉；明皇幸蜀，为太子所夺。唯睿宗上畏天戒，发于诚心，为史册所表②。

然以事考之，睿宗以先天元年八月传位于皇太子，犹③五日一受朝，三品以上除授④及大刑政皆自决之。故皇帝之子嗣直、嗣谦、嗣升封王，皆以皇诰而出命。又遣皇帝巡边。二年七月甲子，太平公主诛，明日乙丑，即归政⑤。然则犹有不获已也。若夫与尧、舜合其德，则我高宗皇帝、至尊寿皇圣帝⑥为然。

[注释]

①临政：临朝执政。②表：表彰。③犹：还、仍然。④除授：委任。⑤归政：还政。⑥至尊寿皇圣帝：即宋孝宗。

[译文]

在唐朝诸帝中称太上皇的有高祖、睿宗、明皇、顺宗四位。其中唐顺宗因为患病，说话没有声音，无法处理朝政；高祖因为秦王李世民杀死了太子建成、齐王元吉，不得不让位；唐明皇因为安史之乱逃往四川，被太子李亨夺去了帝位；只有睿宗皇帝是因为害怕上天的告诫，出于至诚让出帝位，因而受到了史书的赞扬。

然而，我考证历史事实时发现，睿宗于先天元年（712年）八月传位给皇太子后，仍然五日受朝理政，三品以上官员的任用及大刑政皆由自己决定。所以，皇帝的儿子嗣直、嗣谦、嗣升等被封为王时，都是用太上皇的诰命加封的。而且太上皇还派皇帝到边境巡视。到先天二年七月甲子日，太平公主被赐死；次日即乙丑日，太上皇就将大权归还给了玄宗皇帝。由此可见，唐睿宗退位是出于迫不得已，并不是自愿的。

至于能够与唐尧、虞舜的禅让美德相匹敌的君主，则只有我大宋朝的高宗皇帝和至尊寿皇圣帝。

卷十二

无用之用

《庄子》云："人皆知有用之用，而莫知无用之用。"又云："知无用，而始可与言用矣。夫地非不广且大也，人之所用，容足①耳。然则厕足而垫之致黄泉②，所谓无用之为用也亦明矣。"此义本起于《老子》"三十幅共一毂③，当其无，有车之用"一章。《学记》："鼓无当于五声④，五声弗得不备⑤；水无当于五色⑥，五色弗得不章⑦。"其理一也。今夫飞者以翼为用，縶⑧其足，则不能飞。走者以足为用，缚其手，则不能走。举场较艺⑨，所务者才也，而拙钝⑩者亦为之用。战阵角胜⑪，所先者勇也，而老怯者亦为之用。则有用、无用，若之何⑫而可分别哉？故为国者⑬其勿以无用待天之下士，则善矣！

[注释]

①容足：立足之地。②黄泉：地下深处，通常指葬身之地。③三十幅共一毂：三十根辐条集中到一个车毂上。④五声：又作五音，即宫、商、角、徵、羽。⑤备：完备、完美。⑥五色：青、黄、赤、白、黑。⑦章：彰显。

⑧縶：捆绑。⑨举场较艺：科举考场上较量技艺。⑩拙钝：笨拙。⑪战阵角胜：在战场上取得胜利。战阵，战场。⑫若之何：怎么办，如何。⑬为国者：治理国家的人。

[译文]

庄子说："人们都知道有用的作用，却没有人知道无用的作用。"又说："知道无用，然后才可以与你谈有用。土地不是不广大啊，可是人所使用的地方只不过是立足之地而已。既然只有这一小块立足之地有用，那么，把除此之外的土地全都挖掉，一直挖到黄泉，这时人所站立的这一小块所谓有用的立足之地难道还有用处吗？这样看来，所谓无用的用处也就很明显了。"这种说法起源于《老子》一书中："三十根辐条集中到一个车毂上，有了车毂中间的空洞，才有了车的作用。"《学记》中说："鼓声虽然不在宫、商、角、徵、羽五声之列，但是如果没有它，五声就不完美；水色虽然不在青、黄、赤、白、黑五色之列，可是如果没有它，五色就难现。"其道理是一样的。现在，那些会飞的动物是使用翅膀飞的，可是如果捆住脚，它们就飞不起来。人们走路是用脚的，可是如果捆住双手，人就跑不快。科场上比试技艺，所注重的是真才实学，而才智笨拙的人也有用处。在战场上克敌制胜，需要的是勇力，而年老胆怯的人也有用处。如此，有用和无用如何，怎么能一概而论加以区分呢？所以，治理国家的人如果能不以"无用"的看法来看待天下的士人，事情就好办了。

唐制举科目

唐世制举①，科目猥多②，徒异其名尔，其实与诸科等也。张九龄以道侔伊、吕③策高第，以《登科记》及《会要》考之，盖先天元年九月，明皇初即位，宣劳使所举诸科九人，经邦治国、材可经国、才堪刺史、贤良方正与此科各一人，藻思清华、兴化变俗科④各二人。其道侔伊、吕策问殊平平，但云："兴化致理，必俟得人；求贤审官，莫先任举。欲远循⑤汉、魏之规，复存⑥州郡之选，虑⑦牧守不明，不能必鉴。"次及"越骑次飞，皆出畿甸⑧，欲均井田于要服，遵丘赋⑨于革车"，并安人重谷，编户⑩农桑之事，殊不及为天下国家之要道：则其所以待伊、吕者亦狭矣。九龄于神龙二年中材堪经邦科，本传不书，计亦此类耳。

[注释]

①制举：唐宋时期设置的不定期举行的选拔人才的科目。②猥多：繁多。③道侔伊、吕：制举科目名称。伊，伊尹。吕，吕尚，也即姜尚。④藻思清华、兴化变俗科：即制举科目名称。⑤循：遵循。⑥存：保留。⑦虑：担心。⑧畿甸：都城附近。⑨丘赋：按亩征收的土地税。⑩编户：编入国家户籍的人户。

[译文]

在唐代的科举中，临时开考的科目名目繁多，其实质与其他各科并没有多大区别，只不过名称不同罢了。名相张九龄以道侔伊、吕科高中。参阅《登科记》和《唐会要》可知，这大概是唐玄宗先天元年（712年）九月的事。当时，唐明皇刚即位，宣劳使所举诸科共取九人，其中经邦治国、材可经国、才堪刺史、贤良方正以及道侔伊、吕等科各一人，藻思清华、兴化变俗科各二人。实际上，道侔伊、吕科皇帝策问的问题十分平常，只是说："兴化治国，必须得到人才；求贤审官，莫先于任子、察举。要想远循汉、魏之制，恢复州、郡选拔官吏的做法，又恐怕州牧、郡守的能力无法明鉴一切。"又说到"越骑、次飞等禁军，都离开京师，在很远的地方活动，准备在全国各主要地区平均井田，使兵农合一"，以及安民重农、百姓农桑之事，根本称不上是治国平天下的要旨。

由此看来，政府设立道侔伊、吕科所选拔出来的人才，也是很狭隘的。张九龄于唐中宗神龙二年（706年）考中材堪经邦科，而正史的本传中没有记载，估计也与此相类似。

渊有九名

《庄子》载壶子见季咸事云："鲵①旋之潘②为渊，止水之潘为渊，流水之潘为渊，渊有九名，此处三焉。"其详见于《列子·黄帝篇》，尽载其目，曰："鲵旋之潘为渊，止水之潘为渊，流水之潘为渊，滥水之潘为渊，沃水之潘为渊，汧水之潘为渊，雍水之潘为渊，汧水之潘为渊，肥水之潘为渊，是为九渊。"按《尔雅》云"滥水正出，即滥泉也"。沃泉下出，汧泉穴出，灉者反入，汧者出不流。又"水决之泽为汧，肥者出同而归异"。皆禹所名也。《尔雅》之书，非周公所作，盖是训释三百《诗》篇所用字，不知列子之时，已有此书否？细碎虫鱼之文，列子决不肯留意，得非偶相同邪？《淮南子》有九璇之渊，许叔重③云："至深④也。"贾谊《吊屈赋》："袭九渊之神龙。"颜师古曰："九渊，九旋之川，言至深也。"与此不同。

[注释]

①鲵：大鱼。②潘：水潭。③许叔重：许慎，字叔重，东汉文字学家，主要著作有《说文解字》。④至深：最深。

[译文]

《庄子》里记载壶子见季咸的事说："大鱼在其中盘旋游动的水潭叫渊，水不流动的水潭叫渊，水能够流动的水潭叫渊，渊有九个名称，这里说到三个。"其详细情况见于《列子·黄帝篇》，把这些名目全都记载了下来，说："大鱼在其中游动引起的回流叫渊，不流动的水回流叫渊，流动的水回流叫渊，涌出来的水回流叫渊，从上面向下面流动的水回流叫渊，傍出的水回流叫渊，雍塞的水回流叫渊，决入沼泽的水回流叫渊，同出异归或异出同归的水回流叫渊，是为九渊。"

按《尔雅》里说"滥水正出，即滥泉也"。沃泉下出，汶泉穴出，灉水决出复归入，汧水决出而不流动。又说："水决入沼泽为汧，同出一源而归异之水为肥。"这些大概都是大禹所定的名称。《尔雅》一书不是周公所作，而是为了诠释《诗经》三百篇中所用的字而编写的。不知列子在世时，是否有此书？为什么这两部书所说的渊名相同呢？细碎的鸟兽虫鱼的名称，列子决不会留意，难道是偶然相同的吗？《淮南子》有九璇之渊，许叔重（许慎）云："至深也。"贾谊《吊屈赋》："袭九渊之神龙。"颜师古曰："九渊，即九旋之川，也就是说是最深的。"许慎、颜师古的说法与《庄子》、《列子》所载不同。

卷十三

科举恩数

国朝科举取士，自太平兴国以来，恩典始重。然各出一时制旨①，未尝辄同，士子随所得而受之，初不以官之大小而所祈诉②也。太平③之二年，进士一百九人，吕蒙正以下四人得作丞，余皆大理评事，充④诸州通判。三年，七十四人，胡旦以下四人将作丞，余并为评事，充通判及监当。五年，一百二十一人，苏易简以下二十三人皆将作丞、通判。八年，二百三十九人，自王世则以下十八人，以评事知县，余授判司簿尉。未几，世则等移通判，簿尉改知令录。明年，并迁守评事。雍熙二年，二百五十八人，自梁颢以下二十一人，才得节察推官。端拱元年，二十八人，自程宿以下，但权⑤知诸县簿尉。二年，一百八十六人，陈尧叟、曾会至得光禄丞直史馆，而第三人姚揆，但防御推官。淳化三年，三百五十三人，孙何以下，二人将作丞，二人评事，第五人以下，皆吏部注拟⑥。咸平元年，孙仅但得防推。二年，孙暨以下，但免选注官⑦。盖此两榜，真宗在谅暗⑧，礼部所放⑨，故杀其礼⑩。及三年，**陈尧咨登第**，然后六人将作丞，四十二人评事；第二甲一百三十四人，节度推官、军事判官，第三甲八十人，防团军事推官。

[注释]

①制旨：圣旨诏命。②祈诉：祈请上诉。③太平：太平兴国，宋仁宗年号。④充：担任。⑤权：代理。⑥注拟：负责登记，俟后委任。⑦注官：入官、授官。⑧谅暗：服丧。⑨放：放榜、张榜公布。⑩杀其礼：降低了规格。

[译文]

本朝用科举选拔士人，自从太平兴国年间以来，恩典才开始优厚。然而，这些恩典都是出于一时的圣旨诏命，并不是每次相同。士人考中后，政府授予什么，他们就接受什么，并不计较官职的高低，而有所祈请上诉。太平兴国二年（977年），录取进士一百零九人，吕蒙正以下前四名被封为将作丞，余下的都封为大理评事，任各州的通判。三年（978年），录取七十四人，胡旦以下前四名封为将作丞，余下的都封为大理评事，任各州通判和监当。五年（980年），录取一百二十一人，苏易简以下前二十三名都封为将作丞、任通判。八年（983年），录取二百三十九人，从王世则以下前十八名，封评事任知县，其余的授为判司主簿县尉。没有多久，王世则等迁为通判，原任主簿县尉的改任知县和录事。第二年，都迁为代理评事。雍熙二年（985年），录取二百五十八人，从梁颢以下前二十一名，才被授为节察推官。端拱元年（988年），录取二十八人，从程宿以下，都授为代理各县的主簿县尉。二年（989年），录取一百八十六人，陈尧叟、曾会仅被授为光禄丞直史馆，而第三名姚揆，仅仅授为防御推官。淳化三年（992年），录取三百五十三人，孙何以下前二名授为将作丞，其余二名授为评事，第五名以下，都由吏部拟定。咸平元年（998年），孙仅只被授为防御推官。二年（999年），孙暨以下，仅得免于考选入官而已。这是因为这两次科举,真宗正在服丧期间,由礼部来放榜公布,所以降低了规格。等到三年(1000年),陈尧咨被录取,在他之后六人授为将作丞,其余四十二名任为评事;第二甲一百三十四人,都授为节度推官、军事判官,第三甲八十人,都授为防团军事推官。

下第再试

太宗雍熙二年,已放进士百七十九人,或云:"下第①中甚有可取者。"乃令复试②,又得洪湛等七十六人,而以湛文采遒丽,特升正榜③第三。端拱元年,礼部所放程宿等二十八人,进士叶齐打鼓论榜④,遂再试,复放三十一人,而诸科因此得官者至于七百。一时待士可谓至矣⑤。然太平兴国⑥末,孟州进士张雨光,以试不合格,纵酒大骂于街衢中,言涉指斥⑦,上怒斩之,同保⑧九辈永不得赴举。恩威并行,至于如此。

[注释]

①下第:考试落选。②复试:再考一次。③正榜:正式录取。考试录取后,张榜公布。榜有正榜和副榜。④打鼓论榜:击鼓申诉意见。⑤至矣:到了极点。⑥太平兴国:北宋仁宗年号。⑦指斥:指责朝廷。⑧同保:同保之人。

[译文]

本朝太宗雍熙二年(985年),已经公布录取进士一百七十九人。有人说没有被录取的人中间还有可以录取的,太宗遂下令对没有取中的人举行再考试,结果又录取了洪湛等七十六人,因为洪湛的文章文采壮丽,特别提升为正榜第三名。端拱元年(988年),礼部录取的程宿等二十八人,进士叶齐不服,向朝廷击鼓申诉意见,于是朝廷下令对没有取中的人举行再考试,又录取三十一人,而其他科目考试中也因此而得到官位的达到七百人,当时对待士人可以说是好到了极点。然而太平兴国末年，孟州进士张雨光由于考试不合格，喝醉了酒在街上大骂，所骂的话中涉及指名斥责皇上，皇上发怒把他斩了，并且其同保九辈永远不能参加礼部举行的考试。恩威并行，至于如此。

金花贴子

唐进士登科，有金花贴子，相传已久，而世不多见。予家藏咸平元年孙仅榜盛京所得小录①，犹用唐制，以素绫为轴，贴以金花，先列主司②四人衔，曰：翰林学士给事中杨，兵部郎中知制诰李，右司谏直史馆梁，秘书丞直史馆朱，皆押字③。次书四人甲子④，年若干，某月某日生，祖讳某，父讳某，私忌⑤某日，然后书状元孙仅，其所纪与今正同。别用高四寸绫，阔二寸，书"盛京"⑥二字，四主司花书于下，粘于卷首，其规范如此，不知以何年而废也。但此榜五十人，自第一至十四人，惟第九名刘烨为河南人，余皆贯⑦开封府，其下又二十五人亦然。不应都人士中选若是之多，疑亦外方人寄名托籍，以为进取之便耳。四主司乃杨砺、李若拙、梁颢、朱台符，皆只为同知举⑧。

[注释]

①小录：题名录。②主司：主持考试的官员。③押字：写上名字画押。④甲子：年龄。⑤私忌：祖宗三代死亡的日期。⑥盛京：东京开封。⑦贯：籍贯。⑧同知举：副考官。

[译文]

在唐朝读书人考取进士后都要得到一本精美的金花贴子，此制相传已久，而当今社会上却很少能够见到原件。

我家收藏有宋真宗咸平元年（998年），孙仅在京城开封考中时所得的小录，它仍然使用唐制，以白绫为轴，上贴金花，先列四位主考官的头衔，即翰林学士给事中杨、兵部郎中知制诰李、右司谏直史馆梁、秘书丞直史馆朱，每个人都签署自己的名字画押。接着写的是四位主考官的年龄，某月某日生，祖父名字，父亲名字，祖宗三代死日。然后写状元孙仅，所记的内容与现在的完全相同。另外，又用一张长四寸、宽二寸的绫子，上写"盛京"两个大字，下面是四位主考官画上花押，然后将它粘贴在贴子的卷首。金花贴子的样式就是这样，不知在哪一年被废除了。

但是，此榜的五十个人中，从第一到第十四名除第九名刘烨是河南府（今河南洛阳）人之外，其余的人籍贯都在东京开封府（今河南开封）。从第十五名以后，又有二十五人的籍贯在开封府。京师士人考中的竟如此之多，显而易见是不合情理的。估计有不少外地士人寄名托籍，假称是京城人，以便于在仕途上有所发展。贴子上的四位主考官杨砺、李若拙、梁颢、朱台符当时都任同知举。

物之大小

列御寇①、庄周大言小言，皆出于物理之外②。《列子》③所载："夏革曰，渤海之东几亿万里，有大壑焉，实惟无底之谷。中有五山，高下周旋三万里④，山之中间相去七万里，而五山之根无所连著。帝使巨鳌⑤十五举首而戴之，叠为三番，六万岁一交⑥焉。而龙伯之国有大人，举足不盈数十步而暨⑦山所，一钓而连六鳌，合负而趣归其国。于是岱舆、员峤二山，沈⑧于大海。"张湛⑨注云："以高下周围三万里山，而一鳌头之所戴，而六鳌复为一钓之所引，龙伯之人能并而负之，计此人之形当百余万里，鲲鹏方之⑩，犹蚊蚋蚤虱耳。太虚之所受，亦奚所不容哉!"《庄子·逍遥游》,首著鲲鹏事云:"北溟有鱼,有名为鲲。鲲之大,不知其几千里也;化而为鸟,其名为鹏。鹏之徙⑪于南溟,水击三千里;抟⑫扶摇而上者九万里。"二子之语大若此⑬。至于小言,则《庄子》谓:"有国于蜗之左角,曰触氏,右角曰蛮氏,相与争地而战,伏尸数万,逐北旬有五日而后反⑭。"《列子》曰:"江浦之间生幺虫⑮,其名曰焦螟。群飞而集于蚊睫⑯,弗相触也,栖宿去来⑰,蚊弗觉也。黄帝与容成子⑱同斋三月,徐以神视,块然见之,若嵩山之阿⑲,徐以气听,砰然闻之⑳,若电霆之声。"二子之语小如此。

释氏维摩诘㉑长者,居丈室㉒而容九百万菩萨并狮子座,一芥子之细而能纳须弥㉓,皆一理㉔也。张湛不司其寓言,而窃窃然㉕以太虚无所不容为说,亦隘矣!若五儒《中庸》之书,但云:"天地之大也,人犹有所憾㉖,故君子语大,下莫能载焉;语小,天下莫能破焉。"则明白洞达,归于至当㉗,非二氏之学一偏所及也。

[注释]

①列御寇:即列子,战国时期郑国思想家。②皆出于物理之外:都出于事物的常理之外。③《列子》:相传为战国列御寇所著,内容多为先秦民间故事、寓言和神话传说。④高下周旋三万里:高低方圆各有三万里。⑤巨鳌:巨龟。⑥六万岁一交:每六万年一次交班。⑦暨:到达。⑧沈:同"沉",陷落。⑨张湛:字处度,晋时官至中书郎。⑩鲲鹏方之:鲲鹏与之(龙伯国巨人)相比。⑪徙:迁徙。⑫抟:凭借。⑬若此:如此。⑭逐北旬有五日而后反:战胜敌方深入敌境,大概半个月才能撤兵返回。北,失败。旬,一旬为十日。有,通"又"。反,通"返",返回。⑮幺虫:小虫子。⑯群飞而集于蚊睫:成群的焦螟一起飞到蚊子的睫毛上。⑰栖宿去来:在蚊子的睫毛上栖息过夜,来回飞舞。⑱容成子:古代传说中的仙人,据说是指导黄帝学习养生术的老师之一。⑲若嵩山之阿:像嵩山下的丘陵。⑳砰然闻之:听到砰砰的声音。㉑释氏

维摩诘:佛教徒维摩诘。㉒丈室:一丈见方的屋子。㉓须弥:佛教用语,须弥山。佛教说,世人所住的世界的中心是一座大山。㉔皆一理:都是同样的道理。㉕窃窃然:喋喋不休。㉖憾:缺憾,不满足。㉗归于至当:十分恰当。

[译文]

列御寇和庄子所说的"大"与"小",都出于事物的常理之外。《列子》中夏革对商汤说:"渤海之东不知其几亿里的地方,有个大沟,实际上就是一个无底之谷。谷中有五座山,高低方圆各有三万里,每座山之间相距七万里,这五座山的根基都无所依托。天帝派十五只巨龟举首顶戴五山。这些龟分为三班轮流托山,每六万年一换班。而龙伯之国有个巨人,抬脚不到数十步就来到五座大山所在地,下一次钩竟钓起六只巨龟,然后将它们拢在一起扛回本国。于是五大山的岱舆、员峤二山从此沉入大海。"张湛注释说:"一座高低方圆达三万里的大山,竟被一只巨龟用头轻而易举地顶托着,而力能托山的六只巨龟却又被一钩钓出,然后并在一起扛走。由此估算,龙伯之国巨人的身高当有一百余万里,鲲鹏与之相比,简直就像蚊蚋蚤虱一样。看来太虚(指深玄之理)之所受,也可谓无所不容啦!"《庄子·逍遥游》记述鲲鹏的事说:"北方的海中有一种大鱼,它的名字叫鲲。鲲之大,不知道有几千里;变为鸟后,名叫鹏。当鹏向南海迁徙时,翅膀扇动,击水达三千余里,然后盘旋而上,离地九万里。"列子和庄子所说的大,竟有如此之大。

至于说"小",《庄子》里说:"在蜗牛壳的左角有个小国,名叫触氏,在右角也有个小国名叫蛮氏,两国为了争夺地盘而爆发战争,以致伏尸数万。得胜的一方穷追猛打,长驱直入,深入敌境半个月后才撤兵回返。"《列子》中说:"江浦之间有一种小虫,它的名字叫焦螟。大群的焦螟落脚于蚊子的一根眼睫毛上,谁也不会碰着谁。它们飞来飞去,在蚊子的睫毛上休息、过夜,蚊子也毫无感觉。黄帝和容成子一起斋戒三个月,然后平心静气地凝神观瞧,清晰地看见了焦螟,就像是嵩山下的大丘陵一样;他们又平心静气地凝神倾听,听到了焦螟发出砰砰之声,就像是震耳欲聋的霹雷一样。"庄子和列子所说的小,竟小到这种程度。

佛教徒维摩诘长者自居斗室却可容纳九百万尊菩萨及其狮子座,一粒芥子那样小的地方竟能容纳须弥那样的高山,其道理都是一样的。张湛不明白列子的寓言中所包含的深刻哲理,却喋喋不休地说什么太虚无所不容,真是太狭隘、太没有见识了!至于我们儒家经典《中庸》一书中只是说:"天地是最为广阔的,但是人们还是感到不满意,因此君子所谈论的'大',大得天下根本无可比拟。列子所谈论的'小',小得天下没有任何东西可以进得去。"这话说得明白透彻、恰如其分,绝不是列子和庄子的偏颇学说所能比拟的。

民俗火葬

自释氏火化之说起,于是死而焚尸者,所在皆然。固有炎暑之际,畏其秽泄,殓不终日①,肉尚未寒而就爇②者矣。鲁夏父弗忌献逆祀之仪。展禽曰:"必有殃,虽寿而没③,不为无殃。"既其葬也,焚烟彻于上,谓已葬而火焚其棺椁④也。吴伐楚,其师居麇,楚司马期将焚之,令尹⑤子西曰:"父兄亲暴骨焉,不能收,又焚之,不可。"谓前年楚人与吴战,多死麇中,不可并⑥焚也。卫人掘褚师定子之墓,焚之于平庄之上。燕骑劫围齐墨,掘人冢墓,烧死人,齐人望见涕泣怒自十倍。王莽作焚如之刑⑦,烧陈良等。则是古人以焚尸为大僇⑧也。列子曰:"楚之南有炎人之国,其亲戚死,朽⑨其肉而弃之然后埋其骨;秦之西有仪渠之国,其亲戚死,聚柴积而焚之,熏则烟上,谓之登遐,然后成为孝子。"此上以为政，下以为俗，而未足为异也。盖是时其风未行于中国⑩，故列子以仪渠为异，至与刳肉者同言之。

[注释]

①不终日：不过一天。②爇：火烧。③寿而没：寿终正寝。④棺椁：棺木有两重，外叫椁，内叫棺。⑤令尹：相当于宰相的官职。⑥并：在一起。⑦焚如之刑：火烧的刑法。焚如，用火将人活活地烧死。⑧大僇：大杀戮。⑨刳：剖。⑩中国：中原。

[译文]

自从佛家火化的说法传入后，死后焚化尸体的现象到处都是。其中固然有炎热的暑天，害怕尸体腐烂，入殓不到一天，尸骨未寒就用火烧掉。

春秋时期，鲁国人祭祀已寿的国君。列僖公于兄长闵公之前，夏父弗忌为这种不按照顺序的情况找到理由，展禽说："一定要有灾祸。即使寿终正寝，也不会没有灾祸。"等到下葬之后，焚烧的浓烟升到空中，就是说，已经下葬的棺木被火焚烧了。

吴国攻打楚国，吴军驻在麇地，楚国的司马子期准备火烧麇地，令尹子西说："我们的父老兄弟的尸骨也丢弃在那里，无法收殓，现在将他们同吴军一起烧掉，这是不合适的。"子西指的是前年楚国与吴国交战，楚军士兵多死于麇中，不可把他们同吴军一并付之一炬。

卫国人掘了褚师定子的坟墓，并且在平庄将他的骸骨一把火烧掉。燕国的骑兵围攻齐国的即墨城（今山东平度东南）时，在城外掘了齐国人的许多坟墓，并且放火烧尸。齐国人在城墙上远远望见，无不痛哭流涕，同时对燕军的仇恨也陡增十倍，甚至百倍。

王莽制定了把人烧死的刑罚，烧死了陈良等。由此看来，古人把焚尸看做是一种大戮之刑。

列子说："楚国南边有个炎人之国，他们在亲人死后，便把死者的肉剔下来扔掉，然后把骨骼埋入地下。秦国西边有个仪渠国，他们在亲人死后，亲属们便把死者放在一大堆木柴上烧掉，烈火黑烟直上，这就是所谓的'登遐'，只有这样，死者的子女们才能成为孝子。"由此可知，火葬在上古已被执政者视为治国的手段，在下已成为老百姓的风俗习惯，丝毫没有什么值得惊奇的。大概当时火化的习俗尚未风行于中原，所以列子觉得仪渠国的风俗十分奇异，以至于将它同剔肉埋骨的炎人之国相提并论。

雨水清明

历家①以雨水为正月中气，惊蛰为二月节，清明为三月节；谷雨为三月中气。而汉世之初，仍②周、秦所用，惊蛰在雨水之前，谷雨在清明之前，至于太初③，始正之云。

[注释]

①历家：历学家。②仍：依然采用、沿袭。③太初：汉武帝年号。

[译文]

历学家把雨水作为正月月中以后的节气，以惊蛰为二月的节气，清明为三月的节气，谷雨为三月中以后的节气。但是在西汉初年，仍然沿用周朝和秦朝时的历法，惊蛰定在雨水之前，谷雨定在清明之前，到了汉武帝太初年间才更正过来。

卷十四

帝王训俭

帝王创业垂统①，规②以节俭，贻训③子孙，必其继世④象贤，而后可以循其教，不然，正足取侮笑耳。宋孝武大治宫室⑤，坏高祖所居阴室⑥，于其处起⑦玉烛殿，与群臣观之，床头有土障，上挂葛灯笼、麻绳拂⑧。侍中袁顗因盛称高祖俭素之德，上不答，独曰："田舍翁⑨得此，已为过矣！"唐高力士于太宗陵寝宫，见梳箱一、柞木梳一、黑色篦一、草根刷子一，叹曰："先帝亲正皇极⑩，以致升平⑪，随身服用，唯留此物。将欲传示子孙，永存节俭。"具以奏闻⑫。明皇诣陵，至寝宫，问所留示者⑬何在？力士捧跪上，上跪奉⑭，肃敬如不可胜⑮，曰："夜光之珍，垂棘之璧⑯，将何以愈此⑰？"即命史官书之典册。是时，明皇履位⑱未久，励精为治，故见太宗故物而惕然有感⑲。及侈心一动，穷天下之力不足以副⑳其求，尚何有于此哉？宋孝武不足责也，若齐高帝、周武帝、陈高祖、隋文帝，皆有俭德，而东昏、天元、叔宝、炀帝之淫侈，浮于桀、纣㉑，又不可以语②此云。

[注释]

①垂统：指帝位代代相传。②规：规劝。③贻训：先人留下的训诫。④继世：后辈、后人。⑤宋孝武：南朝宋孝武帝刘骏，454～465年在位。大治宫室：大肆建造宫殿。⑥阴室：即私室。南朝皇帝死后，以其所居殿为阴室，存放生前衣着等日用物品。⑦起：建造。⑧葛灯笼、麻绳拂：葛编的灯笼和用麻做的驱蝇掸子。⑨田舍翁：种田的老头。⑩亲正皇极：亲手匡正做帝王的准则。极，准则。⑪以致升平：让天下呈现出歌舞升平的景象。⑫具以奏闻：一一将此事向玄宗做了汇报。⑬所示者：太宗遗留下来的东西。⑭上跪奉：玄宗跪拜接纳。⑮肃敬如不可胜：严肃恭敬到了无以复加的程度。⑯垂棘之璧：垂棘之地所产的稀世美玉。垂棘，春秋时期晋国的一个地区，以产美玉而著称，后借指美玉。⑰愈此：超过这些。⑱履位：继承皇位。⑲惕然有感：受震动、有很深的感触。⑳副：满足。㉑浮于桀、纣：比夏桀、商纣更甚。浮，超过。㉒语：谈论。

[译文]

　　帝王创立基业后，为了使江山永固，世代相传，总要告诫子孙们厉行节俭，体恤民情。然而，只有他们的后人比较贤明时，才会遵从前辈的教诲，否则的话，那就只能招来侮辱和嘲笑而已。

　　南朝宋孝武帝刘骏大兴土木，建造宫殿。他毁坏了宋高祖刘裕曾居住过的阴室，准备在这里新建玉烛殿。当他与群臣一起去观看时，只见高祖的床头有一道土障，上面挂的是葛条编的灯笼和用麻做的驱蚊蝇掸子。侍中袁𫖮盛赞高祖的俭朴之德，孝武帝并不答话，只是淡淡地说："种田的老头用这些东西已经太过分了！"

　　唐朝宦官高力士在太宗陵的寝宫中看到梳箱一只、柞木梳子一把、黑角篦子一把、草根刷子一把，感叹地说："太宗皇帝亲手匡正了为帝王的准则，使得国家呈现出一派歌舞升平的景象，而他自己平日所穿所用留下的遗物就只有这些。他是想以此传示子孙们，告诫他们永远保持节俭的品德。"高力士如实将这件事向玄宗皇帝作了汇报。明皇闻报，马上亲赴太宗陵，到寝宫问太宗留下的东西都在哪儿？高力士手捧这些东西，跪着献给玄宗，玄宗跪拜接受，肃敬到了无以复加的程度，并且说："珍奇的夜光宝珠，垂棘所产的稀世美玉，怎能比这些更好呢？"玄宗当即让史官记入典册。当时，唐玄宗刚继位，雄心勃勃，励精图治，因而见到太宗的遗物感触很深。及至他的奢侈心一动，即使尽竭天下之财力人力，也无法满足其要求，哪里还有一丁点儿对太宗遗物的印象？

宋孝武帝不值得指责，至于像齐高帝、周武帝、陈高祖、隋文帝等，都有节俭的美德，可是他们的子孙后代东昏侯萧宝卷、天元皇帝宇文赟、陈叔宝、隋炀帝杨广等人的骄奢淫逸、穷侈极欲，大大超过了夏桀、商纣，对他们就不必谈什么节俭之德了。

忌讳讳恶

《周礼·春官》说："小史①诏王之忌讳。"郑氏曰："先王死日为忌，名为讳。"《礼记·王制》说："太史典礼②，执简记，奉讳恶。"注云："讳者先王名，恶者忌日，若子卯。恶，乌路反。"《左传》云："叔弓如③滕，子服椒为介④，及郊⑤，遇懿伯之忌，叔弓不入。"懿伯，椒之叔父；忌，怨也。"椒曰：公事有公利无私，椒请先入。"观此乃知忌讳之明文。汉人表疏，如东方朔有"不知忌讳"之类，皆庡⑥本旨。今世俗语言多云"无忌讳"及"不识忌讳"，盖非也。

[注释]

①小史：官名，春秋五史之一，为大史之副，掌邦国史记。②太史典礼：太史掌管礼仪制度。典，掌管。③如：到。④介：副手。⑤及郊：来到郊外。及，到。⑥庡：违背。

[译文]

《周礼·春官》说:"小史向周王报告忌讳。"郑玄注释说:"先王死的日子为忌,名字为讳。"《礼记·王制》说:"太史掌管礼制,编写史书,奉行讳恶。"注释说:"讳是先王的名字,恶是先王的忌日,例如子日卯日。恶,读音为乌路反。"

《左传》里记载:"叔弓赴滕国(今山东滕县),子服椒为其副手,到了滕城郊区,正遇懿伯的忌日,叔弓因而不入城。"懿伯是子服椒的叔父,"忌"是怨恨的意思。《左传》接着说:"子服椒说:公家的事只讲公利而没有私忌,我请求先入城。"

由此看来,当时忌讳已有明文记载。汉代人如东方朔所写表疏中常有"不知忌讳"之类的话,都与其本意不相符合。现在人们常说"无忌讳"及"不懂忌讳",也都是不正确的。

陈涉不可轻

扬子①《法言》:"或问陈胜、吴广,曰:'乱②。'曰:'不若是则秦不亡。'曰:'亡秦乎?恐秦未亡而先亡矣。'"李轨以为:"轻用其身③,而要乎非命之运,不足为先福,适④足以为祸始。"

予谓不然。秦以无道毒⑤天下,六王⑥皆万乘之国,相踵灭亡,岂无孝子慈孙、故家遗俗?皆奉头鼠伏⑦。自张良狙击⑧之外,更无一人敢西向窥其锋者。陈胜出于戍卒⑨,一旦奋发不顾,海内豪杰之士,乃始云合响应,并起而诛之。数月之间,一战失利,不幸陨命⑩于御者之手。身虽已死,其所置遣王侯将相竟⑪亡秦。项氏之起江东,亦矫称⑫陈王之令而度⑬江。秦之社稷为墟⑭,谁之力也?且其称王之初,万事草创,能从陈馀之言,迎孔子之孙鲋为博士，至尊为太师，所与谋议，皆非庸人崛起者可及，此其志岂小小者哉！汉高帝之置守冢于砀⑮，血食⑯二百年乃绝。子云指以为乱，何邪？若乃杀吴广，诛故人，寡恩忘旧，无帝王之度，此其所以败也。

[注释]

①扬子：扬雄，字子云，汉代著名文学家，思想家。②乱：乱臣。③轻用其身：铤而走险。④适：恰巧、正好。⑤毒：毒害。⑥六王：战国时与秦并存的齐、楚、燕、韩、赵、魏六个国家。⑦奉头鼠伏：拜倒在地缩成一团。⑧狙击：刺杀。⑨戍卒：守卫地方的小兵。⑩陨命：丧命、被杀。⑪竟：终于。⑫矫称：假借。⑬度：通"渡"，渡过。⑭墟：被推翻。⑮砀：今安徽砀山。⑯血食：祭祀。

[译文]

西汉著名文学家扬雄在《法言》中说："有人问陈胜、吴广是什么样的人，我的回答是：'乱臣。'对方又说：'如果他们不起事，那么残暴的秦朝就不会灭亡。'我说：'灭亡秦朝吗？恐怕秦朝未灭而他们自己却先死了。'"

隋朝的李轨认为："陈胜和吴广在时机尚未成熟的情况下，轻举妄动，铤而走险，不仅不能为百姓带来幸福，相反却造成了严重的灾难。"

我的看法与扬雄、李轨不同。无道的秦朝残害天下生灵，原来的齐、楚、燕、韩、赵、魏六国也都是实力雄厚的大国，却相继被暴秦所灭，难道这六国的人都没有孝子贤孙和家族传统吗？为什么都恭恭敬敬地拜倒在秦人的脚下，任其宰割呢？除了韩国的张良曾在博浪沙刺杀秦始皇未遂外，终究没有一个人敢于向秦王朝挑战。陈胜只是一个微不足道的小戍卒，一旦奋不顾身地揭竿而起，天下的英雄豪杰就云集响应，共同伐秦。数月之间，因战失利，陈胜不幸被车夫庄贾所杀。陈胜虽然死了，但是他所任命和派出的王侯将相最终推翻了秦朝。项梁和项羽在江东起兵后,也是假借陈王的命令而渡过长江的。秦朝的残暴统治被推翻,是谁的功呢?难道最主要的不是陈胜、吴广的功劳吗?且能听从陈馀的建议,迎立孔子的后代孔鲋为博士,以至尊奉他为太师,他们在一起所商议的事情,绝非平庸之辈崛起后所能想到和做到的,由此难道能说陈胜的志向不远大吗?汉高祖刘邦为他在砀县设置守冢户,使他受祭祀达二百年才告断绝。扬雄指斥陈胜为乱臣,不知是什么缘故?至于杀吴广、诛故友,寡恩少义,缺乏帝王的度量,这是陈胜所以失败的真正原因。

孔 墨

墨翟以兼爱无父之故,孟子辞而辟①之,至比于禽兽,然一时之论。迨②于汉世,往往以配孔子。《列子》载惠盎见宋康王曰:"孔丘、墨翟,无地而为君,无官而为长,天下丈夫女子,莫不延颈举踵而愿安利之③。"邹阳④上书于梁孝王曰:"鲁听季孙之说逐孔子,宋任子冉之计囚墨翟,以孔、墨之辩,不能自免于谗谀⑤。"贾谊《过秦》云:"非有仲尼、墨翟之知。"徐乐⑥云:"非有孔、曾、墨子之贤。"是皆以孔、墨为一等,列、邹之书不足议,而谊亦如此。韩文公⑦最为发明⑧孟子之学,以为功不在禹下者,正以辟杨、墨耳。而著《读墨子》一篇云:"儒、墨同是尧、舜,同非桀、纣,同修身正心以治天下国家,孔子必用墨子,墨子必用孔子。不相用,不足为孔、墨。"此又何起?魏郑公《南史·梁论》,亦有"抑扬孔、墨"之语。

[注释]

①辟:回避。②迨:到了。③延颈举踵而愿安利之:无不翘首以待,时

刻准备着为他们贡献自己的力量。④邹阳：西汉前期散文学家。⑤谗谀：谗言陷害。⑥徐乐：西汉武帝时中大夫。⑦韩文公：韩愈，字退之，因官吏部侍郎，称韩吏部。谥号文，又称韩文忠公，唐代文学家。⑧发明：阐明。

[译文]

  因为墨翟提倡兼爱，主张爱无差等，不分厚薄亲疏，所以孟子拒绝见到墨子的门徒，并且有意识地回避他们，甚至还把墨子比做禽兽。不过，这种观点只是一时之论。到了汉代，人们往往以墨子配圣人孔子。《列子》中记载惠盎见宋康王说："孔丘和墨翟，虽然没有国土却与国君无异，虽然没有官职却与官员无异，天下的男女老少，无不翘首以待，时刻准备着为他们贡献自己的力量。"邹阳给梁孝王上书说："鲁国听从季孙氏的建议驱逐了孔子，宋国按照子冉的计策囚禁了墨子，以孔子和墨子的超群辩才，尚不能使自己免受谗谀之人的陷害。"贾谊的《过秦论》说："并没有像孔丘、墨翟那样的智慧。"徐乐说："没有孔子、曾子、墨子那样的贤德。"这些都是把孔子和墨子视为同一等级的人物，就算列子和邹阳的书不足为凭，而著名的政论家、文学家贾谊也是这样说的。唐朝的韩愈对孟子的学说造诣最深，往往能阐幽发微，见人之所未见。他认为孟子的功绩之所以不在大禹之下，正是因为他不赞同杨朱和墨子的主张。然而，韩愈在自己所写的《读墨子》一文中说："儒家和墨家都称赞唐尧、虞舜，都指责夏桀、商纣，都主张修身正心以治国平天下。如果真有治理国家的那一天，孔子必用墨子，墨子必用孔子；如果双方不能相互重用，那就称不上孔子、墨子。"这又是为什么呢？郑国公魏征在《南史·梁论》中也有"抑扬孔、墨"的话。

卷十五

书籍之厄

梁元帝在江陵，蓄①古今图书十四万卷，将亡之夕尽焚之。隋嘉则殿有书三十七万卷，唐平王世充，得其旧书于东都，浮舟沂河，尽覆于砥柱。贞观、开元募②借缮写，两都各聚书四部③。禄山之乱，尺简④不藏。代宗、文宗时，复行搜采；分藏于十二库。黄巢之乱，存者盖甚少。昭宗又于诸道求访，及徙洛阳，荡然无遗。今人观汉、隋、唐《经籍》、《艺文志》，未尝不茫然太息⑤也。晁以道记本朝王文康初相⑥周世宗，多有唐旧书，今其子孙不知何在。李文正⑦所藏既富，而且辟学馆以延学士大夫，不待见主人，而下马直入读书，供牢饩以给其日力⑧，与众共利之。今其家仅有败屋数楹，而书不知何在也！宋宣献家兼有毕文简、杨文庄二家之书，其富盖有王府不及者。元符中，一夕灾为灰烬。以道自谓家五世于兹，虽不敢与宋氏争多，而校雠⑨是正，未肯自逊。政和甲午之冬，火亦告谴⑩。唯刘壮舆家于庐山之阳，自其祖凝之以来，遗子孙者唯图书也，其书与七泽⑪俱富矣。于是为作记。今刘氏之在庐山者不闻其人,则所谓藏书殆亦羽化⑫。乃知自古到今,神物亦于斯文为靳靳⑬也。宣和殿、太清楼、龙图阁御府所储,靖康荡析之余,尽归于燕⑭,置之秘书省,乃有幸而得存者焉。

[注释]

①蓄:收藏、积蓄。②募:征集。③四部:指图书分经、史、子、集四部。④尺简:图书。⑤太息:叹息。⑥相:做宰相。⑦李文正:李昉,北宋大臣。⑧供牢饩以给其日力:供给伙食,与大家共同分享其利。⑨校雠:校勘纠正。⑩火亦告谴:被大火焚毁。⑪七泽:七个大湖。⑫殆:大概。羽化:烟消云散。⑬靳靳:吝啬。⑭燕:燕京,金的都城(今北京)。

[译文]

南朝梁元帝萧绎在江陵收集古今图书十四万卷,当江陵城被魏军攻陷前夕,他将藏书焚为灰烬。隋朝的嘉则殿有藏书三十七万卷,唐的军队击败王世充后,在东都洛阳获得了隋朝的旧藏书,不料在用船只溯黄河运往长安(今陕西西安)的途中,全部倾覆于砥柱。贞观(627~649年)、开元(713~741年)年间,唐朝官府在全国范围内号召士民献书,对于不愿捐献的,则由官府出面向主人借阅,待抄写完毕后再完璧归赵,结果得到了大量的珍贵书籍,全部按经、史、子、集四部分藏于长安和洛阳两都。然而,在安史之乱中,这些书籍灰飞烟灭、片纸不留。在唐代宗、唐文宗时期,唐朝官府又大规模地征集典籍,分藏于十二库之中。经过唐末黄巢之乱,这些书籍所剩无几。唐昭宗又在全国访求书籍,成绩斐然,但到迁都洛阳时,这些书籍全部被焚毁。今天,人们读《汉书》、《隋书》、《唐书》的《经籍志》或《艺文志》时,面对比比皆是的名存书无,没有不痛心、不深深叹息的。

晁以道说本朝的王文康(王溥)早年曾任周世宗的宰相,家中藏有大量的唐朝旧书,只是不知他的子孙现在流落到什么地方了。

李文正家的藏书非常丰富，于是他自己开办图书馆以便广大士大夫学习，来人下马直接进入馆内阅读，不必拜见主人。不仅如此，主人还免费为读者提供饭菜，以节约时间，他希望与众人共同利用自己的藏书。然而，时至今日，他家仅剩下几间破房，众多的藏书已片纸无存，不知去向了！宋宣献公（宋绶）接管了毕文简和杨文庄两家的藏书，其收藏之丰富，大概连王府也无法与之相比。但是，在宋哲宗元符年间（1098~1100年），这些藏书也在一夜之间被烧成灰烬。晁以道自称其家五代致力于图书收藏，虽然藏书数量不能与宋家相比，但校勘整理，绝不比别人逊色。宋徽宗政和四年（1114年）冬天，晁家不幸发生火灾，书籍损失惨重。只有庐山南麓的刘庄舆，自从他的祖上刘凝之以来，世代留给子孙的只有图书而已，家中所藏的书籍之多就像云梦、洞庭等七大湖的水一样。因此，我特意为他写记以表彰他家的传统。今天，在庐山，刘家还有一些什么人还没有听说过，如果真是这样，那么刘家所谓的藏书恐怕也不复存在了。

  由此可见，从古至今，神奇灵异之物对于文人也真够吝啬了。大宋朝宣和殿、太清楼、龙图阁等皇家书库的藏书，经过钦宗时期（1126~1127年）靖康之役战火的洗劫之后，剩下的全部运往金国的首都燕京（今北京），收藏在燕京秘书省中，这乃是有幸得以保存下来的珍贵图书。

卷十六

高德儒

唐高祖起兵太原,使子建成、世民将兵①击西河郡,执②郡丞高德儒,世民数③之曰:"汝指野鸟为鸾,以欺人主取高官,吾兴义兵,正为诛佞人耳。"遂斩之,自余④不戮一人。读史不熟者,但以为史氏⑤虚设此语,以与指鹿为马作对耳。按隋大业十一年,有二孔雀飞集宝城朝堂前,亲卫校尉高德儒等十余人见之,奏以为鸾⑥,时孔雀已飞去,无可得验,诏以德儒诚心冥会⑦,肇见嘉祥⑧,擢拜朝散大夫,余人皆赐束帛;仍于其地造仪鸾殿,距此时才二年余。盖唐温大雅⑨所著《创业起居注》载之,不追书前事故也。《新唐书·太宗纪》,但⑩书云:"率兵徇西河,斩其郡丞高德儒。"尤为简略,赖《通鉴》⑪尽纪其详。范氏⑫《唐鉴》只论其被诛一节云。

[注释]

①将兵:率领军队。②执:俘虏。③数:列举罪状。④自余:除此之外。⑤史氏:撰写史书的人。⑥鸾:凤凰。⑦冥会:默契、暗中相合。⑧肇见嘉

祥：预知吉祥。⑨温大雅：唐史学家，官至礼部尚书，封黎国公。⑩但：只。⑪赖：幸好。《通鉴》：即《资治通鉴》。⑫范氏：范祖禹，字纯甫，一字梦得，进士出身，参与《资治通鉴》纂修。

[译文]

　　唐高祖李渊在太原起兵后，就派儿子李建成、李世民率兵进攻西河郡（今山西临汾），攻克之后，抓获了郡丞高德儒。李世民一一列举高德儒之罪说："你指鸟为鸾，靠欺瞒隋炀帝获取高官，我们起兵举义的目的，正是为了除掉像你这些欺上瞒下的奸佞小人！"于是就将高德儒斩首，除此之外绝不屠戮一人。后世不熟悉唐史的人，只认为是修史者虚构了这段故事，是为了和秦赵高的指鹿为马相对照罢了。然而，事实确实如史书所载。

　　隋炀帝大业十一年（615年）的一天，有两只孔雀飞落在宫城朝堂前。亲卫校尉高德儒等十余人见到这一景观，趁机上奏隋炀帝，声称有两只鸾鸟飞落朝堂前，是吉祥之兆。此时孔雀已飞走了，高德儒的话也无从验证。隋炀帝不去明辨事实真相，就下诏褒扬高德儒对隋朝的一片忠心和预知吉祥的才能，并擢拔他为朝散大夫，其余的人也都被赐予丝织品，还在所谓二鸾鸟飞落的朝堂前建造了一座仪鸾殿。

　　此事距李世民杀高德儒仅有两年多。人们之所以认为此事属于虚构，大概是唐人温大雅的《创业起居注》里只记述了李世民杀高德儒之事，而没有追述高德儒指孔雀为鸾鸟事的缘故。《新唐书·太宗纪》中只写道："李建成、李世民率军攻克西河郡，郡丞高德儒被斩首。"更为简略。幸亏《资治通鉴》详述其事。宋人范祖禹在所撰《唐鉴》里也载有高德儒被杀一事。

酒肆旗望

　　今都城与郡县酒务，及凡鬻酒之肆①，皆揭大帘于外，以青白布数幅为之,微者②随其高卑小大,村店或挂瓶瓢,标帚秆③,唐人多咏于诗。然其制盖自古以然矣,《韩非子》云:"宋人有酤④酒者,斗概甚平⑤,遇客甚谨,为酒甚美,悬帜⑥甚高,而酒不售,遂至于酸。"所谓悬帜者此也。

[注释]

①肆:店铺。②微者:小店的幌子。③标帚秆:用扫帚秆作标志。标,标志、标识。④宋:战国时宋国,在今河南商丘一带。酤:卖。⑤斗概甚平:酒器中盛得满满的。⑥悬帜:悬挂的酒旗幌子。

[译文]

现在,都城和郡县主管酒类专卖的衙门酒务以及所有卖酒的店铺,都在门外挂上一面大帘,大帘由数幅青布或白布做成,小店的幌子可大可小、可高可低,乡村小酒店有的挂个酒瓶,也有挂个酒瓢的,还有用扫帚秆作标志的,唐代的诗文对此多有咏载。然而,这种规矩大概很早就有。

《韩非子》中记载道:"宋国人卖酒时,酒具中盛得很满,对待客人也很殷勤,造的酒非常甘美,门外的旗帜挂得也很高。他们这样做,主要是怕店中的酒卖不出去而发酸坏掉。"这里所说的悬挂旗帜,正如我们今天的酒幌子。

月中桂兔

《酉阳杂俎·天咫篇》,载月星神异数事。其命名之义,取《国语》楚灵王曰"是知天咫,安知民则"之说。其纪月中蟾桂,引释氏①书,言须弥山南面有阎扶树,月过树,影入月中。或言月中蟾桂,地影也;空处,水影也。予记东坡公《鉴空阁诗》云:"明月本自明,无心孰为境。挂空如水鉴,写此山河影。我观大瀛海，巨浸与天永。九州②居其间，无异蛇盘镜。空水两无质，相照但耿耿。妄云桂兔蟆，俗说皆可屏。"正用此说。其诗在集中，题为《和黄秀才》。顷予游南海③，西归之日，泊舟④金利山下，登崇福寺，有阁枕江流，标曰"鉴空"，正见诗牌揭其上，盖当时临赋处也。

[注释]

①释氏：释迦牟尼，佛家。②九州：中原地区的行政区划。具体所指，说法不一。③南海：西汉后南海，即今南海。④泊舟：停船。

[译文]

《酉阳杂俎·天咫篇》中记载了一些有关日月星辰的神话故事。"天咫"之名的出处，见之于《国语》，这里说是楚灵王说的："是知天咫，安知民则。"另外，《天咫篇》还载月亮中的蟾蜍和桂树，是引用佛经的说法，说是须弥山南边有棵阎扶树，月亮从这棵树上空经过时，树影映入月中。有的人认为，月中的蟾蜍和桂树，是陆地的影子；空白的地方，是水的影子。

我记得苏轼先生在其《鉴空阁诗》中写道："明月本自明，无心孰为境。挂空如水鉴，写此山河影。我观大瀛海，巨浸与天永。九州居其间，无异蛇盘镜。空水两无质，相照但耿耿。妄云桂兔蟆，俗说皆可屏。"这首诗正是采用的这种说法。该诗在他的文集中，题为《和黄秀才》。

不久前，我到南海游览，返回的时候，把船停在金利山下，登上崇福寺。发现寺内有一阁凌空架在江流之上，此阁题名为"鉴空"。并且看到苏轼的这首诗刻在亭前石碑上，大概这里就是当年苏轼登临赋诗的地方。

醉尉亭长

李广免将军为庶人①，屏居②蓝田，尝夜从一骑出，从人田间饮,还至亭,霸陵尉醉呵止③广。后广拜④右北平太守,请尉与俱,至军而斩之,上书自陈谢罪,武帝报曰:"报忿除害,朕之所图⑤于将军也。"王莽窃位,尤备大臣抑夺下权,大司空⑥士夜过奉常亭,亭长呵之,告以官名,亭长醉曰:"宁有符传⑦邪!"士以马箠击亭长⑧,亭长斩士,亡,郡县逐之家。上书,莽曰:"亭长奉公⑨,勿逐。"大司空王邑斥士以谢。予观此两亭尉长,其醉等耳。霸陵尉但呵止李广,而广杀之,武帝不问;奉常亭长杀宰士,而王莽反以奉公免之,亦可笑也。

[注释]

①庶人:百姓。②屏居:退居。③呵止:大声呵斥,禁止通行。④拜:升任。⑤图:希望。⑥大司空:汉代三公之一。⑦符传:出征时朝廷发给将领的凭证。⑧亭长:汉代地方基层组织设亭,亭设亭长。⑨奉公:执行公务。

[译文]

西汉名将李广因与匈奴交战失利,被贬为平民,隐居在蓝田(今陕西蓝田)。一天夜里,他带着一名随从骑马外出,与人在田间饮酒。返回路上,到霸陵(今陕西长安县东)亭时,霸陵亭尉因喝醉了酒而大声呵斥李广,禁止他们通行。后来,李广被起用为右北平太守,请求让那个亭尉与自己一道去右北平。那个亭尉来到军中后,李广马上命人将其斩首。事后,他上书朝廷说明情况并请求治罪,而汉武帝却批复说:"报忿除害,正是我任用你的目的!"

西汉末年,王莽篡位,建立新朝,害怕大权旁落,对大臣严加防备。一天晚上,位居三公之一的大司空王邑手下的一个人路过奉常亭时,亭长大声呵斥他。这人说明了自己的身份,但喝醉了酒的亭长还是蛮横地问:"你有证件吗?"这人听后,恼羞成怒,拿起鞭子就抽打亭长,亭长拔刀还击,格斗中杀死了此人,然后逃之夭夭。郡守县令得知后,命人到处追捕。亭长家人上书王莽说明情况,王莽批复说:"亭长是执行公务,赦免其罪,不要追究了。"大司空王邑还因为此事斥退了手下的其他人，以此谢罪。我看这两位亭尉亭长，都是处在酩酊大醉之中，霸陵亭尉仅呵斥阻止了李广，李广便杀了他，而汉武帝竟不怪罪李广；奉常亭长杀了大司空手下的人，而王莽却认为他是执行公务而免其罪过，这也实在是太可笑了！

唐人酒令

白乐天诗："鞍马呼教住，骰盘喝遣输。长驱波卷白，连掷采成卢。"注云：骰盘、卷白波、莫走鞍马，皆当时酒令。予按皇甫松[①]所著《醉乡日月》三卷，载骰子令云：聚十只骰子齐掷，自出手六人，依采饮焉。堂印[②]，本采人劝合席，碧油，劝掷外三人。骰子聚于一处，谓之酒星，依采聚散。骰于令中，改易不过三章，次改鞍马令，不过一章。又有旗幡令、闪擪令、抛打令。今人不复晓其法矣，唯优伶[③]家，犹用手打令以为戏云。

[注释]

①皇甫松：一作皇甫嵩，字子奇，号檀栾子，工于词。②堂印：骰子掷双重四。③优伶：戏剧表演者。

[译文]

唐代白居易在一首诗中写道："鞍马呼教住，骰盘喝遣输。长驱波卷白，连掷采成卢。"在这里，白居易作注说："骰盘、卷白波、莫走鞍马，都是当时的酒令。"

我在皇甫松所著《醉乡日月》三卷里，见有对骰子令的具体记载。这里说：拿十个骰子一起掷出，自出手的六人，按照采点饮酒。如果掷得堂印，得采人要劝席上所有的人；掷得碧油，得采人要劝掷骰子以外的三个人。骰子全聚在一起，称为酒星，按照采点先后聚散。骰子令中改易不能超过三次；接着改为鞍马令，改易不能超过一次。还有旗幡令、闪躩令、抛打令。现在人们已经不完全明白那些行令的方法了，只有专门从事文娱表演的优伶人家，还用手打令作为饮酒游戏。

三 笔

卷 一

上元张灯

上元①张灯,《太平御览》所载《史记·乐书》:"汉家祀太一②,以昏时祠到明。"今人正月望日游观灯,是其遗事,而今《史记》无此文。唐韦述③《两京新记》曰:"正月十五日夜,敕金吾驰禁,前后各一日以看灯。"本朝京师增为五夜,俗言钱忠懿④纳土,进钱买两夜。如前史所谓买宴之比。初用十二、十三夜,至崇宁初,以两日皆国忌⑤,遂展至十七、十八夜。予按国史,乾德五年正月,诏以朝廷无事,区宇乂安⑥。令开封府更增十七、十八两夕。然则俗云因钱氏及崇宁之展日,皆非也。太平兴国五年十月下元,京城始张灯如上元之夕,至淳化元年六月,始罢中元⑦、下元⑧张灯。

[注释]

①上元:农历正月十五。②太一:太阳神,天帝之别名。③韦述:唐史学家。④钱忠懿:五代越王钱镠。⑤国忌:皇帝、皇后死亡之日。⑥区宇乂安:国家太平安宁。⑦中元:农历七月十五。⑧下元:农历十月十五。

[译文]

正月十五是上元节,也就是民间所说的元宵节。《太平御览》中引录的《史记·乐书》记载:"汉朝时每逢元宵节要祭祀东皇太阳神,祭祀从头天傍晚一直持续到第二天天亮。"现在人们每年正月十五日夜都要游玩观灯,就是汉朝祭祀太阳神的遗风,但是今天的《史记》中已见不到描述祭祀太阳神的文字了。

唐朝韦述写的《两京新记》中说:"每年正月十五的晚上,朝廷都要下旨命令都城内巡察治安的官员手执金吾维持治安,同时解除各种禁令,允许百姓在元宵节前后的各一天在京城内观灯。"

到宋朝时京城内的观灯时间增加到五个晚上,民间流行的说法是吴越王钱镠归附后,向朝廷献钱买下两夜灯展。这与前史上说的花钱买酒宴相类似。最初这两夜灯展排在正月十二、十三晚上,到北宋徽宗崇宁初年,由于这两天是国忌日,于是就推迟到了正月十七、十八两夜。

后来,我查阅国史后得知,宋太祖乾德五年(967年)正月,皇上下诏宣告朝廷无事,天下太平,令开封府增加正月十七、十八两天为观灯日。可见前面所提到的民间流传的所谓钱镠捐钱买下的灯展及宋徽宗崇宁初年延展灯期的说法都不正确。宋太宗太平兴国五年(980年)十月十五的下元节,京城开封开始像上元节一样悬挂彩灯。宋太宗淳化元年(990年)六月,开始取消七月十五中元节、十月十五下元节悬挂彩灯的习惯。

七夕用六日

太平兴国三年七月,诏:"七夕嘉辰,著于甲令[①],今之习俗,多用六日,非旧制也。宜复用七日。"且名为七夕而用六,不知自何时始。然唐世无此说，必出于五代耳。

[注释]

① 甲令：又称令甲，国家法令制度。

[译文]

北宋太平兴国三年（978年）七月时，太宗皇帝颁布诏书说："每年七月初七的七夕节，是个美好的日子，应该把它固定下来，载入国家制度之中。而现在的习俗，却多采用七月初六，这与原来的礼制不符，应该恢复采用七月初七。"名字上叫是七夕却采用初六，这种做法不知是什么时候开始的。然而唐朝时还没有这么做，那么这种做法必定始于五代。

卷 二

刘项成败

汉高帝、项羽起兵之始，相与北面①共事怀王。及入关②破秦，子婴出降，诸将或言诛秦王。高帝曰："始怀王遣我，固以能宽容，且人已服降，杀之不祥。"乃以属吏。

至羽则不然，既杀子婴，屠咸阳，使人致命于怀王。王使如初约，先入关者王其地③。羽乃曰："怀王者，吾家武信君④所立耳，非有功伐，何以得颛⑤主约？今定天下，皆将相诸君与籍⑥力也，怀王亡功，固当分其地而王之。"于是阳⑦尊王为义帝，卒至⑧杀之。

观此二事，高帝既成功，犹敬佩王之戒，羽背主约，其末至于如此，成败之端，不待智者而后知也。高帝微时，尝繇⑨咸阳，纵观秦皇帝，喟然太息曰："大丈夫当如此矣！"至羽观始皇，则曰："彼可以取而代也。"虽史家所载，容有文饰⑩，然其大旨，固可见云。

[注释]

①相与北面：相互约定北面称臣。北面，古代君王坐北向南，臣见君王面朝北，对人称臣，故称为北面。②关：关中，今陕西西安一带。③王其地：统治这块土地。王，统治。④武信君：项梁，项羽叔父。⑤颛：通"专"，独自。⑥籍：项羽。⑦阳：表面。⑧卒至：最终。⑨繇：同"徭"，徭役。⑩文饰：文字上的修饰。

[译文]

当初汉高祖刘邦、西楚霸王项羽起兵的时候，曾约定要面向北方共同侍奉楚怀王。后来刘邦攻入关中，打败了秦军，秦王子婴出城投降，军中将领有人建议把他杀掉。刘邦说道："以前楚怀王派遣我，是因为我宽容待人，况且子婴已经归顺投降了，如果再杀掉他，就会带来不祥的后果。"因而就把子婴留下做了属吏。

然而，项羽入关以后情况则不是这样，他先是杀了子婴，接着又血洗了咸阳城，最后才派人到怀王那里禀报受命。楚怀王要求他履行当初立下的盟约，谁率先进入关中，就是这块地方的统治者。但项羽却说："楚怀王是依靠我叔父武信君项梁才拥立的，没有任何攻伐之功，又有什么资格来主持盟约呢？如今天下能够被平定，靠的是各位将领和我项羽的力量，怀王没有一点儿功劳，依我看，原本就该瓜分了他的地盘由我们来统治。"虽然项羽表面上也将怀王尊为义帝，但最终还是杀了他。

观察分析刘邦、项羽的不同行为，汉高祖破秦已取得成功，还能够恭敬地遵守楚怀王的告诫，但项羽却违背盟约，以致后来发展到杀害怀王的地步。成功与失败的迹象，聪明人是不必等到最后才能看出来的。当年汉高祖身份卑微的时候，曾经在咸阳服过役，纵观秦始皇，长叹一声说："大丈夫应当如此。"而项羽看到秦始皇，竟然说："我可以取代此人。"这些虽属于史家的记载，其中或许掺有夸张的成分，但它所隐含的主要意思是可想而知的。

平天冠

祭服①之冕，自天子至于下士执事者皆服之，特以梁数及旒之多少为别②。俗呼为平天冠，盖指言至尊③乃得用。范纯礼知开封府，中旨鞫④淳泽村民谋逆事。审其故⑤，乃尝入戏场观优，归涂⑥见匠者作桶，取而戴于首，曰："与刘先主如何？"遂为匠擒。明日入对，徽宗问何以处⑦。对曰："愚人村野无所知，若以叛逆蔽罪，恐辜好生之德⑧，以不应为杖之，足矣。"按《后汉·舆服志》蔡邕注冕冠曰："鄙人⑨不识，谓之平天冠。"然则其名之传久矣。

[注释]

①祭服：祭祀的礼服。②旒：古代帝王礼帽前后悬垂的玉串。别：等级区别。③至尊：天子。④鞫：审讯。⑤故：事件的缘由。⑥归涂：回家的途中。涂，通"途"，道路。⑦何以处：如何处置。⑧恐辜好生之德：恐怕损害了皇上乐于救助生命的美德。⑨鄙人：鄙陋浅薄之人、粗俗之人。

[译文]

祭祀服饰中的冠冕，上至天子，下到主持祭祀的人都要佩戴，而以帽子上的横脊数和冠冕前后悬挂玉珠组缨的多少来区别等级。它的俗称为平天冠，大意是只有天子才可佩戴。

范纯礼任开封府尹时，曾奉旨审讯淳泽村民谋反的事。范纯礼命人调查事情的缘由，得知原来这个村民到戏场看戏，戏的内容与刘备有关。在回家的路上遇见一个工匠在做水桶，他随手拿起一个水桶戴在头上，问工匠："我这个样子与刘先主相比怎么样？"工匠见此，就去报官。于是，这个村民就被捉拿了。第二天，范纯礼上朝禀奏有关审理的情况。宋徽宗问他如何处理此案，范纯礼回答：

"这些乡村野夫什么都不懂,如果定他个叛逆之罪,恐怕有损皇上圣德,不如以不应当这样做为由,用木棍打他几下,给他个教训就足够了。"

按《后汉书·舆服志》中蔡邕在注释冕冠时说:"粗俗之人不认识,称它平天冠。"如此看来,平天冠的名称由来已久了。

卷 三

北狄俘虏之苦

元魏破江陵，尽以所俘士民为奴，无问①贵贱，盖北方夷俗②皆然也。自靖康③以后，陷于金虏者，帝子王孙，宦门仕族之家，尽没为奴婢，使供作务。每人一月支稗子五斗，令自舂④为米，得一斗八升，用为餱粮⑤。岁支麻五把，令缉⑥为裘。此外，更无一钱一帛之入。男子不能缉者，则终岁裸体，虏或哀之，则使执爨。虽时负火得暖气，然才出外取柴，归再坐火边，皮肉即脱落，不日⑦辄死。惟喜有手艺，如医人、绣工之类，寻常⑧只团坐地上，以败席或芦藉衬之。遇客至开筵，引能乐者使奏技，酒阑客散，各复其初，依旧环坐刺绣，任其生死，视如草芥。

先公在英州⑨，为摄守⑩蔡俊言之，蔡书于《甲戌日记》，后其子大器录以相示。此《松漠记闻》所遗也。

[注释]

①无问：不论。②夷俗：北方少数民族的习俗。③靖康：宋钦宗的年号。

④自舂:自己舂成米。⑤馕粮:干粮。⑥缉:纺织。⑦不日:不几天。⑧寻常:平时。⑨先公:此指作者的父亲洪皓。英州:今广东英德。⑩摄守:代理太守。

[译文]

北魏拓跋氏攻破江陵(今属湖北)后,就将所俘获的将士和百姓,不分身份的高低贵贱,全都当做奴隶。这大概就是北方少数民族的习俗。

宋朝自靖康之变(1127年)以后,被金朝俘虏的臣民,不论是帝王子孙,还是官宦世家,全部被当做奴隶,迫使他们服役干杂活;他们每人每月可领到五斗稗子,由自己舂成米,去壳后只有一斗八升,这就是一个人一个月的口粮。另外,他们每人每年可领到五把麻,由自己纺线织衣。除此之外,什么物质待遇也没有了。有些男子不会纺线,只得整年赤身裸体,有的金人可怜他们,就让他们干些烧火煮饭的活。虽然靠近火可以暂时取些暖,可也必须到外边去打柴,遇到特别寒冷的天气,刚从外面取柴回来,再坐到火边,一冷一热的变化,就会造成皮肉脱落。过不了几天,他们就悲惨地死去了。而那些会某种手艺的人,像医生、刺绣工之类,唯一值得庆幸。平时他们都团坐在地上干活,身下垫些破席或芦苇秆。如果主人宴请客人,就从他们中间挑出能歌善舞的人前去演一回刺绣,如同对待草芥一样,听任他们的死活。

我的父亲洪皓在英州时,曾对英州代理太守蔡俊讲过这件事,蔡俊把它记入《甲戌日记》中,后来他的儿子蔡大器把它抄出给我看。这是《松漠记闻》中遗漏没有记述的。

东坡和陶诗

《陶渊明集·归园田居》六诗,其末"种苗在东皋"一篇,乃江文通①杂体三十篇之一，明言②敩陶征君③《田居》，盖陶之三章云："种豆南山下，草盛豆苗稀。晨兴理荒秽，带月荷④锄归。"故文通云："虽有荷锄倦，浊酒聊自适。"正拟其意也。今陶集误编入，东坡据而和⑤之。又"东方有一士"诗十六句，复重载于《拟古》九篇中，坡公遂亦两和之，皆随意即成，不复细考耳。陶之首章云："荣荣窗下兰，密密堂前柳。初与君别时，不谓行当久。出门万里客，中道逢嘉友。未言心先醉，不在接杯酒。兰枯柳亦衰，遂令此言负。"坡和云："有客扣我门，系马庭前柳。庭空鸟雀噪，门闭客立久。主人枕书卧，梦我平生友。忽闻剥啄声，惊散一杯酒。倒裳起谢⑥客，梦觉两愧负。"二者金石合奏，如出一手，何止子由⑦所谓遂与比辙者哉！

[注释]

①江文通：江淹，字文通，南朝文学家。②明言：明确说明。③陶征君：陶渊明，名潜，字渊明，一说名渊明，字元亮，东晋文学家。征君，为官府征召但不接受官职的人。④荷：负荷、肩负。⑤和：和诗。⑥谢：道歉。⑦子由：苏辙字子由，苏洵子，苏轼弟。与父、兄合称三苏，为唐宋八大家之一。

[译文]

《陶渊明集》中《归园田居》共六首诗，其最后"种苗在东皋"一篇，是南朝文学家江淹杂体诗三十篇中的一篇，江淹明确地说这首诗是学陶渊明《归园田居》的。因为陶诗第三章说："种豆南山下，草盛豆苗稀。晨兴理荒秽，带月荷锄归。"所以江文通所说："虽有荷锄倦，浊酒聊自适。"正是模仿这首诗写出来的。现在的《陶渊明集》却把这首诗错误地编了进去，而苏东坡又以陶集为依据和了这首诗。又如"东方有一士"诗十六句，重复载入《拟古》诗九篇里面，苏东坡于是也写了两首和诗，全是随意写成，并没有仔细考订。

陶渊明《归园田居》首篇写道："荣荣窗下兰，密密堂前柳。

初与君别时,不谓行当久。出门万里客,中道逢嘉友。未言心先醉,不在接杯酒。兰枯柳亦衰,遂令此言负。"苏东坡和道:"有客扣我门,系马庭前柳。庭空鸟雀噪,门闭客立久。主人枕书卧,梦我平生友。忽闻剥啄声,惊散一杯酒。倒裳起谢客,梦觉两愧负。"这两首诗,可称为金石合奏,仿佛是一人的手笔,而决不像苏东坡弟弟苏子由所说这两首诗可以和陶诗相比。

文用谥字

先王谥①以尊名,节以壹惠,故谓为易名。然则谥之为义,正训名②也。司马长卿③《谕蜀文》曰:"身死无名,谥为至愚。"颜注④云:"终以愚死,后叶⑤传称,故谓之谥。"柳子厚⑥《招海贾文》曰:"君不返兮谥为愚。"二人所用,其意则同。唯王子渊《箫赋》曰:"幸得谥为洞箫兮,蒙圣主之渥⑦恩。"李善谓:"谥者,号也,言得谥为箫而常施用之。"以器物名为谥,其语可谓奇矣。

[注释]

①谥:古代帝王或官吏死后追加的称号。②训名:学名。由父亲或师长确定的名字。③司马长卿:司马相如,字长卿,西汉蜀郡成都人。著名文学家。④颜注:颜师古注。颜师古,名籀,字师古,官至秘书监、弘文馆学士。唐代著名史学家、书法家。⑤后叶:后世。⑥柳子厚:柳宗元,字子厚,唐代文学家。⑦渥:厚重。

[译文]

先王死去后往往要追加一个尊贵的名字,这个名字一般只用一个字,显得简洁方便,称做换名。可见谥字的词义就是起名的意思。

汉朝司马相如作的《谕蜀文》中说:"临死之时还没有名气,死后就起名叫做至愚。"颜师古作注释说:"到死的时候仍很愚笨,后世便以此传着称呼他,相当于给他起名了。所以叫做谥。"唐朝柳宗元在《招海贾文》中说:"君一去不返,死在那里,给你起名为至愚。"这两个人文中使用的谥字意义都是一样的。只有王子渊的《箫赋》中说:"有幸起名叫做洞箫,承蒙圣主的厚恩。"李善注释说:"谥,就是号的意思,是说死后起名叫洞箫,可以经常地用到它。"用器物的名字来作为谥号,也可称为奇特了。

卷 四

旧官衔冗赘

国朝官制，沿晚唐、五代余习，故阶衔①失之冗赘②。予固已数书之。比③得皇祐中李端愿所书"雪窦山"三大字，其左云："镇潼军节度观察留后、金紫光禄大夫、检校刑部尚书、使持节华州诸军事、华州刺史兼御史大夫、上柱国。"凡四十一字。自元丰以后，更使名，罢文散阶、检校官、持节、宪衔、勋官，只云"镇潼军承宣使"六字，比旧省去三十五，可谓简要。会稽④禹庙有唐天复年越王钱镠所立碑，其全衔九十五字，尤为冗也。

[注释]

①阶衔：用来表示官员等级而无实际职掌的官称。②冗赘：烦琐、累赘。③比：近来。④会稽：今浙江绍兴。

[译文]

宋代的官制，是沿用唐、五代时期职官制度而来，因而官衔冗长。

近来，我见到仁宗皇祐李端愿书写的"雪窦山"三个大字，在三个大字的左侧，落款是长达四十一个字的官衔："镇潼军节度观察留后、金紫光禄大夫、检校刑部尚书、使持节华州诸军事、华州刺史兼御史大夫、上柱国。"

自神宗元丰年间改革官制后，改了节度使的名称，去掉了文散官官阶、检校官、持节、宪衔、勋官，简化为"镇潼军承宣使"六字，比以前旧称减少了三十五个字，可算是简明得多了。

在会稽的禹庙中，有后唐昭宗天复年间越王钱镠所立的碑，碑上刻有他的官衔全称长达九十五个字，这就更为烦琐了。

宣告错误

士大夫告命，间有错误，如文官则犹能自言，书铺亦不敢大有邀索；独右列①为可怜，而军伍中出身者尤甚。予检详密院诸房日，有泾原②副都军头乞换授③，而所持宣内添注"副"字，为房吏所沮④，都头者不能自明，两枢密⑤以事见付，予视所添字与正文一体，以白两枢曰："使诉者为奸，当妄增品级，不应肯以都头而自降为副，其为写宣房之失，无可疑也。"枢以为然，乃为改正。武翼郎李青当磨勘⑥，尚左验其文书，其始为"大李青"，吏以为罔冒，青无词以答。周茂振权⑦尚书，阅其告命十馀通，其一告前云"大李青"，而告身误去"大"字，故后者相承，只云"李青"，即日放行迁秩，且给公据付之。两人者几困于吏手，幸而获直。用是以知枉郁不伸者多矣。

[注释]

①右列：武官。②泾原：今甘肃平凉。③换授：调任官职。④沮：阻止。⑤枢密：枢密使，宋代最高军事机关的行政长官。⑥磨勘：唐宋官员考绩升迁

的制度。⑦权：代理。

[译文]

　　士大夫的请求报告中，时常出现错误，如果是文官则仍可以自己说明，中书省、吏部房吏也不敢有大的为难。唯独武官可怜，而从基层军队中出身的武官尤其严重。我在检详枢密院诸房任职时，有一位泾原副都军头请求换官职，而他所拿的报告中添注有一个"副"字，被管房的官吏所阻挠，都头这个人又不能自己说明白。两位枢密使把此事交付给我，我审视所添的字与正文是一个字体，就对两位枢密使说："假使申诉者做假，应当是乱增加品级，不可能把都头自己降为副职；这是起草报告的人的失误，没有什么可怀疑的。"枢密使以为我的判断正确，就为都头调换了官职。武翼郎李青经过磨勘应当升级，尚书左丞在查检他的报告材料时，发现文书开始称"大李青"，房吏认为李青是冒名顶替，李青无法辩白。于是，房吏便将报告压了下来。周茂振代理吏部尚书，阅读了他的十多篇报告，其中第一篇前面称"大李青"，而报告正文中误漏掉"大"字，所以后来各篇也都没有"大"字，只称"李青"。当天就放行，为李青升了俸级，而且把周茂振提出的证据附在公文中。泾原都头和李青两人都差一点困在房吏手中，侥幸得以伸直解决。由此可见，冤枉得不到伸直的该有多少啊！

卷 五

枢密名称更易

国朝枢密①之名，其长为使，则其贰②为副使；其长为知院③，则其贰为同知院。如柴禹锡知院，向敏中同知，及曹彬为使，则敏中改副使。王继英知院，王旦同知，继冯拯、陈尧叟亦同知，及继英为使，拯、尧叟乃改签书院事，而恩例④同副使。王钦若、陈尧叟知院，马知节签书，及王、陈为使，知节迁副使，其后知节知院，则任中正、周起同知。惟熙宁初，文彦博、吕公弼已为使，陈升之过阙，留王安石以升之曾再入枢府，遂除⑤知院。知院与使并置，非故事⑥也，安石之意以沮⑦彦博耳。绍兴以来，唯韩世忠、张俊为使，岳飞为副使。此后除使固多，而其贰只为同知，亦非故事也。又使班视宰相，而乾道职制杂压⑧，令⑨副使反在同知院之下，尤为未然⑩。

[注释]

①枢密：枢密院，宋代为最高军事机关。②贰：副手、副职。③知院：知枢密院之简称。④恩例：指帝王为宣示恩德而颁布的条例。⑤除：任命。

⑥故事:既定的条例。⑦沮:阻止。⑧乾道:宋孝宗年号。杂压:紊乱。
⑨令:使。⑩尤为未然:更是从来没有过先例。

[译文]

宋朝枢密的名字,它的长官称枢密使,副职称为枢密副使,它的长官为知院,副长官称同知。如柴禹锡做过枢密院知院,向敏中做过同知,到曹彬任枢密使时,向敏中就改为枢密副使。王继英为知院时,王旦为同知,继而冯拯、陈尧叟也为同知。到王继英为枢密使时,冯拯、陈尧叟就改签书院事,他的待遇和枢密副使相同。王钦若、陈尧叟任知院,马知节做签书。到了王钦若、陈尧叟为枢密使时,马知节改为副使,其后马知节做了知院,任中正、周起就一起被任命为同知。仅宋神宗熙宁初年,文彦博、吕公弼已经为枢密使,而陈升之因为超过缺数,加以滞留,王安石因为陈升之的滞留曾经再次进入枢密府,被任命为知院。知院和枢密使同时设置,并不是成例,王安石的意思是要阻止文彦博进入枢密院。宋高宗绍兴以来,只有韩世忠、张俊为枢密使,岳飞为枢密副使。从此以后,任枢密使的人固然不少,而其副职只有同知,也不是固定的成例。另外,枢密使一直被视同宰相,孝宗乾道年间官职制度紊乱,枢密副使反而位在同知院之下,更是没有听说过。

缚鸡行

老杜①《缚鸡行》一篇云:"小奴缚鸡向市卖,鸡被缚急相喧争。家中厌鸡食虫蚁,不知鸡卖还遭烹。虫鸡与人何厚薄?吾叱奴儿解其缚。鸡虫得失无了时,注目寒江倚山阁。"此诗自是一段好议论,至结句之妙,非他所能跂及②也。

予友李德远③尝赋《东西船行》,全拟其意,举以相示云:

"东船得风帆席高,千里瞬息轻鸿毛。西船见笑苦迟钝,汗流撑折百张篙。明日风翻波浪异,西笑东船却如此。东西相笑无已时,我但行藏任天理。"

是时,德远诵至三过,颇自喜。予曰:"语意绝工,几于得夺胎法④,只恐'行藏任理'与'注目寒江'之句,似不可同日语。"德远以为知言⑤,锐欲易之,终不能满意也。

[注释]

①老杜:即杜甫,字子美,自号少陵野老。唐代著名文学家,人称"诗圣"。②跂及:比得上。③李德远:名浩,建昌人,宋绍兴年间进士,官至吏部侍郎。④夺胎法:作诗的方法,有继承,又有改变。⑤知言:有见地之见解。

[译文]

杜甫的《缚鸡行》写道:"小奴缚鸡向市卖,鸡被缚急相喧争。家中厌鸡食虫蚁,不知鸡卖还遭烹。虫鸡与人何厚薄?吾叱奴儿解其缚。鸡虫得失无了时,注目寒江倚山阁。"这首诗确实是一段很好的描述,至于其收尾句的绝妙之处,更是他人所不能比拟的。

我的一位朋友李德远曾经作过一首名为《东西船行》的诗,完全是依照《缚鸡行》的结构而写的,我把它公布于众,诗中写道:"东船得风帆席高,千里瞬息轻鸿毛。西船见笑苦迟钝,汗流撑折百张篙。明日风翻波浪异,西笑东船却如此。东西相笑无已时,我但行藏任天理。"

当时,李德远朗读了三遍,自己很满意。我也谈了自己的看法,说:"这首诗遣词用句绝对精巧,几乎达到了炉火纯青的水平,但你的'行藏任理'一句与杜甫的'注目寒江'之句,似还不能相提并论。"李德远认为我的话很有道理,就马上想换掉这一句,但最终没能达到令人满意的地步。

油污衣诗

予甫①十岁时,过衢州②白沙渡,见岸上酒店败壁间,有题诗两绝,其名曰《犬落水》、《油污衣》,犬诗太俗不足传,独后一篇殊有理致,其词云:"一点清油污白衣,斑斑驳驳使人疑。纵饶洗遍千江水,争似当初不污时。"是时甚爱其语,今六十余年,尚历历不忘,漫志③于此。

[注释]

①甫:刚。②衢州:今浙江衢县。③漫志:随手记下。

[译文]

我十岁的时候,有一次路过衢州白沙渡口,看到一家酒店破败的墙壁上,写有两首绝句,题名叫《犬落水》和《油污衣》。《犬落水》一首写得很粗俗,不值得传抄;后一篇《油污衣》写得相当有哲理有情致,其词是:"一点清油污白衣,斑斑驳驳使人疑。纵饶洗遍千江水,争似当初不污时。"当时,我非常喜爱这首诗,至今六十多年了,还记忆清晰,因而就随手记了下来。

州郡书院

太平兴国五年,以江州①白鹿洞主明起为褒信②主簿。洞在庐山之阳③,尝聚生徒数百人。李煜有国时,割善田数十顷,取其租禀给之;选太学④之通经者,俾领⑤洞事,日为诸生讲诵。于是起建议以其田入官,故爵命之。白鹿洞由是渐废。

大中祥符二年,应天府⑥民曹诚,即楚丘戚同文旧居造舍百五十间，聚书数千卷，博延生徒，讲习甚盛。府奏其事。诏赐额曰应天府书院。命奉礼郎戚舜宾主之，仍令本府幕职官提举⑦，以诚为府助教⑧。

宋兴，天下府州有学自此始。其后，潭州⑨又有岳麓书院。及庆历中，诏诸路州郡皆立学，设官教授，则所谓书院者当合而为一。

今岳麓、白鹿复营之，各自养士，其所廪给礼貌乃过于郡庠。近者巴州亦创置，是为一邦而两学矣。大学、辟雍⑩并置，尚且不可，是于义为不然也。

[注释]

①江州：今江西九江。②褒信：今河南息县东北。③阳：南面。④太学：国家设立的最高学府。⑤领：管理、主管。⑥应天府：今河南商丘。⑦提举：管理。⑧助教：学校的教官。⑨潭州：今湖南长沙。⑩辟雍：西周时的大学，最高学府。宋代辟雍为太学的外学。

[译文]

宋太宗太平兴国五年（980年），江州白鹿洞主明起任褒信县主簿。白鹿洞在庐山的南面，那里曾聚集生员数百人。南唐李煜做皇帝的时候，曾拿出数十顷肥沃的田地租种，把收取的田租仓米作为书院学生的生活费用；又从太学中挑选精通经书的人，让他主管白鹿洞的事务，天天给学生讲解经书。此后，明起建议把这些田地入了官，朝廷因而赐给他爵位。白鹿洞由此而逐渐衰败。

宋真宗大中祥符二年（1009年），应天府百姓曹诚，在楚丘（今山东曹县东北）戚同文旧居建造了一百五十间校舍，收集图书数千卷，广招生员，讲习经书，盛况空前。应天府把曹诚的事迹奏明了皇上。皇上于是下诏赏赐一副匾额，上书"应天府书院"。命礼部郎戚舜宾主持书院事务，仍命应天府幕僚官员负责管理，任命曹诚为应天府助教。

自宋朝兴起后,各州府才开始设学校。在应天府书院之后,潭州又设立了岳麓书院。宋仁宗庆历年间（1041～1048年）,命令各路州郡都设学校,设置教官教授学生,往往与书院合而为一了。

现在岳麓书院、白鹿书院还要进行营造,各自培养学士,学生在此受到的待遇和礼遇都要超过州郡学校。近来巴州也开始创办书院,这样一个地方就拥有两所学校了。大学与辟雍同时设置尚且不可,如此就更违背义理了。

卷 六

白公夜闻歌者

白乐天《瑟琶行》,盖在浔阳①江上为商人妇所作。而商乃买茶于浮梁②,妇对客奏曲,乐天移船。夜登其舟与饮,了无③所忌,岂非以其长安故倡女不以为嫌耶!集中又有一篇题云《夜闻歌》者,时自京城谪浔阳,宿于鄂州④,又在《琵琶》之前。其词曰:"夜泊鹦鹉洲,秋江月澄澈。邻船有歌者,发调堪愁绝!歌罢继以泣,泣声通复咽。寻声见其人,有妇颜如雪。独倚帆樯立,娉婷十七八。夜泪似真珠,双双堕明月。借问谁家妇,歌泣何凄切?一问一沾襟,低眉终不说。"

陈鸿⑤《长恨传序》云:"乐天深于诗,多于情者也。故所遇必寄之吟咏,非有意于渔色。"然鄂州所见,亦一女子独处,夫不在焉。瓜田李下⑥之疑,唐人不讥也。

今诗人罕谈此章,聊复表出。

[注释]

①浔阳:今江西九江。②浮梁:今江西景德镇。③了无:毫无,全然没

有。④鄂州：今湖北武汉。⑤陈鸿：字大亮，唐代小说家，撰有《大统记》。⑥瓜田李下：又作李下瓜田，在李树下不整冠，在瓜田中不穿鞋，以防被人怀疑偷李偷瓜。比喻避免招惹怀疑。

[译文]

  白居易的《瑟琶行》，大概是在浔阳江上为商人的妻子而作。商人到浮梁买茶，他的妻子对着客人弹曲子。白居易划着小船，夜里登上人家的小舟与她对饮，没有丝毫忌讳，难道他不是把商人妻子看做长安城里他熟悉的歌伎了吗？难道他不认为这会招致嫌疑吗？

  白居易的诗集中还有一篇题为《夜闻歌》的诗，作于《瑟琶行》之前，当时白居易自京城长安贬至浔阳，途中宿于鄂州，诗中写道："夜泊鹦鹉洲，秋江月澄澈。邻船有歌者，发调堪愁绝！歌罢继以泣，泣声通复咽。寻声见其人，有妇颜如雪。独倚帆樯立，娉婷十七八。夜泪似真珠，双双堕明月。借问谁家妇，歌泣何凄切？一问一沾襟，低眉终不说。"

  陈鸿在《长恨传序》中说："白居易精通于诗，而且多运用自己的情感所写，因此凡他所遇之事一定夹杂情感进行抒发吟咏，而不是有意猎取美色。"虽然陈鸿评说得十分清楚，白居易在鄂州所遇到的情况，偏偏是一女子独处在那里，丈夫也不在，这未免让人产生瓜田李下的怀疑。而唐代的人并没有讥讽他。

  现在作诗的人也很少谈起这首诗，我不妨将它写下来。

卷 七

唐观察使

唐世于诸道①置按察使，后改为采访处置使，治于所部之大郡。既又改为观察，其有戎旅②之地，即置节度使。分天下为四十余道，大者十余州，小者二三州，但令访察善恶，举其大纲③，然兵甲、财赋、民俗之事，无所不领，谓之都府，权势不胜其重，能生杀人④，或专私⑤其所领州，而虐视⑥支郡。元结为道州刺史，作《舂陵行》，以为"诸使诛求符牒二百余通"，又作《贼退示官吏》一篇，以为"忍苦哀敛⑦"。阳城守道州，赋税不时⑧，观察使数诮责⑨，又遣判官督赋⑩，城自囚于狱。判官去，复遣官来按举。韩愈《送许郢州序》云："为刺史者常私于其民，不以实应乎府，为观察使者常急于其赋，不以情信乎州。财已竭而敛不休，人已穷而赋愈急。"韩皋为浙西观察使，封杖决安吉令孙澥至死。一时所行大抵类此，然每道不过一使临之耳。今之州郡控制按刺者，率⑪五六人，而台省⑫不预，毁誉善否，随其意好，又非唐日一观察使比也。

[注释]

①诸道：唐代后期行政区划为道州县三级制。②戎旅：军队。③举其大纲：总领道中大事。④能生杀人：掌生杀大权。⑤专私：专门徇私。⑥虐视：虐待。⑦裒敛：聚敛财物。⑧赋税不时：赋税不断地进行征收。⑨消责：责备。⑩督赋：监督赋税征收。⑪率：通"常"。⑫台省：唐代尚书省称中台，门下省称西台，中书省称东台，三省统称台省。

[译文]

唐代在各道设置按察使，后来改为采访处置使，治理所辖的大郡。不久又改为观察使。在有军队的地方，就设置节度使。将全国分为四十多道，大道有十几个州，小道有两三个州，只让观察使访察善恶，总领道中之大事。然而军事、财赋、民俗之类的事情也无所不管，称之为都府，他的权势大得不能节制，有的手握生杀大权，有的一意偏爱所管辖的州，而虐待其他的郡。元结在任道州刺史时，作《舂陵行》说"接到各使征税的公文二百多份"，他在《贼退示官吏》中又说"忍受痛苦聚敛"。阳城在任道州刺史期间，赋税交纳不及时，观察使屡次责备其失职，还派遣判官来监督赋税征收，阳城没有办法，只好自己将自己关进牢狱。判官离去，观察使又派遣官员来进行审查。韩愈在《送许郢州序》中说："刺史们常常袒护所辖地区的百姓，不以实际情况上报于府，观察使们常急于收取赋税，不以情义取信于州。财力已经枯竭而征取不止，百姓已经穷困而赋税收取越发紧急。"韩皋任浙西观察使，用大杖处死了安吉令孙澥。一时之间的所作所为，大抵如此，然而每道不过有一观察使临任。现在州郡控制的制置使、按察使和刺史，通常有五六人，而中央三省的官员不能干预，诽谤称誉善恶，随这些人的好恶，又不是唐时一个观察使可比的了。

卷 八

忠宣公谢表

建炎三年,先忠宣公衔命①使北方。以淮甸贼蜂起,除兼淮南、京东等路抚谕使,俾李成以兵护至南京②。

公遣书抵成,成方与耿坚围楚州,答书曰:"汴③涸,虹④有红巾,非五千骑不可往。军食绝,不克唯命⑤。"公阴遣客说坚,坚强成敛兵。公行未至泗,谍⑥云:"有迎骑甲而来。"副使龚璹惮之,送兵亦不肯前,遂反旆,即上疏言:"李成以馈饷稽缓⑦,有引众纳命建康之语。今靳赛、薛庆方横,万一三叛连衡⑧,何以待之?方含垢养晦⑨之时,宜选辩士谕意,优加抚纳。"疏奏,高宗即遣使抚谕成,给米五万斛。初,公戒所遣持奏吏,须疏从中出,乃诣政事堂白副封⑩。时方禁直达,忤宰辅意,以托事滞留为罪,特贬两秩,而许出滁阳路。绍兴十三年使回,始复元官。时已出知饶州,命予作谢表,直叙其故,曰:"论事见从⑪,

犹获稽留之戾⑫。出疆滋久⑬，屡沾旷荡之恩⑭。始拜明纶⑮，得仍旧秩。伏念臣顷緣乏使，不敢辞难。值三盗之连衡，阻两淮而荐食，深虞猖獗之患，或起呼吸之间，辄露便宜⑯，冀加勤恤。虽玺书赐报，乐闻充国⑰之建言，而吏议不容，见谓陈汤之生事。亏除官簿，绵历岁时⑱，敢自意⑲于来归，遂悉还于所夺。兹盖忘人之过，与天同功。念臣昔丽于微文，蔽罪本无于他意，故从数赦，俾获自新。"书印既毕，父兄复共议，秦桧方擅国，见此表语言，未必不怒，乃别草⑳一通引咎曰："使指稽留，宜速亏除之戾。圣恩深厚，卒从拔拭之科。仰服矜怜㉑，唯知感戴。伏念臣早緣乏使，遂俾行成，值巨寇之临冲㉒，欲搏人而肆毒，仗节㉓宜图于报称，引车何事于逡巡。徐偃出疆，既失受辞之体，申舟假道，初无必死之心。虽蒙贬秩以小惩，尚许立功而自赎。徒行万里，无补一毫，敢妄冀于隆宽，乃悉还于旧贯。兹盖忘人之过，抚下以仁。阳为德而阴为刑，未尝私意，赏有功而赦有罪，皆本好生，坐使孤臣，尽湔宿负㉔"云云。前后奉使，无有不转官㉕者。先公以朝散郎被命，不沾恩凡十五年，而归仅复所贬，而合磨勘㉖，五官刑部，皆不引用。秦志也，遂终于此阶。

[注释]

①忠宣公：洪皓，洪迈的父亲，字光弼，谥忠宣。衔命：奉命。②南京：今河南商丘。③汴：汴河。④虹：今安徽泗县。⑤不克唯命：不能承担这个任务。⑥谍：侦察、伺探。⑦稽缓：延误、迟缓。⑧连衡：联合起来。⑨含垢养晦：韬光养晦，隐忍不发。⑩诣政事堂白副封：到政事堂交出副件。诣，到。政事堂，宋朝朝臣议事的地方。副封，文件副本。⑪论事见从：议论的事情被迫服从。⑫戾：罪名。⑬出疆滋久：出使金国许久。⑭旷荡之恩：皇帝给予的恩惠。⑮始拜明纶：开始担任显要的官职。明纶，帝王的诏令。⑯辄露便宜：依靠道路的方便。⑰充国：赵充国，汉朝将军，曾率兵平定氐族人的反叛。

⑱绵历岁时：延续岁月。⑲自意：自愿。⑳别草：另外起草。㉑仰服矜怜：仰首感怀圣上的怜悯之心。㉒临冲：攻城略地。㉓仗节：我作为朝廷的使节。㉔尽澣宿负：洗去平时的忧虑。澣，洗去。㉕转官：调动、升迁。㉖磨勘：唐宋考核官员制度。官员被反复查验后，根据考绩定出等级，决定官职升降。

[译文]

宋高宗建炎三年（1129年），先是先父奉命出使金国，因淮河一带盗贼蜂起，授任兼淮南、京东等路抚谕使，要李成用兵护卫到南京。

先父发送书信到李成那里，当时李成与耿坚正围攻楚州，答书说："汴河已经干涸，虹县地方有红巾军在活动，除非有五千兵马，否则不可往那里去。军队绝粮，不能胜任此命。"先父暗中派遣说客说服耿坚，让他强迫李成收兵。当先父行至泗州，刺探敌情的兵士说："有骑兵往这迎面而来。"副使龚（璹）很害怕，护送的士兵也不肯前进，于是返回，并立即上书高宗说："李成因军饷迟缓，有领军带领士兵回建康交差的话，现在靳赛、薛庆正横行一时，万一他们三股叛军联合起来，如何对待他们？正忍受耻辱隐藏待起之时，应选择舌辩之士宣谕皇上的意思，给以优厚待遇，抚慰收纳他们。"高宗接到奏疏后，即派遣使臣安抚李成，给米五万斛。当初，先父命令所派遣的送书官吏，奏疏必须从省中发出，才能到政事堂交出副件。当时正值禁止奏疏直达皇上，由于违背宰相的心意，宰相就以借故拖延的罪名，特此将先父贬官两级，才允许到滁阳路任职。

高宗绍兴十三年（1143年）出使金国的使臣回国，才恢复先父的原来官职。当时先父已经出任为饶州知府，命我起草感谢的表章，直接说明其中的来龙去脉，说："建议已被朝廷采纳，仍然落得个办事拖拉停留的罪名。出使金国日久，多次得到朝廷的恩惠。开始任显官时，所得仍然是旧俸禄。考虑臣被任命为使节，又不敢推辞畏难。当时正值李成等三股盗贼联合，阻隔淮北、淮南，朝廷不断遭到侵扰，深感忧虑猖狂的祸患，或起于一瞬之间。依靠道路方便，希望勤加抚恤。虽然皇上下诏书加以赏赐，乐于听从像汉代赵充国平定武都氐人反叛那样的建议，而为大臣议论所不容许，说我像汉代陈汤那样多事。枉任朝臣，延续岁月，不敢寄奢望于归来，于是全部归还所夺去的官秩。这大概是朝廷忘记了别人的过错，和天有同样的功德。想想过去以一纸微不足道的奏章获罪，遮掩自己的罪过，本来没有其他的意思，所以蒙受数次赦恩，使我改过自新。"书写盖印既已完毕，父兄共同商议，担心秦桧正专擅国政，见此上表中所说的话，未必不发怒，于是另外起草一份引罪自责的上表，说："朝廷指责停留，应该治以贬官之罪重罚。皇恩深厚，终于从轻发落，得以重新起用。敬服怜悯之心，只知感恩戴德。念臣早年被任命为使节，使我能够出使求和，当时正值贼寇攻城略地，残害无辜。拿着凭证应图报于朝廷，既已出行，怎么敢迟疑不决？徐偃王走出自己的疆土，既失去国家又受到人们的指责；楚国的申舟借道于宋，最初并没有必死的决心。虽然承蒙朝廷贬官给以小的惩处，尚允许立功赎罪。徒步行程万里，对国家没有丝毫补益，怎敢妄自希望宽恕，可是朝廷还是恢复了我的原官。这大概是忘记了别人的过错，以仁德来安抚臣下。阳是德阴是刑，不曾有私心，奖赏有功者赦免有罪者，人本性是喜好生存的，将使我尽洗先前的过失"，等等。

前后奉使的人，没有不被提升官职的。先父以朝散郎接受任命为出使，前后共十五年，未沾皇恩，而回归后仅仅恢复所贬的官职，而又遇到磨勘，五次授官刑部，都没有得到引用，这是秦桧的意志。于是最终死于这个官阶任上。

唐贤启状

故书①中有《唐贤启状》一册,皆泛泛缄题②。其间标为独孤常州及、刘信州太真、陆中丞长源、吕衡州温者,各数十篇,亦无可传诵。时人以③其名士,故流行至今。独孤有《与第五相公书》云:"垂示《送丘郎中》两诗,词清兴深,常情所不及。'阴天闻断雁,夜浦送归人。'酽丽闲远之外,文句窈窕凄恻④。比顷来⑤所示者,才又加等。但吟诵叹咏,大谈于吴中文人耳。"又云:"昨见《送梁侍御》六韵,清丽妍雅,妙绝今时,掩映风骚,吟讽不足。"

按第五琦⑥乃聚敛之臣,不以文称⑦。而独孤奖重⑧之如此。观表出十字,诚为佳句,乃知唐人工诗者多,不必专门名家而后可称也。

[注释]

①故书:旧书。②泛泛缄题:一般性的书函。缄题,书函。③以:认为。④文句窈窕凄恻:文辞美艳而又凄惨动人。⑤顷来:向来。⑥第五琦:字禹珪,唐朝财政大臣。官至户部侍郎,前后主管国家财政十余年。⑦不以文称:不以诗文著称。⑧重:看重、推崇。

[译文]

家藏旧书中有《唐贤启状》一册,都是泛泛而论的书函。其中标有独孤常州及、刘信州太真、陆中丞长源、吕衡州温的题目,各数十篇,也不怎么值得称道传诵。当时人认为他们是名士,所以流传到今天。独孤及有《与第五相公书》说:"俯示《送丘郎中》两首诗,文词清新比兴深刻,不是一般情怀所能达到的。'阴天闻断雁,夜浦送归人。'除了醇浓艳丽闲情逸致之外,文句美好凄惨,比向来所看到的，文才又有增加。特吟诵叹咏，与吴地文人大谈起这首诗来。"又说："昨天见到《送梁侍御》六韵，新颖艳丽美雅，妙语绝伦今时，隐约映衬《诗经》和《楚辞》，令人歌咏背诵不已。"

　　按：唐第五琦是个搜刮民脂民膏的一位重臣，诗文并不被人们称道，而独孤及却如此褒奖他。这里引出他的《送丘郎中》诗中仅十字，的确是佳句，便知唐朝善于作诗的人太多了，不必专门名家，也有可以称道的。

卷 九

赦放债负

淳熙十六年二月《登极赦》："凡民间所欠债负，不以久近多少，一切除放①。"遂有方出钱旬日，未得一息，而并本尽失之者，人不以为便②。何澹为谏议大夫，尝论其事，遂令只偿本钱，小人无义③，几室喧噪。绍熙五年七月覃赦④，乃只为蠲⑤三年以前者。

按晋高祖天福六年八月，赦云："私下债负取利及一倍者并放。"此最为得⑥。又云："天福五年终以前，残税并放。"而今时所放官物，常是以前二年为断⑦，则民已输纳，无及于惠矣。唯民间房赁欠负，则从一年以前皆免。比之区区五代，翻⑧有所不若者也。

[注释]

①除放：免除。②人不以为便：人们不认为这是可行的事情。③无义：贪利忘义。④覃赦：皇帝大赦。覃，广施。⑤蠲：减免。⑥得：适当。⑦断：限期。⑧翻：通"反"，反而。

[译文]

宋孝宗淳熙十六年（1189年）二月《登极赦》说："凡是民间所欠国债，不因年代远近数量多少，一切加以免除。"于是有刚借出去的钱还不到十天，没得到一点利息，而连本钱都失去了，人们不认为是方便。何澹任谏议大夫，曾经议论过这件事，于是又下令只偿还本钱，一些小人贪利无义，几乎达到喧闹的地步。光宗绍熙五年（1194年）七月皇上举行大赦，但只是赦免三年以前所欠的债。

按：晋高祖天福六年（941年）八月，赦令说"私人欠债以及已经收取利息一倍的都加以免除"。此赦令颇为得体。又说："天福五年十二月以前，过去残留的赋税一并免除。"而今天所放官物，常是以前两年为限，这是百姓已经交纳给官府的赋税，实际是百姓没有真正得到实惠。只有民间租赁房子所欠下的债，从一年以前都加以赦免。今天和不足道的五代相比，反而有所不如。

周玄豹相

唐庄宗时，术士周玄豹以相法①言人事，多中。时明宗为内衙指挥使，安重诲使他人易服②而坐，召玄豹相之。玄豹曰："内衙贵将也，此不足当③之。"乃指明宗于下坐，曰："此是也。"因为明宗言其后贵不可言。明宗即位，思玄豹以为神，将召至京师，宰相赵凤谏，乃止。观此事，则玄豹之方术可知。然冯道初自燕归太原，监军使张承业辟为本院巡官，甚重之。玄豹谓承业曰："冯生无前程，不可过用④。"书记卢质曰："我曾见杜黄裳写真图，道之状貌酷类焉，将来必副⑤大用，玄豹之言不足信也。"承业于是荐道为霸府从事⑥。其后位极人臣，考终牖下⑦，五代诸臣皆莫能及，则玄豹未得擅唐、许之誉也。道在晋天福中为上相，诏赐生辰器币。道以幼属乱离⑧，早丧父母，不记生日，恳辞不受。然则道终身不可问命⑨，独有形状可相⑩，而善工⑪亦失之如此。

[注释]

①相法：相面的方法。②易服：改变服装。③当：担当。④不可过用：不可太过任用。⑤副：辅佐。⑥从事：属官。⑦考终牖下：寿终正寝，老死家中。⑧幼属乱离：幼年时饱经离乱。⑨问命：询问命运。⑩相：观察。⑪善工：善于绘画的人。

[译文]

后唐庄宗时期，有一精通道术的人叫周玄豹，他用相面的方法来预测人事，很多都被他猜中。以前明宗李嗣源还在任内衙指挥使时，安重诲让人为他改换装束而坐在内衙的位子上，又把周玄豹召来为他相面。周玄豹说："内衙指挥使是尊贵的将领、重要的职务。此人不能担此重任。"接着他又指着在下坐的明宗说："这个人可以担当重任。"因此，周玄豹又告诉明宗说，他今后所拥有的富贵是不能讲出来的。明宗即位后，想到周玄豹相面如神，就打算把他召到京师，由于宰相赵凤进行阻止，才没把他召来。由此事来看，周玄豹的方术是众人皆知的。但当初冯道自幽州投归太原时，监军使张承业排除阻力任命他为本院巡官，对他十分器重，周玄豹却对张承业说："冯道没有什么前途，对他不要抱太大希望。"而书记卢质说："我以前曾见过唐人杜黄裳的画像，冯道跟他长得相似，他一定能够辅佐君主施展其才能，周玄豹的话不值得相信。"于是张承业听从了卢质的建议，推荐冯道做了幕府从事。后来冯道官至宰相，最后在家里寿终正寝，五代时期没有任何大臣能超过他，因此周玄豹并不能享有唐纲、许负善于看相的美誉。冯道在后晋天福年间任上相，皇上下诏赐给生辰器物币帛。但因他幼年遭战乱，父母早亡,不记得自己生日是在哪一天,于是诚恳地推辞不接受。这样冯道也就一生都不能推算自己的命运,只有其外貌可以观察,但是善于相面的人,却有如此的偏差失误之处。

钴鉧沧浪

柳子厚《钴鉧潭西小丘记》云:"丘之小不能①一亩。问其主,曰:'唐氏之弃地,货而不售。'问其价,曰:'止四百。'予怜而售之。以兹丘之胜,致之沣水鄠、杜则贵游之士争买者,日增千金而愈不可得。今弃是州也,农夫渔夫过而陋之,贾四百②,连岁③不能售。"苏子美④《沧浪亭记》云:"予游吴中,过郡学东,顾草树郁然,崇阜广水⑤,不类乎城中。并水得微径于杂花修竹之间,东趋数百步,有弃地,三向皆水⑥,旁无民居,左右皆林木相亏蔽。予爱而裴回⑦,遂以钱四万得之。"予谓二境之胜绝如此,至于人弃不售,安知其后卒为名人赏践⑧?如沧浪亭⑨者,今为韩蕲王家所有,价直数百万矣,但钴鉧复埋没不可识。士之处世,遇⑩与不遇,其亦如是哉!

[注释]

①不能:不满、不足。②贾四百:标出四百的价钱。③连岁:连年。④苏子美:即苏舜钦,字子美,北宋著名诗人。⑤崇阜广水:高丘广水。崇,高大。阜,土山。⑥三向皆水:三面环水。⑦裴回:通"徘徊",流连不能去。⑧赏践:欣赏和珍爱。⑨沧浪亭:即苏舜钦修筑的园林。南宋时沧浪亭为抗金名将韩世忠所得,改名"韩园"。⑩遇:机会、机遇。

[译文]

柳宗元《钴鉧潭西小丘记》说:"土丘之小不到一亩。问它的主人。主人说:'这是姓唐的人不要的地方,要卖而卖不出。'问它的价钱，说：'只要四百钱。'我怜惜这个地方，便买下了，因为这个小丘有秀美之处，如果放在澧水姓鄂、姓杜的人家手里，那些崇尚交游的士人争先购买，一天就增价千金还不能得到它。而今却成了废弃的地方了，农夫、渔夫经过这里都投以鄙视的目光，价钱四百，连年都不能售出。"

苏舜钦的《沧浪亭记》中记述："我游览吴地时，途经郡立学校的东侧，环顾四周，只见草木繁茂，高山广水，不同于城中的景色。溪水旁还有小径通于杂花长竹之间，继续向东走数百步，发现一片废弃的地方，三面环水，旁边没有居民，左右都有林木相遮掩。我十分喜爱它，以至于流连忘返，因此出了四万钱把它买了下来。"

我认为以上所描述的两处风景绝然相同，至于说到当时的人丢弃它而卖不出去，他们怎么会想到它后来会得到名人的欣赏和珍爱呢？沧浪亭也是如此。现在沧浪亭为韩世忠家所有，价值几百万钱，但钴鉧潭就被埋没不可认识了。士人生活在世上，有无机遇，也是如此啊。

君臣事迹屏风

唐宪宗元和二年，制《君臣事迹》。上以天下无事，留意典坟①，每览前代兴亡得失之事，皆三复②其言。遂采《尚书》、《春秋后传》、《史记》、《汉书》、《三国志》、《晏子春秋》、《吴越春秋》、《新序》、《说苑》等书君臣行事可为龟鉴③者，集成十四篇，自制其序，写于屏风，列之御座之右，书屏风六扇于中，宣示宰臣。

李藩等皆进表称贺，白居易翰林制诏有批李夷简及百寮严绶等贺表,其略云:"取而作鉴,书以为屏。与其散在图书,心存而景慕④,不若列之绘素⑤,目睹而躬行⑥,庶⑦将为后事之师,不独观古人之象⑧。"又云:"森然在目,如见其人。论列是非,既庶几为坐隅之戒;发挥献纳,亦足以开臣下之心。"居易代言,可谓详尽。又以见唐世人主作一事而中外至于表贺,又答诏勤渠⑨如此,亦几于丛脞⑩矣。宪宗此书,有《辨邪正》、《去奢泰》两篇,而末年用皇甫镈而去裴度,荒于游宴,死于宦侍之手,屏风本意,果安在哉?

[注释]

①典坟:文化典籍。②三复:多次。③龟鉴:借鉴。④景慕:仰慕、向往。⑤绘素:洁白的绘帛。⑥躬行:亲自实行。⑦庶:或许。⑧象:形象。⑨勤渠:殷勤。⑩丛脞:细碎、琐碎。

[译文]

唐宪宗元和二年(807年),《君臣事迹》成书。皇上由于天下安定无事,有心留意古代典籍,每当读到有关前代王朝兴亡得失的事,都多次重复阅读这些内容。于是采择《尚书》、《春秋后传》、《史记》、《汉书》、《三国志》、《晏子春秋》、《吴越春秋》、《新序》、《说苑》等书中有关君臣事迹而且可作为借鉴的十四篇,亲自为其作序,写在屏风上,开列在皇帝宝座的右侧,书写六扇屏风置于中间,用以展示给宰臣。

李藩等人都上奏表示祝贺,白居易翰林学士草拟诏书回复李夷简和百官严绶等人的贺表,诏书大致内容说:"取来而作借鉴,书写出为屏风。与其让它散在图书中,心里想着而且仰慕,不如将其开列在素绢之上,天天看着它而且亲自实行,希望后人仿效,不只是观览古人的形象。"又说:"其事迹一一列于眼前,好似见到他们本人。条列论议前朝政事是是非非,希望成为座旁的鉴戒,若能发扬群臣进言以供采用的风气,也足以开启臣下的忠心。"白居易代皇上说的话，可以说太详尽了。由此可见唐代皇帝做一件事而朝廷内外上表予以祝贺，还有回答的诏书，又如此勤谨而及时，也差不多到了琐碎的程度。唐宪宗的这本书，有《辨邪正》、《去奢泰》两篇，而到了末年起用皇甫镈而罢去裴度，终日沉湎于游乐饮宴之中，最终死在宦官手中。《君臣事迹》写在屏风上的本意，结果又如何呢？

卷 十

唐夜试进士

唐进士入举场得用烛，故或者以为自平旦①至通宵。刘虚白有"二十年前此夜中，一般灯烛一般风"之句，及三条烛尽②之说。按《旧五代史·选举志》云："长兴二年，礼部贡院③奏当司奉堂帖④夜试进士，有何条格⑤者。敕旨⑥：'秋来赴举，备有常程⑦，夜后为文，曾无旧制。王道以明规是设，公事须自昼显行，其进士并令排门齐入⑧就试，至闭门时试毕，内有先了者，上历画时，旋令先出，其入策亦须昼试，应诸科对策⑨，并依此例。'"则昼试进士，非前例也。清泰二年，贡院又请进士试杂文，并点门入省⑩，经宿⑪就试。至晋开运元年，又因礼部尚书知贡举⑫窦贞固奏，自前考试进士，皆以三条烛为限，并诸色举人有怀藏书册不令就试。未知于何时复有更革。白乐天集中奏状云："进士许用书册，兼得通宵。"但不明言入试朝暮⑬也。

[注释]

①平旦：天刚亮。②三条烛尽：以三根蜡烛燃尽为限。③礼部贡院：科

举考试管理机构与考场所在地。④堂帖：下发的文件。⑤条格：条款。⑥敕旨：皇帝的诏令。⑦常程：一般的规程。⑧排门齐入：在门外排好队依次序进入。⑨对策：应考的人按策上的问题陈述自己的见解。⑩点门入省：指定进入考试地点。⑪经宿：经过一宿，即第二天。⑫知贡举：临时差遣的主考官。⑬朝暮：清晨和晚上。

[译文]

唐朝士人入进士考场得使用蜡烛。因而有人认为考试时间是从天刚亮考到第二天通宵。刘虚白曾作有"二十年前此夜中，一般灯烛一般风"的诗句，还有以燃尽三支蜡烛为限的说法。

《旧五代史·选举志》中说："后唐明宗长兴二年（931年），礼部贡院奏当司遵奉下发的堂帖对进士进行夜间考试，专门有人拿着记有条款的文件。皇上颁发的诏令中说：'秋天前来赴试，都有一定的程序。夜间才开始写文章，旧制不曾有过。王道都是按照常规设立的，公事必须在白天公开办理，参加考试的人要服从命令在门外按次序排好，然后一齐进入考场，直到闭门时考试才结束。如果考生中有提前做完的人，就记住他完成的时间，准许他先退场。他们参加试策的时间也要在白天进行，各科应考的人按照策题的要求陈述自己见解的时间安排，都依照此例。'"看来白天考试进士，不是以前的惯例。

后唐末帝清泰二年（935年），贡院再次请示对进士进行杂文的测试，并且规定进入专门的考场，经过一夜的考试。到了后晋出帝开运元年（944年），又由于礼部尚书知贡举窦贞固的奏书说：以前进士考试，都以三支蜡烛的时间为限，而且各类举人，凡暗藏书本的人，不准入场参加考试。不知道这种规定什么时候又有变动。《白居易集》中奏书说："允许进士考试时携带书本，要通宵达旦地进行。"但未说清楚入场考试的时间是在清晨还是在晚上。

河伯娶妇

《史记》褚先生①所书魏文侯时西门豹为邺令②,问民所疾苦。长老③曰:"吾为河伯娶妇,以故贫。"豹问其故,对曰:"邺三老④、廷椽常岁赋敛百姓钱,得数百万,用其二三十万为河伯娶妇,与祝巫⑤分其余钱持归。巫行视小家女好者,即聘娶,为治⑥斋宫河上,粉饰女,浮之河⑦中而没。其人家有好女者,多持女远逃亡,以故城中益⑧空无人。"豹曰:"至娶妇时,吾亦往送。"遂投大巫妪及三弟子并三老于河,乃罢去。从是以后,不敢复言为河伯娶妇。予按此事,概出于一时杂传记,疑未必有实。而《六国表》秦灵公八年,"初以君主妻河"。言初者,自此年而始,不知止于何时,注家⑨无说。司马贞《史记索隐》乃云,初以君主妻河"谓初以此年取他女为君主,君主犹公主也。妻河,谓嫁之河伯,故魏俗犹为河伯娶妇,盖其遗风"。然则此事秦、魏皆有之矣。

[注释]

①褚先生:褚少孙,颍川(今河南禹州)人,西汉成帝、元帝时博士,史学家、文学家,曾补《史记》。②邺令:邺县令。邺县,今河北临漳县邺镇。令,长官。汉代县万户以上设令,万户以下为长。③长老:年纪大的人。④三老:春秋战国时期,地方设三老,掌教化。⑤祝巫:祝,替人告神求福的人;巫,舞蹈降神替人祈祷的人。⑥治:修建。⑦浮之河:投到河中。⑧益:更加。⑨注家:注释家。

[译文]

《史记》中褚少孙所补写的文章里说,魏文侯时,西门豹担任邺县令,询问百姓有什么疾苦。一些年纪较大的人回答说:"我们这里每年要为河伯娶妻,因此我们很穷。"西门豹就问其中的原因,他们回答:"邺县的三老、廷掾一年到头搜刮百姓钱财,可得钱几百万,他们用二三十万作为河伯娶妻的花费,剩余的就与祝巫一同分享,装进自己的口袋。祝巫在乡里奔走巡视,发现穷人家女孩有长得漂亮的,就要进行聘娶。他们先在漳河边上修建斋宫,然后把少女打扮一番,扔到河里,可怜的女子先是浮在水面,紧接着就沉入河底。一些家中有漂亮女儿的民户,大都带着女儿逃往外地。因此,县城里的人越来越少。"于是,西门豹说道:"到了河伯娶妻的那天,我也来送行。"到了那天,西门豹就令人把老巫婆和她的三个弟子以及当地的三老一块儿扔进河里,随后离去。从此以后,没人再敢提为河伯娶妻的事了。我对这件事进行考证,认为它或许出自一时的传闻,未必真有其事。而《六国表》中记载秦灵公八年:"初以君主妻河。"这里所说的初,是指从这一年开始,但不知是什么时候停止的,给《史记》作注的人对此也没有说明。司马贞的《史记索隐》中说,"初以君主妻河"的意思是"开始从这一年娶别人的女儿做君主,君主就是公主。妻河,就是嫁给河伯,因此魏国的风俗就是给河伯娶妻,这大概是它的遗风"。照此所载,秦国、魏国都有这种事。

卷十一

镇星为福

世之伎术①,以五星②论命者,大率以火、土为恶,故有昼忌火星,夜忌土之语。土,镇星也,行迟,每至一宫③,则二岁四月乃去,以故为灾最久。然以国家论之则不然,苻坚欲南伐,岁镇守斗,识者以为不利。《史记·天官书》云:"五潢④,五帝车舍。火入,旱;金,兵;水,水。"宋均⑤曰:"不言木、土者,德星为不害也。"又云:"五星犯北落,军起。火、金、水尤甚。木、土,军吉。"又云:"镇星所居国吉。未当居而居,已去而复,还居之,其国得土。若当居而不居,既已居之,又西东去,其国失土。其居久,其国福厚;其居易(轻速也),福薄。"如此则镇星乃为大福德,与木亡异⑥,岂非国家休祥所系,非民庶可得俸⑦邪?

[注释]

①伎术:方术。②五星:金星、木星、水星、土星、火星五大行星。③宫:古代历法以周天360度的十二分之一,即30度为一宫。④五潢:星名。

⑤宋均：字叔庠，南阳安众人。东汉大臣，官至尚书令。⑥亡异：没有不同。⑦侔：相等。

[译文]

世上的方术，用金、木、水、火、土五星的运行确定人的命运，大概是火星、土星为恶星，所以有白昼忌火、星夜忌土的说法。土星，就是镇星，走得慢，每到一个宫，要走两年零四个月才能离去，所以为害最久。然而以国家来看，就不是这样。十六国前秦苻坚计划南征的时候，正是木星、土星守着南斗星，懂得星象的人认为南征不吉利。《史记·天官书》中说："五潢星，是五帝的车舍。火星入，意味着旱；金星入，表示有战争；水星入，表示发大水。"宋均解释说："书中之所以没有提到木星和土星，是因为它们是德星，不会带来灾祸。"又说："五星入犯北落星，预示要兴兵打仗。火星、金星、水星，更为严重，木星、土星入犯北落时表示军事方面大吉。"接着他又说："镇星停留在哪个国家上空，这个国家就有吉运。不该停时停了，已经离去却又返回停留下来，这个国家就会获得国土。如果该停留的没停，或者已停下来的又向西东方向离去，这就意味着这个国家要丧失国土。如果镇星停留的时间长，这个国家的福气就多；反之，福气就薄。"如此看来，镇星是大福大德的象征，与木星没有什么不同。难道它不与国家的安定吉祥相关联，而这又怎是老百姓所能相等的呢？

两莫愁

莫愁者郢州①石城人，今郢有莫愁村。画工传其貌，好事者多写寄四远。《唐书·乐志》曰："《莫愁乐》者，出于《石城乐》，石城有女子名莫愁，善歌谣。"古词曰"莫愁在何处？莫愁石城西。艇子打两桨，催送莫愁来"者是也。李义山诗曰："海外徒闻更九州，他生未卜此生休。空传虎旅鸣宵柝②，无复鸡人送晓筹③。此日六军同驻马，他时七夕笑牵牛。如何四纪④为天子，不及卢家有莫愁。"此莫愁者洛阳人。梁武帝《河中之歌》曰"河中之水向东流，洛阳女儿名莫愁。莫愁十三能织绮，十四采桑南陌头⑤，十五嫁为卢家妇，十六生儿似阿侯。卢家兰室桂为梁，中有郁金苏合香。头上金钗十二行，足下丝履五文章⑥。珊瑚挂镜烂生光，平头奴子擎履箱⑦。人生富贵何所望？恨不早嫁东家王"者是也。卢氏之盛如此，所云"不早嫁东家王"莫详⑧其义。近世周美成⑨乐府《西河》一阕，专咏金陵，所云"莫愁艇子曾系"之语，岂非误指石头城⑩为石城乎！

[注释]

①郢州：今湖北江陵北。②空传虎旅鸣宵柝：听到军旅中传来报更的梆子。③无复鸡人送晓筹：不再像宫中报晓的专官。④四纪：四十年。⑤陌头：路旁。⑥五文章：五色文彩。⑦擎履箱：举起鞋箱。⑧莫详：没有说明。⑨周美成：周邦彦，字美成，北宋大臣。⑩石头城：南京的别称。

[译文]

莫愁女是郢州石城人，现在郢州还有莫愁村。绘画家把她的容貌给画了下来，一些好事之人又多以她的画像临摹，并向四面八方寄出。《唐书·乐志》中记载："莫愁乐曲，本出自石城乐曲，石城有个女子名叫莫愁，能歌善舞。"有一首古词说："莫愁在何处？莫愁石城西。艇子打两桨，催送莫愁来。"讲的就是莫愁。

而李商隐在《马嵬》诗中写道："海外徒闻更九州，他生未卜此生休。空传虎旅鸣宵柝，无复鸡人送晓筹。此日六军同驻马，他时七夕笑牵牛。如何四纪为天子，不及卢家有莫愁。"这里提到的莫愁是洛阳人。

梁武帝萧衍在《河中之歌》里说："河中之水向东流，洛阳女儿名莫愁。莫愁十三能织绮，十四采桑南陌头，十五嫁为卢家妇，十六生儿似阿侯。卢家兰室桂为梁，中有郁金苏合香。头上金钗十二行，足下丝履五文章。珊瑚挂镜烂生光，平头奴子擎履箱。人生富贵何所望？恨不早嫁东家王。"卢家已是相当的豪门贵族，但其中所说"恨不早嫁东家王"，就不知道是什么意思了。

近人周美成作的乐府诗《西河》，专门吟咏金陵的，其中"莫愁艇子曾系"一句，难道不是他把南京石头城误作郢州的石城了吗？

卷十二

人当知足

予年过七十，法当致仕①，绍熙之末，以新天子临御，未敢遽②有请，故玉隆满秩③，只以本官职居里。乡衮④赵子直不忍使绝禄粟，俾之因任，方用赘食太仓为愧，而亲朋谓予爵位不逮⑤二兄，以为耿耿。予诵白乐天《初授拾遗诗》以语之曰："奉诏登左掖，束带参朝议。何言初命卑，且脱风尘吏。杜甫、陈子昂，才名括天地。当时非不遇，尚无过斯位。"其安分知足之意，终身不渝⑥。因略考国朝以来，名卿伟人负一时重望而不跻大用⑦者，如王黄州禹偁，杨文公亿，李章武宗谔，张乖崖咏，孙宣公奭，晁少保迥，刘子仪筠，宋景文祁，范蜀公镇，郑毅夫獬，滕元发甫，东坡先生，范淳父祖禹，曾子开肇，彭器资汝砺，刘原甫敞，蔡君谟襄，孙莘老觉，近世汪彦章藻，孙仲益觌，诸公皆不过尚书学士，或中年即世⑧，或迁谪留落，或无田以食，或无宅以居，况若我忠宣公者，尚忍言之！则予之忝窃⑨亦已多矣。

[注释]

①法当致仕：按照制度应该退休归里。②遽：快速。③玉隆满秩：新帝登极就绪。④乡衮：乡绅。⑤不逮：不及、赶不上。⑥渝：更改。⑦跻大用：跻身要职。⑧即世：辞世、去世。⑨忝窃：享受。

[译文]

我年过七十岁时，按说该退居了，可是在宋光宗绍熙末年，因新天子刚刚登极，不敢就请求告退，所以到新帝登极就绪之后，才以本来的官职退居乡里。乡绅赵子直不忍心让我断绝俸禄粮饷，可怜我的处境，认为靠太仓之粮供应有愧于我。亲朋好友也说我的爵位赶不上二位兄长，因而耿耿于怀。我就用朗诵白居易《初授拾遗诗》的办法来回答他们："奉诏登左掖，束带参朝议。何言初命卑，且脱风尘吏。杜甫陈子昂，才名括天地。当时非不遇，尚无过斯位。"白居易的安分知足之意，终身不改。为此，我大略考察了宋朝以来的历史，有许多名卿伟人负一时重望而未能跻身要职，受到重用。如王禹偁、杨亿、李宗谔、张咏、孙奭、晁迥、刘筠、宋祁、范镇、郑獬、滕甫、苏东坡、范祖禹、曾肇、彭汝砺、刘敞、蔡襄、孙觉，近来还有汪藻、孙觌，以上诸位都没有超过尚书学士之职，有的中年辞世，有的被迁地贬官，有的没有田地连吃饭都成问题，有的没有房子可住，况且像我家忠宣公的遭遇，尚且能忍耐不说！那么，我所拥有的已经够多了。

渊明孤松

渊明诗文率①皆纪实，虽寓兴花竹间亦然。《归去来辞》云："景翳翳以将入，抚孤松而盘旋。"其《饮酒诗》二十首中一篇云："青松在东园，众草没②其姿。凝霜殄异类，卓然见高枝。

连林人不觉，独树众乃奇。"所谓孤松者是已，此意盖以自况③也。

[注释]

①率：大率、大多。②没：掩盖、湮没。③自况：比喻自己。

[译文]

东晋著名的文学家、诗人陶渊明的诗文大多是真实的，即使是寓意于花竹间的作品也不例外。他的《归去来辞》中说："景翳翳以将入，抚孤松而盘旋。"意思是日光逐渐暗淡，太阳将要落山，我抚摸着孤松独自徘徊。他的《饮酒诗》二十首，其中有一首说：

青松在东园，众草没其姿。

凝霜殄异类，卓然见高枝。

连林人不觉，独树众乃奇。

这里所写的孤松，就是陶渊明用来比喻他自己。

作文字要点检

作文字不问工拙大小，要之不可不着意点检，若一失事体，虽遣词超卓，亦云未然。前辈宗工，亦有所不免。欧阳修作《仁宗御书飞白记》云："予将赴亳①，假道于汝阴②。因而得阅书于子履③之室。而云章烂然，辉映日月，为之正冠肃容再拜而后敢仰视，盖仁宗皇帝之御飞白④也。曰：'此宝文阁⑤之所藏也，胡为乎子之室乎？'曰：'曩者⑥天子燕⑦从臣于群玉，而赐以飞白，予幸得预赐焉。'"乌有记君上宸翰⑧而彼此称予，且呼陆经之字。又《登贞观御书阁记》，言太宗飞白，亦自称予。《外制集序》，历道庆历⑨更用大臣，称吕夷简、夏竦、韩琦、范仲淹、富弼，皆斥姓名，而曰"顾予何人，亦与其选"，又曰"予时掌诰命"，又曰"予方与修祖宗故事"。凡称"予"者七。东坡则不然，为王诲亦作此记，其语云"故太子少傅、安简王公讳举正，臣不及见其人矣"云云，是之谓知体。

[注释]

①亳：今安徽亳州。②假道于汝阴：借道汝阴。汝阴，今安徽阜阳。③子履：即陆经，字子履，越州（今浙江绍兴）人，宋代文学家。④飞白：一种特殊的书法，笔画中露出一丝丝的白地，像用枯笔写成的样子。⑤宝文阁：原名寿文阁，北宋庆历元年（1041年）改，仁宗御书、文集藏于此。⑥曩者：昔日。⑦燕：通"宴"，宴会。⑧宸翰：帝王的书迹。⑨庆历：宋仁宗年号。

[译文]

写文章时不管文章写得好坏长短，最重要的是要注意查核文字的使用是否正确得当，如果体统有失，即使遣词超众卓越，也还是不能算好。前辈文学大师写文章崇尚工巧，但也难免会产生错误。欧阳修在《仁宗御书飞白记》一文说："我将赶赴亳州，途中路过汝阴。在子履的书房中，见到一幅笔墨闪亮、光照日月的墨宝，特意端正了帽子，严肃了容色，再拜后才敢仰视，这就是仁宗皇帝的御笔飞白体书。我说：'这是宝文阁的珍藏品，现在为什么会存放在您的书房中呢？'子履说：'从前天子在群玉殿宴请诸臣，赐给飞白书，我有幸参与得到赏赐。'"欧阳修怎么会在记皇上书法时而自称为"予"，并且直呼陆经的字呢？另外，《登贞观御书阁记》中讲到太宗的书法时，也自称为"予"。《外制集序》中在依次说宋仁宗年间更换的大臣，称吕夷简、夏竦、韩琦、范仲淹、富弼五人，都是直呼其名，而且说"回顾我是何人，也参加了这次挑选"，又说"我当时主管朝廷颁布诰命"，还说"我刚参与编修祖宗故事"。总计称予的地方共有七处。但苏东坡先生则不是这样，他为王诲也写记,其中写着"已故世的太子少傅、安简王公讳字举正,臣未能亲见其人",等等。他这种自称为"臣"的写法,才称得上用词得体。

卷十三

大观算学

大观中，置算学如庠序①之制，三年三月，诏以文宣王②为先师，兖、邹、荆三国公③配飨，十哲④从祀，而列自昔著名算数之人，绘像于两廊，加赐五等之爵。于是中书舍人张邦昌定其名，风后、大挠、隶首、容成、箕子、商高、常仆、鬼臾区、巫咸九人封公，史苏、卜徒父、卜偃、梓慎、卜楚丘、史赵、史墨、俾灶、荣方、甘德、石申、鲜于妄人、耿寿昌、夏侯胜、京房、翼奉、李寻、张衡、周兴、单飏、樊英、郭璞、何承天、宋景业、萧吉、临恭孝、张曾元、干朴二十八人封伯，邓平、刘洪、管辂、赵达、祖冲之、殷绍、信都芳、许遵、耿询、刘焯、刘炫、傅仁均、王孝通、瞿昙罗、李淳风、王希明、李鼎祚、边冈、郎顗、襄楷二十人封子，司马季主、洛下闳、严君平、刘徽、姜岌、张立建、夏侯阳、甄鸾、卢太翼九人封男。考其所条具，固有于传记无闻者，而高下等差，殊为乖谬。如司马季主、严君平止于男爵，鲜于妄人、洛下闳同定《太初历》，而妄人封伯，下闵封男，尤可笑也。十一月又改以黄帝为先师云。

[注释]

①庠序：学校。②文宣王：孔子谥号，唐玄宗开元二十七年（739年）追谥。③兖、邹、荆三国公：即兖国公颜回、邹国公孟轲、荆国公王安石。④十哲：孔子十位弟子，即颜渊、闵子骞、冉伯牛、仲弓、宰我、子贡、冉有、季路、子游、子夏。

[译文]

宋徽宗大观年间，将算学列入学校制度之中。大观三年（1109年）三月，朝廷下诏以文宣王孔子为先师，兖国公颜回、邹国公孟轲、荆国公王安石配飨，颜渊、闵子骞、冉伯牛、仲弓、宰我、子贡、冉有、季路、子游、子夏十位哲人从祀，而列出自古以来著名的算数家，绘出画像挂在两边走廊上，再加赐五等爵位。于是中书舍人张邦昌拟定著名算学家的名单，其中风后、大桡、隶首、容成、箕子、商高、常仆、鬼臾区、巫咸九人封为公爵，史苏、卜徒父、卜偃、梓慎、卜楚丘、史赵、史墨、俾灶、荣方、甘德、石申、鲜于妄人、耿寿昌、夏侯胜、京房、翼奉、李寻、张衡、周兴、单飏、樊英、郭璞、何承天、宋景业、萧吉、临恭孝、张曾元、王朴二十八人封为伯爵，邓平、刘洪、管辂、赵达、祖冲之、殷绍、信都芳、许遵、耿询、刘焯、刘炫、傅仁均、王孝通、瞿昙罗、李淳风、王希明、李鼎祚、边冈、郎顗、襄楷二十人封为子爵，司马季主、洛下闳、严君平、刘徽、姜岌、张立建、夏侯阳、甄鸾、卢太翼九人封为男爵。考查以上开列的各位，虽然有的在传记中可以找见但并不出名，而且他们的水平高低差别甚大，真是荒谬违背常理。如司马季主、严君平只封为男爵；鲜于妄人、洛下闳二人共同制定了《太初历》，而鲜于妄人封为伯爵，洛下闳则封为男爵，特别可笑。到十一月，又改以黄帝为先师。

卷十四

政和文忌

蔡京颛国①，以学校科举箝制多士，而为之鹰犬者，又从而羽翼之。士子程文②，一言一字，稍涉疑忌，必暗黜之。有鲍辉卿者言："今州县学考试，未校③文学精弱，先问时忌有无，苟④语涉时忌，虽甚工⑤不敢取。若曰：'休兵以息民，节用以丰财，罢不急之役，清入仕之流。'诸如此语，熙、丰、绍圣间，试者共用不以为忌，今悉绌⑥之，所宜禁止。"诏可。政和三年，臣僚又言："比者试文，有以《圣经》之言辄为时忌而避之者，如曰'大哉尧之为君'、'君哉舜也'，与夫'制治于未乱，保邦于未危'，'吉凶悔吝生乎动'、'吉凶与民同患'。以为'哉'音与'灾'同，而危乱凶悔非人乐闻，皆避。今当不讳之朝，岂宜有此？"诏禁之。以二者之言考之，知当时试文无辜而坐黜⑦者多矣，其事载于《四朝志》。

[注释]

①颛国：把持国家政权。颛，通"专"。②程文：科举考试时的示范文

章。③校：考察。④苟：若、如果。⑤甚工：非常好。⑥绌：通"黜"。⑦坐黜：获罪罢职。

[译文]

蔡京把持国家大权的时候，通过学校科举考试制度可以钳制很多士人，而那些当了他鹰犬的人，又必须服从他并在他们的羽翼之下。士子们考试时写文章，一句一字都不敢大意，如果稍涉疑忌，就一定会被暗中取消录用资格。

有个名叫鲍辉卿的人进谏说："现在的州县学考试，还没有考察出文章写作水平的高低，倒先查看其中有无触犯时忌之处。如果文句中有涉及时忌的，即便文章写得非常好也不敢录取。若文中出现诸如'休兵以息民，节用以丰财，罢不急之役，清入仕之流'的句子，如果是在熙宁、元丰和绍圣年间，参试的人都可使用而不必忌讳，而如今却全都被禁止使用。"于是，皇上下诏恩准了他的意见。

徽宗政和三年（1113年），臣僚们又向皇上进言说："应试者写文章，有的人使用的是圣经之言，但却又是时下忌讳的字，比如'大哉尧之为君'，'君哉舜也'，还有'制治于未乱，保邦于未危'，'吉凶悔吝生乎动'，'吉凶与民同患'。认为'哉'与'灾'读音相同，但危机混乱、凶残侮辱这些词语，都不是人们愿意听到的，都避讳了。如今我大宋朝正是不忌讳的朝代，难道这些还适宜存在吗？"徽宗于是诏令禁止避讳。

从这两段话中进行考证，就可了解到当时许多人因考试作文章而无辜被取消了录取资格。以上这些事都记载在《四朝志》中。

卷十五

杯水救车薪

孟子曰："仁之胜不仁也，如水胜火，今之为仁者，犹以一杯水救一车薪之火也，不熄，则谓之水不胜火。"予读《文子》①，其书有云："水之势胜火，一勺不能救一车之薪；金之势胜木，一刃不能残②一林；土之势胜水，一块不能塞③一河。"文子，周朝平王时人。孟氏之言，盖本于此。

[注释]

①《文子》：春秋辛妍撰，唐玄宗年间改名为《通玄真经》，为道家第三大经典。辛妍，字文子，号计然，老子弟子，范蠡之师。②残：毁灭。③塞：堵塞。

[译文]

孟子讲："仁能够战胜不仁，就如同水能战胜火，而现在讲求仁义的人，就如同用一杯水去扑灭正在燃烧的一车柴火的烈火，不能扑灭，是因为水太少，就说水不能战胜火。"我在读《文子》时，见到其中有一段说道："虽然水的威力能战胜火，但一勺水绝对不能扑灭一车柴火的大火；虽然金属的威力可以战胜木，但一把刀却无法砍倒一片树林；虽然土的威力可以胜过水，但一块土不能堵塞一条河。"文子是周朝平王时期的人，孟子讲的这个话大概来自文子。

卷十六

神臂弓

神臂弓出于弩①遗法，古未有也。熙宁元年，民李宏始献之入内②。副都知张若水方受旨料简③弓弩，取以进。其法以檿木为身，檀为弰，铁为蹬子枪头，铜为马面牙发，麻绳札丝为弦，弓之身三尺有二寸，弦长二尺有五寸，箭木羽长数寸，射二百四十余步，入榆木半筈。神宗阅试④，甚善之。于是行用⑤，而他弓矢弗能及。绍兴五年，韩世忠又侈大其制⑥，更名"克敌弓"，以与虏金战，大获胜捷。十二年词科试日，主司出《克敌弓铭》为题云。

[注释]

①弩：弓箭。②献之入内：进献给朝廷。内，即大内、朝廷。③料简：准备材料。④阅试：检阅试验。⑤行用：开始使用。⑥侈大其制：改进其制作方法。

[译文]

神臂弓来自于弓弩的遗留下来的方法，在古代是没有的。宋神宗熙宁元年（1068年），百姓李宏最早把这一方法贡献给朝廷，副都知张若水于是就奉朝廷旨意准备材料制造弩，并不断取得进展。这种所谓神臂弓的制造方法是用山桑木作弓身，用檀木作两端，用铁作蹬子枪头，用铜制作马面牙发，用麻绳扎上丝当弓弦，弓身长有三尺二寸，弦长有二尺五寸，箭木的羽毛长数寸，射程能达到二百四十多步，能把箭射入榆木半箭杆深。宋神宗亲自观看试验后，非常高兴。于是就开始使用，其他任何弓箭都比不上。高宗绍兴五年（1135年），韩世忠又进一步在制作方法上有所改进，用料更为讲究，并把名字改为"克敌弓"，并用这种弓和金寇作战，结果大获全胜。绍兴十二年（1142年）词科考试时，主考官出的题目是《克敌弓铭》。

敕令格式

法令之书，其别有四，敕、令、格、式是也。

神宗圣训曰："禁于未然①之谓敕；禁于已然②之谓令；设于此以待彼之至，谓之格；设于此使彼效之③，谓之式。"凡入笞、杖、徒、流、死，自例以下至断狱十有二门，丽刑名轻重者，皆为敕；自品官以下至断狱三十五门，约束禁止者，皆为令；命官庶人④之等，倍全分厘之给⑤，有等级高下者，皆为格；表奏、帐籍、关牒、符檄之类，有体制模楷者，皆为式。

《元丰编敕》用此，后来虽数有修订，然大体悉循用之。今假宁⑥一门，实载于格，而公私文书行移⑦，并名为式假，则非也。

[注释]

①未然：没有发生。②已然：已经发生。③效之：仿效。④庶人：平民、

百姓。⑤倍全分厘之给：给以成倍、全部、或分或厘的供给。⑥假宁：休假回家探亲。⑦行移：来来往往。

[译文]

关于法令一类文章的书写格式，按类别可分为四类，这就是人们常说的敕、令、格、式四种文体。

宋神宗颁布圣训说："在尚未发生违法行为时制定的禁令称为敕；对已发生的违法行为进行惩处制定的规定叫令；制定具体条文以防止类似违法现象发生的称为格；设置一些做法让人们仿效遵守的称为式。"凡属于笞、杖、徒、流、死五刑之内的，从例以下到断狱共有十二种。不论刑名是轻或者是重，都属于敕；从品官以下到断狱有三十五种，凡是属于约束禁止之列的，都是令；官吏和平民划分清楚等级，分清哪怕是分厘之间的供给，凡有等级高下的，都属于格；表奏、帐籍、关牒、符檄之类有体例范文的文章，都叫做式。

《元丰编敕》就是依照以上要求进行分类的，后来虽然进行过几次修订，但基本上仍然沿袭这些规则。如现在假宁即休息、回家探亲的一类，本属于格类，由于公私文书往还太多了，就称之为式假，这是错误的。

岁后八日

《东方朔占书》，岁后八日，一为鸡，二为犬，三为猪，四为羊，五为牛，六为马，七为人，八为谷。谓其日晴，则所主之物育，阴则灾。杜诗云："元日到人日①，未有不阴时。"用此也。八日为谷，所系尤重，而人罕知之者，故书之。

[注释]

①人日：农历正月初七。

[译文]

《东方朔占书》中说:新年后的八天,一日为鸡,二日为犬,三日为猪,四日为羊,五日为牛,六日为马,七日为人,八日为谷。还说哪一天天气晴朗,它所代表的生物就会生长发育;遇到阴天,它所代表的生物就会出现灾难。杜甫的诗中说:"元日到人日,未有不阴时。"大概就是采用这种说法。第八日为谷,谷物与人类生存关系尤为密切,人们很少知道,所以写在这里。

四笔

卷 一

亭榭立名

立亭榭①名最易蹈袭，既不可近俗，而务为奇涩②亦非是。东坡见一客云近看《晋书》，问之曰："曾寻得好亭子名否？"盖谓其难也。

秦楚材在宣城③，于城外并江作亭，目之曰"知有"。用杜诗"已知出郭④少尘事，更有澄江消客愁"之句也。王仲衡在会稽，于后山作亭，目之曰白凉，亦用杜诗"越女天下白，鉴湖五月凉"之句。二者可谓甚新，然要为未当。庐山一寺中有亭颇幽胜，或标之曰"不更归"，取韩诗末句，亦可笑也。

[注释]

①亭榭：亭阁台榭。②奇涩：离奇艰涩。③宣城：地名，今属安徽。④郭：外城的墙，外城。

[译文]

建立亭榭所取名称最容易因袭旧称。虽说这类称谓不可以浅近、俗气来定名，而追求离奇艰涩的名称也未必恰当。苏东坡曾经遇到一位客人，听说他近来在读《晋书》，就问："你见到有好的亭子名称没有？"就是说给亭子起一个好名称是件难事。

秦楚材在宣城城外江边修建了一个亭子，给它起名叫"知有"。取用的是唐朝诗人杜甫诗中"已知出郭少尘事，更有澄江消客愁（已经知道出城后就少琐事，更有那清澈江水来减少游客的忧愁）"的典故。王仲衡在会稽后山上构建一个亭子，起名叫"白凉"，也用的是杜甫诗中"越女天下白，鉴湖五月凉（越地的女子是天下最白腻，鉴湖的五月也充满着凉意）"的意思。这两个亭子的名称，可算得上新颖别致，然而总的来看也未必妥当。庐山有一寺庙，庙中有一亭子，地处幽雅环境之中，令人向往称道，有人给它起名叫"不更归"，是取韩愈一首诗最后一句中的三个字，这也实在令人发笑。

诏令不可轻出

人君一话一言不宜轻发，况于诏令形播告者哉！汉光武初即位，既立郭氏①为后矣，时阴丽华②为贵人③，帝欲崇以尊位。后固辞，以郭氏有子，终不肯当。建武九年，遂下诏曰："吾以贵人有母仪之美，宜立为后，而固辞不敢当，列于媵妾。朕嘉其义让，许封诸弟。"乃追尊其父及弟为侯，皆前世妃嫔所未有。至十七年，竟废郭后及太子疆，而立贵人为后。盖九年之诏既行，主意移夺，已见之矣。郭后岂得安其位乎？

[注释]

①郭氏：东汉光武帝皇后，建武元年（25年），生皇子疆，被立为皇后。后被废为中山王太后。②阴丽华：东汉光武帝皇后，即位时立为贵人。建武四年（28年），生明帝。十七年（41年），立为后。明帝继位，尊为皇太后。

③贵人：嫔妃称号，地位仅次于皇后。东汉光武帝始置。

[译文]

君主的每一句话都不能轻宜说出，何况以诏令形式下达的传播于四面八方的文书呢！汉光武帝即位之初，册立郭氏为皇后。当时，阴丽华为贵人，光武帝想把她推到尊崇地位。后来，她坚持推辞，由于郭氏已有儿子，终究不愿升崇。建武九年（33年），光武帝又下诏说："我以为贵人阴丽华有作母之典范，应立她为皇后，而她却坚持辞让不愿升居皇后尊位，安于媵妾之列。我赞赏她的谦让美德，准许册封她的弟弟为官。"于是追赠她的父亲和弟弟为侯爵，皆前世妃嫔所未有。至建武十七年，光武帝竟然决定废掉郭后及太子彊，册立阴丽华为皇后。这样，建武九年之诏已经实行，他的主意改变，也如此明显可见。郭皇后怎么能继续做皇后呢？

修缮犯土

今世俗营建宅舍，或小遭疾厄①，皆云犯土。故道家有谢土司章醮之文。按《后汉书·来历传》所载："安帝时，皇太子惊病不安，避幸乳母野王君王圣舍②。太子厨监③邴吉以为圣舍新修缮，犯土禁，不可久御④。"然则古有其说矣。

[注释]

①疾厄：挫折。②幸：到。乳母：奶妈。③厨监：监督厨食的官。④御：躲藏。

[译文]

现在人们十分重视住宅的建造，凡是新建或修缮后的住宅，如果住进去的人多少遇到一点挫折，就会认为这是修建住宅时冒犯了土神的缘故。所以，道家在祭祀时有告谢土司章醮的文章。我翻阅

《后汉书·来历传》,见有这样一则记载:"东汉安帝时,有一次皇太子受惊,心神不安,就到他的乳母野王君王圣住的房屋里去躲避。当时太子厨监邴吉说王圣的住宅是新近修建的,冒犯了土神的禁制,皇太子不可在此久留。"由此看来,所谓修建住宅冒犯土神的说法,至少在汉代就有了。

卷二

有美堂诗

东坡在杭州作《有美堂会客诗》。颔联①云:"天外黑风吹海立,浙东飞雨过江来。"读者疑海不能立,黄鲁直曰:盖是为老杜②所误。因举《三大礼赋·朝献太清宫》云"九天之云下垂,四海之水皆立"以告之。

二者皆句语雄峻,前无古人。坡和陶③《停云》诗有"云屯九河,雪立三江",亦用此也。

[注释]

①颔联:律诗中的第二联(第三、四句)。②老杜:即杜甫。③陶:指陶渊明。

[译文]

苏轼在杭州期间,写有《有美堂会客诗》。其中第三、四句是:"天外黑风吹海立,浙东飞雨过江来。"看到这首诗的人,怀疑大海不能站立,黄庭坚说:"这大概是因袭杜甫的错误。"随后,他举出《三大礼赋·朝献太清宫》诗的例子,告诉那位读到苏轼诗的人,说在这首诗中,有"九天之云下垂,四海之水皆立"的说法。

我认为这二联诗辞语、气势都很雄伟,是前无古人的佳句。苏轼在和陶渊明的诗作《亭云》中说"云屯九河,雪立三江",也采用的是这种描写手法。

二十八宿

二十八宿①,宿音秀。若考其义,则止当读如本音。尝记前人有说如此。《说苑·辩物篇》曰:"天之五星②,运气于五行③,所谓宿者,日、月五星之所宿也。"其义昭然。

[注释]

①二十八宿:中国古代天文学家将太阳和月亮所经天区的恒星分成的二十八个星座。②五星:金、木、水、火、土五大行星。③五行:中国古代称金、木、水、火、土为构成各种物质的五种元素。

[译文]

二十八宿,宿读"秀"音。如果要考察它的本义,则应读它原来的本音。我曾记得前人已有这样的说法。《说苑·辩物篇》中说:"天上金、木、水、火、土五星,赋予金、木、水、火、土五种事物以气。所谓宿,就是太阳、月亮和五星的归宿。"宿字的本义,在这里说得非常清楚。

北人重甘蔗

甘蔗只生于南方,北人嗜之,而不可得。魏太武至彭城,遣人于武陵王处求酒及甘蔗。郭汾阳①在汾上,代宗赐甘蔗二十条。《子虚赋》所云"诸柘巴县",诸柘者,甘柘也。盖相如指言楚云梦②之物。《汉郊祀歌》"泰尊柘浆"③,亦谓取甘蔗汁以为饮。

[注释]

①郭汾阳:郭子仪,字汾阳。唐代大臣。②云梦:今湖北云梦县。③泰尊柘浆:意思是大杯的甘蔗浆液。

[译文]

甘蔗只在南方才能种植,北方人喜欢食用它,而不能得到。北魏太武帝拓拔焘到了彭城,派人到南朝宋武陵王刘骏那里要酒和甘蔗。郭子仪在汾河畔,唐代宗赐给甘蔗二十根。司马相如《子虚赋》中说"诸柘巴县",诸柘就是指甘蔗。司马相如说它的产地是在楚地云梦泽。《汉书·礼乐志》载《郊祀歌》中载"泰尊柘浆",意思是大杯的甘蔗浆液,也说取甘蔗汁作饮料。

卷 三

祝不胜诅

齐景公有疾，梁丘据请诛祝史①。晏子②曰："祝有益也，诅亦有损。聊、摄以东，姑、尤以西③，其为人也多矣。虽其善祝，岂能胜亿兆人之诅？"晋中行寅将亡，召其太祝欲加罪。曰："子为我祝，斋戒不敬，使吾国亡。"祝简对曰："今舟车饰，赋敛厚，民怨谤诅多矣。苟以为祝有益于国，则诅亦将为损，一人祝之，一国诅之，一祝不胜万诅，国亡不亦宜乎，祝其何罪？"此二说若出一口，真药石之言④也。

[注释]

①梁丘据：春秋齐国大夫，景公最信任的大夫之一。祝史：官名，掌管祭祀祈祷。②晏子：晏婴，字仲平，春秋时齐国大夫。③聊、摄以东，姑、尤为西：意思是聊邑、摄邑（今属山东聊城）以东，姑水、尤水（今山东大沽河）以西的地方。④药石之言：规劝的话。药石，药物；药，方药；石，砭石。

[译文]

春秋时期齐国国君齐景公得了疾病，他的大臣梁丘据就请求将负责祈祷的官员处死。晏婴听说后，坚决不同意，说："如果祝福对人有好处，能得到神灵的庇护，那么诅咒对人就有伤害，也能得到神灵的庇护。现在聊邑、摄邑以东，姑水、尤水以西的地方，诅咒国君的人很多，即使负责祈祷的官员恪尽职守，天天为国君祝福，也没法抵得住成千上万人的诅咒，所以主公得病，和祈祷官没有任何关系。"

晋国中行寅在位的时候，国势日衰。他在临死时召来太祝，要治他的罪。中行寅说："你是负责祝告的官员，斋戒心不清静，致使我们的国家面临灭亡的危险。"太祝官祝简辩解说："现在主公您为了装饰豪华的车船，加重税收，搞得民怨沸腾，诅咒主公的人到处都是。如果说祈祷祝福有利于国家，那么诅咒就会有损于国家。一个人向神灵祈祷祝福国家永世长存，一国人向神灵诅咒国家快些灭亡，一个人的祝福怎么能抵得住万人的诅咒，这样国家的灭亡是大势所趋，不可避免的，负责祈祷祝福的官员又有什么罪呢？"

以上这两段话如出自一人之口，真像用于治病的药物与砭石一样。

吕子论学

《吕子》①曰："天生人而使其耳可以闻，不学，其闻则不若②聋；使其目可以见，不学，其见则不若盲；使其口可以言，不学，其言则不若喑③；使其心可以智，不学，其智则不若狂④。故凡学，非能益之也，达天性也，能全天下之所生，而勿败之，可谓善学者矣。"此说甚美，而罕为学者所称，故书以自戒。

[注释]

① 《吕子》：即《吕氏春秋》，又名《吕览》，为吕不韦组织门客编辑而

成。共十二卷，一百一十六篇。②不若：不如。③喑：哑巴。④狂：疯子。

[译文]

《吕氏春秋·劝学》中说："天创造出人，使他有耳可听，如果不学习，他所听到的还不如聋子；使他有目可视，如果不学习，他所看到的还不如盲人；使他有口可言，如果不学习，他所说的话还不如哑巴；使他有心可思考，如果不学习，他的智力还不如疯癫的人。所以，学习的功能，不是使人增长天赋或知晓天性之理，而是能发挥天赋的作用，不致荒废。能够这样做，就可以说是善于学习的了。"这个说法十分精辟，至今还很少见有人引用它。我将它记在这里，作为自戒。

曾太皇太后

唐德宗即位，访求其母沈太后，历顺宗，及宪宗时为曾祖母，故称为曾太皇太后，盖别于祖母也。旧、新二《唐书·纪》皆载之。今慈福太皇太后在寿康太上①时，已加尊称，若于主上则为曾祖母，当用唐故事加"曾"字。向者尝以告宰相，而省吏②以为典故③所无，天子逮事④三世，安得⑤有前比，亦可谓不知礼矣。

又嗣濮王士歆在隆兴为从叔祖，在绍熙为曾叔祖，庆元为高叔祖矣，而仍称皇叔祖如故。士歆视嗣秀王伯圭为从祖，今圭称皇伯祖，而歆但为皇叔祖，乃是弟尔。礼寺⑥亦以为国朝以来无称曾高者，彼盖不知累朝尊属，元未之有也。

[注释]

①寿康太上：宋孝宗。②省吏：尚书省、中书省、门下省中的官吏。③典故：典章制度。④逮事：事奉。⑤安得：怎能。⑥礼寺：礼部太常寺。

[译文]

唐德宗即位后，到处寻找他的母亲沈太后，以后经顺宗，到宪宗时，沈太后已是曾祖母了。所以，称她为曾太皇太后，以便与祖母太皇太后名号有区别。《旧唐书》和《新唐书》的本纪里，都记载有这件事。现在慈福皇太后吴氏，在寿皇太上皇即宋孝宗时，已有皇太后名号，按现在的皇帝宋宁宗来说，她应当是曾祖母，依照唐代旧例在名号前加一"曾"字，称曾太皇太后。过去，我曾经把这个意见告诉宰相，而三省的官员则认为以前没有这样的例子。皇上能够侍奉三代前辈，以前没有类似的情况。这也可以说是官员不通晓礼仪制度的表现。

另外，嗣濮王赵士歆在隆兴时是孝宗的从叔祖，在绍熙时是光宗的曾叔祖，在庆元时是宁宗高叔祖，而宁宗仍然称皇叔祖如旧。赵士歆是嗣秀王赵伯圭为从祖父，现在赵伯圭成为皇伯祖，而赵士歆只称皇叔祖，竟然成了赵伯圭的弟弟。礼部太常寺也认为本朝以来从没有称曾、高的，他们大概不知道各代之间的辈分这么高的皇亲关系该怎么称呼，以前也没有过。

实年官年

士大夫叙官阀①，有所谓实年②、官年③两说，前此未尝见于官文书。大抵布衣④应举，必减岁数，盖少壮者欲借此为求昏地；不幸潦倒场屋，勉从特恩，则年未六十始许入仕。不得不豫为之图。至公卿任子⑤，欲其早列仕籍，或正在童孺，故率增抬庚甲⑥有至数岁者。然守义之士，犹曰儿曹甫策名委质，而父祖先导之以挟欺君，不可也。比者以朝臣屡言，年及七十者不许任监司、郡守，搢绅⑦多不自安，多引年以决去就。江东提刑李信甫，虽春秋⑧过七十，而官年损⑨其五，坚乞致仕⑩，有旨官年未及，与之外祠。知房州章骃六十八岁，而官年增其三，亦求罢去。诸司以其精力未衰，援⑪实为请，有旨听终任。知严州⑫秦焴乞祠之疏曰："实年六十五，而官年已逾七十。"遂得去。齐庆胄宁国乞归，亦曰："实年七十，而官年六十七。"于是实年、官年之字，形于制书，播告中外，是君臣上下公相为欺也。掌故之野甚矣⑬，此岂可纪于史录哉！

[注释]

①官阀：履历。②实年：官员的实际年龄。③官年：官员上报朝廷的年龄。④布衣：平民百姓。⑤任子：公卿大臣的儿子通过保举任官。⑥庚甲：年龄。⑦搢绅：又作缙绅，通常指士大夫。搢，插。绅，束腰的大带。⑧春秋：年龄。⑨损：少、减少。⑩致仕：退休。⑪援：据。⑫严州：今浙江建德。⑬掌故之野甚矣：这一习惯不像话到了极点。掌故，习惯。野，广泛。

[译文]

宋代士大夫们在叙述自己的经历时，有实年即实际年龄和官年即向官府填报的年龄两种说法。这在以前的官方文献上未见有记载的。在填报年龄时，大致有这样几种情形。一般平民在参加科举考试报名时，都要把自己的实际年龄减少几岁，其目的，一是年龄小几岁，科举及第后，便于求婚；二是屡次参加考试未被录取，还可以走特恩的道路，而只有年未满六十的人才准许委任官职，所以必须及早做好这方面的准备。公卿大臣的儿子通过恩荫做官，但有年龄的限制。为了使自己的儿子尽早地做官，公卿大臣往往增报其子的年龄，有的多报好几岁。然而，那些主持正义、品德高尚的人却不赞成这种做法，认为小小年纪没有做官的能力，他的祖父、父亲就引导他们欺骗君王，这是很不应该的。还有一种情形，是不久前，因为朝中官员多次上奏要求年龄到七十岁的官员不许继续留任监司、知州等官职。这样，就使很多的官员感到不安，往往用更改年龄或以大报小或以小报大的办法,以便决定自己是否留任。江东提刑李信甫,实际年龄已超过七十,而填报的年龄减了五岁。所以,当他向朝廷要求退休时,朝廷以为他年龄不够七十岁,便不许他退休,改派他到外地去做那有名无实的掌管庙宇的祠禄官。房州知州章骃的实际年龄是六十八岁,而填报的年龄为七十一岁,比他实际年龄大三岁。他提出退休离职,有关机构认为他身体还好,体力还未衰退,就下令让他继续担任这一任知州,期满后再行议决。严州知州秦焴请求做个管理官观的闲职官员。他在写给朝廷的报告中说:"我的实际年龄六十五岁,而填报的年龄已超过七十岁。"有关部门看了他的报告,就同意他赴任。另一个叫齐庆胄的想退休。他在写给朝廷的报告中亦说:"我的实际年龄七十岁,而填报的官年是六十七岁。"由此可见,在宋代朝廷颁布的诏令及文件中,经常出现有实年与官年的用语。这些文件在朝野内外,广为传播,君臣上下公开地相互欺骗。像这种很坏的习惯,怎么能写入史册呢?

陈翠说燕后

赵左师①触龙说太后,使长安君出质②,用爱怜少子之说以感动之。予尝论之于《随笔》中。其事载于《战国策》、《史记》、《资治通鉴》,而《燕语》中又有陈翠一段,甚相似。云:"陈翠合齐、燕,将令燕王之弟为质于齐,太后大怒曰:'陈公不能为人之国③,则亦已矣,焉有离人子母者!'翠遂入见后曰:'人主之爱子也,不如布衣之甚也,非徒不爱子也,又不爱丈夫子独甚。'太后曰:'何也?'对曰:'太后嫁女诸侯,奉以千金。今王愿封公子,群臣曰,公子无功不当封。今以公子为质,且以为功而封之也。太后弗听,是以知人主之不爱丈夫子独甚也。且太后与王幸而在，故公子贵。太后千秋之后④，王弃国家，而太子即位，公子贱于布衣。故非及太后与王封公子，则终身不封矣。'太后曰：'老妇不知长者之计。'乃命为行具⑤。"此语与触龙无异，而《史记》不书，《通鉴》不取，学者亦未尝言。

[注释]

①左师：春秋战国时期赵、宋等国的执政官。②质：人质。③为人之国：为国家建功立业。④千秋之后：死后。⑤行具：动身的行李。

[译文]

赵国左师官触龙规劝皇太后，让长安君出外做人质，他当时采用疼爱小儿子的方法去感动太后。我在《随笔》中曾论述了这个事。此事记载于《战国策》、《资治通鉴》中。然而《燕语》中又有关于陈翠的一段记载，所说的内容特别相似。《燕语》载："燕国大臣陈翠在齐国与燕国之间说合，准备让燕王的弟弟到齐国去做人质。燕国太后听了大怒说：'陈翠你不能为人家的国家办成事，也就罢了，怎么能想出让我们母子分离的主意呢！'于是陈翠就去晋见太后说：'人君您疼爱自己的儿子，并不如老百姓爱子爱得那样深。您不爱自己年幼的儿子，更不爱自己已成年的儿子。'太后问他道：'你为什么这样讲？'陈翠回答说：'太后您把自己的女儿嫁给诸侯，陪送她千金财物。现在国王愿意册封您的儿子，而大臣们却说，他无功不当受封。今让您的儿子做人质，并将以此为功册封他，太后您又不同意。由此便知人主您真的不爱自己已成年的儿子。再者，现在幸运的是太后您和国王都健在，所以您的这个儿子能有高贵的地位。一旦你们下世之后，长子即位，那时您的这个儿子就会贫贱得如普通老百姓。所以，如果不趁太后您和国王在世时册封您的这个儿子，那么他一辈子也不会受封。'太后听罢说：'老妇我不知道长老您的长远考虑。'于是，下令为她的儿子备办前往齐国去的行李。"这一记载，与触龙所讲的没有什么差别，然而

《史记》没有记载,《资治通鉴》也没有采用,学人中也未尝有人提及。

水旱祈祷

海内雨旸之数,郡异而县不同,为守为令,能以民事介心①,必自知以时祷祈,不待上命也。而省部②循案故例,但视天府为节,下之诸道转运司,使巡内州县,各诣③名山灵祠,精洁致祷,然固难以一概论。乾道九年秋,赣、吉连雨暴涨。予守赣,方多备土囊④,壅诸城门,以杜⑤水入,凡二日乃退。而台符令祷雨,予格之⑥不下,但据实报之。已而⑦闻吉州于小厅设祈晴道场,大厅祈雨。问其故,郡守曰:"请霁⑧者,本郡以淫潦为灾,而请雨者,朝旨⑨也。"其不知变如此,殆⑩为侮惑神天,幽冥之下,将何所据凭哉?

《俚语笑林》谓:"两商人入神庙,其一陆行欲晴,许赛⑪以猪头。其一水行欲雨,许赛羊头。神顾小鬼言:'晴乾吃猪头,雨落吃羊头,有何不可。'"正谓此耳。坡诗云:"耕田欲雨刈欲晴,去得顺风来者怨。若使人人祷辄遂,造物应须日千变。"此意未易为庸俗道也。

[注释]

①介心:关心。②省部:唐宋时中央三省六部机构。三省,尚书、中书、门下省;六部,吏、户、礼、兵、刑、工六部。③诣:到。④土囊:装满土的袋子。⑤杜:堵塞。⑥格之:压着令文。⑦已而:不久。⑧霁:天晴。⑨朝旨:朝廷下达的命令。⑩殆:大概。⑪赛:酬谢。

[译文]

中国地域辽阔,是雨是晴,是涝是旱,各地情况不同,有时差别很大。作为地方长官的知州或县令，如果关心民间疾苦，就会根据情况向上天祈祷，而不必坐等上面的命令才去做。中央三省六部所作出的决定，通常是以京城所在地的天气为依据的，然后下达给诸路转运司，让他们到所管辖的州、县进行巡视，亲临各山大川的祠庙，虔诚恭敬地祈祷。实际上，由于各地天气变化的不同，哪能一概而论呢？宋孝宗乾道九年（1173年）的秋天，赣州（今属江西）、吉州（今江西吉安）地区，连降暴雨，河水猛涨，我当时在赣州任知州，让人们全力投入抗洪抢险，多准备土袋子，用来堵塞城门，以防洪水冲入城内。两天之后，大水退去。而当时朝廷下令是要地方官到祠庙中求雨，我将令文压了下来，上奏折报告了当地的实际情况。不久听说吉州在行礼用的小厅中设了一个祈晴道场，又在大厅设了一个祈雨道场。有人问为什么这样，知州回答说："祈求天晴，是因为本地大雨成灾；祈求天雨，是遵照朝廷的命令。"他们不懂变通竟然到这种地步，真可以说是对上天之灵的一种侮辱！天上人间，相距遥远，情况不明，祈晴祈雨究竟该听信哪一个呢？

《俚语笑林》中说：一天有两个人同时来到一座庙里，其中一个用车拉货走陆路的，希望天晴，烧香叩头祈求保佑，如果天晴，许诺供上猪头；用船拉货的，要走水路，希望下雨，烧香叩头祈求保佑，如果天下雨，许诺供上羊头做供品进行酬谢。大神听了两人的祈祷，喜形于色，对身旁的小鬼说："这下可好了。我们让天晴能吃到猪头肉，让天下雨能吃羊头肉，这有什么不可的呢？"正是说的这种情况。苏东坡有一首诗说："耕田欲雨刈欲晴，去得顺风来者怨。若使人人祷辄遂，造物应须日千变。"这中间的道理，是不大容易对世上的俗人说清楚的。

卷 四

六枳关

盘洲①种枳六本②以为藩篱之限。立小门,名曰"六枳关"。每为人问其所出,倦③于酬应。今取冯衍《显志赋》中语书于此。衍云:"楗六枳而为篱。"按《东观汉记》④作八枳。《逸周书·小开》篇云:"呜呼!汝何敬非时,何择非德!德枳维大人,大人枳维公,公枳维卿,卿枳维大夫,大夫枳维士。登登皇皇,维在国枳,国枳维都,都枳维邑,邑枳维家,家枳维欲无疆。"言上下相维,递为藩蔽⑤也。其数有八,与《东观记》同。详考之,乃九枳也。宋景文公⑥《贺宰相启》"式维公枳",盖用此云。

[注释]

①盘洲:洪适,字景伯,号盘洲。宋代金石学家。②枳六本:枳六棵。枳,落叶灌木或小乔木。③倦:疲劳。④《东观汉记》:东汉刘珍等撰写的记载东汉历史的巨著。⑤上下相维,递为藩蔽:上下之间相互维系、互为屏障。⑥宋景文公:宋祁,字子京,谥号景文。官至工部尚书、翰林学士承旨,与欧

阳修同修《新唐书》。

[译文]

　　我的二哥盘洲曾种植六株枳子，作为院子里的篱笆隔墙，中间开了一个小门，名为"六枳关"。他每每被人问起这个名称的由来，整天疲于应答。现在我摘取冯衍《显志赋》中的话抄录于此。冯衍说："植六株枳子作为篱笆。"《东观汉记》中作八株枳子。《逸周书·小开》篇中说："啊！你什么时候不表示出对上的尊敬，什么事不表现出高尚的德操！德枳维护大人，大人之枳维护公，公枳维护卿，卿枳维护大夫，大夫枳维护士。长长远远，维护在于国枳，而国枳又维护都，都枳维护邑，邑枳维护家，家枳维护的范围没有边际。"这里就是指上下之间相互维系、相互屏障的意思。此书中所说的枳子有八株，与《东观汉记》所载相同。我仔细查证后知道实为九株枳子。宋代史学家宋祁在《贺宰相启》一文中的"式维公枳"（即我是你的屏障）之语，大概取的是这个意思。

一百五日

　　今人谓寒食为一百五者，以其自冬至之后至清明，历节气六，凡为一百七日，而先两日为寒食故云，他节皆不然①也。老杜有鄜州《一百五日夜对月》一篇，江西宗派诗云："一百五日足风雨，三十六峰劳梦魂"，"一百五日寒食雨，二十四番花信风"之类是也。吾州城北芝山寺，为禁烟②游赏之地，寺僧欲建华严阁，请予作《劝缘疏》，其末一联云："大善知识五十三，永壮人天之仰；寒食清明一百六，鼎来道俗之观。"或问"一百六"所出，应之曰："元微之③《连昌宫词》：'初过寒食一百六，店舍无烟宫树绿。'"是以用之。

[注释]

①不然:不是这样。②烟:居民居住。③元微之:元稹,字微之,唐代著名诗人。

[译文]

现在人们叫寒食节为"一百五",这是由于从冬至这一天起一直到清明节,中间经过小寒、大寒、立春、雨水、惊蛰、春分六个节气,共计一百零七天,提前两天即一百零五天便是寒食节。其他的节气都不这样称呼。杜甫在鄜州写有一首题为《一百五日夜对月》的诗。江西诗派的著作里,有"一百五日足风雨,三十六峰劳梦魂","一百五日寒食雨,二十四番花信风"一类的诗句,也是这样称呼的。

我们州城北边有个山寺,是禁止百姓居住,专供人们游览观赏的地方。寺里的和尚准备建造华严阁,请我给他写篇《劝缘疏》。我在文章最后一联诗写道:"大善知识五十三,永壮人天之仰;寒食清明一百六,鼎来道俗之观。"这里用了一百六的典故。有人问我一百六出自何处,我回答他说:"唐代元稹写的《连昌宫词》中,有'初过寒食一百六,店舍无烟宫树绿'的诗句。"所以,我采用了这一说法。

卷 五

土木偶人

赵德甫①作《金石录》，其跋汉居摄坟坛二刻石云："其一上谷府卿坟坛，其一祝其卿坟坛。曰坟坛者，古未有土木像，故为坛以祀之。两汉时皆如此。"予案《战国策》所载，苏秦谓孟尝君曰："有土偶人与桃梗②相语③。桃梗曰：'卫西岸之土也，埏④子以为人，雨下水至，则汝残矣。'土偶曰：'子东国之桃梗也，刻削子以为人，雨降水至，流子而去矣。'"所谓土木为偶人，非像而何？汉至寓龙⑤、寓车马⑥，皆谓以木为之，像其真形。谓之两汉未有，则不可也。

[注释]

①赵德甫：赵明诚，字德甫，宋代金石学家。李清照的丈夫。所撰《金石录》是我国金石学的一部重要著作。②桃梗：用桃木刻成的木偶人。③相语：对话。④埏：以水和土。⑤寓龙：木刻的龙。⑥寓车马：木刻的车马。

[译文]

赵明诚的《金石录》中，有《跋汉居摄坟坛二刻石》一文。

文章说:"其中一篇是上谷姓府的人的坟坛,另一篇是名叫祝其的人的坟坛。所谓坟坛,古时候没有用泥土和木头制成的人像,所以就造坟坛用来祭奠死去的人。两汉时都是这样。"我据《战国策》的记载,苏秦对孟尝君说:"有泥塑土偶人与桃木刻人互相对话。桃木人说:'你是用卫河西边的泥土捏成人的模样,天一下雨洪水一来,你就被毁坏了。'泥塑土偶人说:'你是用东面城里一块桃木,刻成人的模样,天下大雨洪水一来,就把你冲跑了。'"所谓泥塑人、木雕人,不是人像又是什么?汉代出现的寓龙、寓车、寓马,都说是用木头做成的,形状逼真。赵明诚说两汉时没有泥土和木头做成的人像,是不符合实际的。

饶州风俗

嘉祐中,吴孝宗子经者,作《余干县学记》,云:"古者江南不能与中土等,宋受天命①,然后七闽、二浙与江之西东②,冠带《诗》、《书》,翕然大肆③,人才之盛,遂甲于天下④。江南既为天下甲,而饶人喜事。又甲于江南。盖饶之为州,壤土肥而养生之物多,其民家富而户羡⑤,蓄百金者不在富人之列。又当宽平无事之际,而天性好善,为父兄者,以其子与弟不文为咎;为母妻者,以其子与夫不学为辱。其美如此。"予观今之饶民,所谓家富户羡,了非昔时,而高甍巨栋连阡亘陌者,又皆数十年来寓公所擅⑥,而好善为学,亦不尽如吴记所言。故录其语以寄一叹。

[注释]

①宋受天命:宋朝建国。②七闽、二浙与江之西东:七闽,今福建;二浙,浙东、浙西,今浙江;江之西东,今江苏、江西。③翕然大肆:非常盛

行。④甲于天下：位居天下之首。⑤户美：家有积蓄。⑥擅：据有。

[译文]

　　宋朝仁宗嘉祐年间，吴孝宗（字子经）曾写有《余干县学记》一文。其中说："古时候，长江以南的经济、文化发展，都不能与中原地区相比。宋朝建国之后，七闽、二浙及大江东西地区，读书学文化的风气很盛，人才辈出，数量之多，位居国内各地之首。江南地区已跃居于国内首位，而饶州在江南名列前茅。这是因为饶州这个地方土地肥沃，物产丰富，适宜于多种动植物生长，百姓生活丰裕而有积蓄。家中有百金积存的人家，在这里不能算做富户人家。当时正好遇到天下太平，社会秩序安定，饶州人更是乐于行善好施。人们都爱好读书，做父兄的把儿子或弟弟没有文化当做过失；做母亲、妻子的把儿子和丈夫不读书和学习文化当做耻辱，认为自己没有尽到应尽的督导义务。这是多么好的社会风尚啊！"我仔细地观察了饶州的百姓，虽然家家富裕也有积蓄，可也非昔日之所比。成片的高楼巨栋拔地而起，连结在一起，近几十年来，多为外地迁来的人家所占据。而那些好做善事、勤奋好学的人，也不全像吴孝宗所说的那样美好。所以，我将他的话，录之于此，以示惋惜！

禽畜菜茄色不同

　　禽畜、菜茄①之色，所在不同，如江浙间，猪黑而羊白，至江、广、吉州以西，二者则反是。苏、秀间，鹅皆白，或有一斑褐②者，则呼为雁鹅，颇异而畜之。若吾乡，凡鹅皆雁也。小儿至取浙中白者饲养，以为湖沼观美。浙西常茄皆皮紫，其皮白者为水茄。吾乡常茄皮白，而水茄则紫。其异如是。

[注释]

①菜茄：蔬菜。②斑褐：斑点。

[译文]

家禽、牲畜、蔬菜的颜色，由于各地土壤、气候的不同，因而也有所区别。比如在江浙一带，猪的颜色是黑色，而羊的颜色则是白的。到江州（今江西九江）、广州、吉州（今江西吉安）以西的地方，二者的颜色则相反，猪是白色的，羊是黑色的。在苏州、秀州（今浙江嘉兴）一带，鹅的颜色都是白的。偶而见到一只身上有褐色斑点的鹅，当地人就叫它为雁鹅，都十分惊奇，把它当做稀奇动物来饲养。而在我的家乡饶州鄱阳（今江西鄱阳），所有的鹅的颜色都是带褐色和花斑，家乡的人把白色的鹅当做稀奇的动物。有些年轻人甚至购买浙江、浙西的白鹅来饲养，放在湖泊、小河中供人们观赏。茄子皮的颜色，在浙西地区一般都是紫色的，长有白皮的茄子，当地人叫它为水茄。而在饶州鄱阳则相反，一般的茄子皮都是白颜色，水茄则是紫色的。其差异之大，于此可见。

赵德甫金石录

东武赵明诚德甫，清宪丞相中子[①]也。著《金石录》三十篇，上自三代，下讫五季，鼎、钟、甗、鬲、槃、匜、尊、爵之款识，丰碑大碣显人晦士之事迹见于石刻者，皆是正讹谬，去取褒贬，凡为卷二千。其妻易安李居士[②]，平生与之同志，赵没后，愍悼旧物之不存，乃作后序，极道遭罹变故本末。今龙舒郡库刻其书，而此序不见取，比获见元稿于王顺伯，因为撮述大概云："予以建中辛巳赵氏，时丞相作吏部侍郎，家素贫俭，德甫在太学，每朔望谒告出，质[③]衣取半千钱，步入相国寺，市[④]碑文果实归,相对展玩咀嚼。后二年,从宦,便有穷尽天下古文奇字之志,传写未见书,买名人书画、古奇器。有持徐熙《牡丹图》求钱⑤二十万,留信宿,计无所得,卷还之,夫妇相向惋怅者数日。及连守两郡,竭俸入以事铅椠⑥,每获一书,即日勘校装缉,得名画、彝器,亦摩玩舒卷,摘指疵病,尽一烛为率。故纸札精致,字画全整,冠于诸家。每饭罢,坐归来堂,烹茶,指堆积书史,言某事在某书某卷几页第几行,以中否胜负,为饮茶先后,中则举杯大笑,或至茶覆怀中,不得饮而起。凡书史百家字不元缺⑦、本不误者,辄市之,储作副本。

"靖康丙午,德甫守淄川,闻房犯京师,盈箱溢箧,恋恋帐怅,知其必不为己物。建炎丁未,奔太夫人丧南来,既长物不能尽载,乃先去书之印本⑧重大者,画之多幅者,器之无款识者,已又去书之监本⑨者,画之平常者,器之重大者,所载尚十五车,连舻渡淮、江。其青州故第所锁十间屋,期以明年具舟载之,又化为煨烬。

"己酉岁六月,德甫驻家池阳,独赴行都⑩,自岸上望舟中,告别。予意甚恶,呼曰:'如传闻城中缓急,奈何?'遥应曰:'从众,必不得已,先弃辎重,次衣衾,次书册,次卷轴,次古器。独宗器者可自负抱,与身俱存亡,忽忘之!'径驰马去。秋八月,德甫以病不起。时六宫往江西。予遣二吏,部所存书二万卷,金石刻二千本,先往洪州,至冬,房陷洪,遂尽委弃。所谓连舻渡江者,又散为云烟矣,独余轻小卷轴,写本⑪李杜韩柳集、《世说》、《盐铁论》,石刻数十辐轴,鼎鼐十数,及南唐书数箧,偶在卧内,岿然独存。上江既不可往,乃之⑫台、温,之衢,之越,之杭,寄物于嵊县。庚戌春,官军收叛卒,悉取去,入故李将军家。岿然者十失五六,犹有五七簏⑬,挈家寓越城,一夕为盗穴壁,岁五簏去,尽为吴说运使贱价得之。仅存不成部帙残书策数种。忽阅此书,如见故人,因忆德甫在东莱静治堂,装裱初就,芸签缥带,束十卷作一帙,日校二卷,跋二卷,此二千卷,有题跋者五百二卷耳。今手泽如新,墓木已拱⑭,乃知有有必有无,有聚必有散,亦理之常,又胡足道?所以区区记其始终者,亦欲为后世好古博雅者之戒云。"

时绍兴四年也,易安年五十二矣,自叙如此。予读其文而悲之,为识于是书。

[注释]

①中子:第二子。②易安李居士:李清照,自号易安居士。宋文学家,工于诗词。③质:典当。④市:购买。⑤求钱:要价。⑥铅椠:校书与写作。⑦元缺:残缺不全。⑧印本:刻印本。⑨监本:宋国子监刊印的本子。⑩行都:皇帝所在地。⑪写本:手抄本。⑫之:到。⑬簏:竹箱。⑭墓木已拱:坟上的树木已长大,可用两手围抱。

[译文]

诸城赵明诚字德甫,是前宰相清宪公赵挺的第二子。撰《金石录》三十篇,上自尧舜禹三代,下至五代末年,凡是鼎、钟、甗、鬲、槃、匜、尊、爵上面的文字款识,在碑碣上记载的名人和隐士事迹,见于石刻上的记载,都一一校正讹误,选优去劣,评论褒贬,共二千卷。他的妻子易安居士李清照,平生与他的志向相同,赵明诚死后,她痛心旧日收藏的书画器物的丧失,便写了《金石录后序》,详细叙述了遭遇战乱的经历和变故的来龙去脉。现在龙舒郡库刊刻的《金石录》中,没有这篇序文。不久前,我在王顺伯那里见到《后序》原稿,读后很有感慨,而摘要述其内容梗概如下:

"我于宋徽宗建中靖国元年(1101年)与赵明诚结为夫妇。当时赵明诚的父亲丞相赵清献还在吏部做侍郎,家中历来贫穷,生活俭朴。明诚在太学读书,每月初一、十五两天,告假出来,将衣服作为抵押,换取五百文钱,步行到京城开封相国寺,买些碑文、水果回来,我们二人相对而坐,一边吃水果,一边评说古物书画,心情十分舒畅。两年以后,明诚做了官,有了薪俸,因而产生了尽收天下古体字、异体字的念头。凡是遇到未见过的传抄本就抄写下来,同时还购买名人字画及稀奇古器。一天,见人拿着五代著名画家徐熙的《牡丹图》出售,要二十万文钱。我们很想买,留那个人住了一宿,由于未凑够二十万文钱,只好将《牡丹图》卷起来还给了人家。我们夫妻二人为这件事,惋惜了好几天。后来,赵明诚连续在两郡任太守。我们每月将薪俸收入几乎全都用来购买书籍字画。每当购得一部书时,当天就校勘、装订;购得名人字画及古代彝器,我们就反复审视,抚玩展卷,进行评论,指出其中的弊病,大概要到一支蜡烛燃尽的时间。所以,经过我们装裱的书画,纸札精致,字画完整,其他各家都比不上我们。我们每天饭后无事时,就到归来堂坐下,冲上一壶茶,谈论收集来的书,以某件事在某种书、某卷、第几页、第几行为话题猜测,以猜中与不中定谁胜谁负及饮茶先后。胜者先饮,负者后饮。胜者往往举杯大笑。有时不知不觉将茶泼在自己怀中不能再喝了,只好起身而去。凡是史书及百家之书,只要书中字没有磨损残缺,版本不错的,我们都买下,留作副本。

"靖康丙午年(1126年),明诚调到淄川(今山东淄博)去做太守。金兵进犯都城开封的消息传来,人们惊慌不安。我们对于收集而来满箱溢柜的书画器物十分留恋,已经料想到会在战乱中丢失。高宗建炎元年(1127年),明诚的母亲不幸病故,我们来到南方。由于太大太重的古器古物携带不便,于是决定先丢弃那些又重又大的刻印本书及篇幅多的画卷、没有款识的古器物,进而决定再丢失那些监本书、一般的画及又重又大的器物,最后决定带走的仍有十五车。我们乘船渡过了淮河,又渡过了长江,继续南行。而留在青州（今山东益都）故宅十间屋里边的尽是古器字画，门上落锁，想于明年用船运到南方，不幸在兵火中全都化为灰烬。

"高宗建炎三年（1129年）六月，我们就在池阳（今安徽贵池）安家住下。明诚接到任命通知，独自一人前往都城。他在河岸上与我分手告别。当时，我的心情很不好，就大声喊道：'如果情况紧急，听到城将被金人攻占时，我该怎么办？'明诚遥相呼应回答说：'随着众人。实在不得已，先扔掉行李，然后是衣服，再次是书简、画卷、古器物。唯独祭祀用的宗器不要丢弃，要随身携带，与你共存亡。'说罢，挥鞭飞马而去。秋天八月，不料明诚患病医治无效，离开了人世。这时候，形势一天比一天紧急，当时孟太后率后宫已流亡到了江西。我派了两个小吏，带着存书两万卷、金石碑刻二千份，提前来到洪州（今江西南昌）。到了这年冬天，金兵攻占了洪州，运去的书籍器物全都被毁。那些用船运到南方的书籍、字画、古器古物，也都化为云烟而荡然无存。这时候，剩下的只有又轻又小的名人字画，手抄本李白、杜甫、韩愈、柳宗元的文集，《世说新语》、《盐铁论》以及石刻几十件，鼎器鼐器十几个，以及几篇《南唐书》。这是由于这些东西放在我的卧室。长江上游已不能去，便决定继续南下。先到台州（今浙江临海），后衢州（今浙江衢县）、越州（今浙江绍兴），再到杭州，随身携带的东西，寄存在嵊县。

"高宗建炎四年（1130年）春天，宋朝官军收降叛卒，留在嵊县的东西全都被抢走，落入已故的李将军家里。我携带去的那些东西，这时又丢失了十分之五六。还有五到七只竹箱，我随身携带，就暂时住在越州城内。一天晚上，盗贼在我住的屋墙上挖了一个洞，将我带去的五只竹箱东西全部盗走。后来听说被转运使吴说用低价买走。留在我手中的只有成套的残书数种而已。这天，我翻阅存留下来的东西，忽然见到《金石录》这部书，就好像见到了老朋友一样，使我浮想联翩。我回想当年和明诚在东莱（今山东掖县）静治堂时的情景，我们把书籍订成册后，用芸香去薰淡黄色的绸带，把书十卷作为一帙捆起来。每天校勘两卷，为一卷写个题跋。在所存两千卷中，写有题跋的有五百零二卷。而今明诚的书法手迹尚新，他坟墓上的树木已长大，可用两手围抱。我从自身的经历中深知，什么都是在变化的，有有的时候，也必有无的时候；有聚的时候，也必有散的时候。这是事物发展变化的规律。我之所以详细地记述事情的始末，只不过为了让后世喜爱古书字画文物的人引为鉴戒。"

李清照这篇文章，写于高宗绍兴四年（1134年）。这一年，她五十二岁。我读完这篇文章后，很为她悲伤。因此，将它收于书中。

王勃文章

王勃等四子①之文，皆精切②有本原。其用骈俪作记序碑碣，盖一时体格如此，而后来颇议之。杜诗云："王、杨、卢、骆当时体，轻薄为文哂未休。尔曹③身与名俱灭，不废江河万古流。"正谓此耳。身与名俱灭，以责轻薄子。江河万古流，指四子也。韩愈《滕王阁记》云："江南多游观之美，而滕王阁独为第一。及得三王所为序、赋、记④等，壮其文辞。"注谓："王勃作游阁序。"又云："中丞命为记，窃喜载名其上，词列三王之次，有荣耀焉。"则之所以推勃，亦为不浅矣。勃之文，今存二十七卷云。

[注释]

①四子：唐初王勃、杨炯、卢照邻、骆宾王四人称四子。②精切：精确

恰当。③尔曹：你们。曹，辈。④三王所为序、赋、记：王勃作序，王绪作赋，王仲舒作修阁记。

[译文]

王勃等四位才子的诗文，个个都精确恰当有其本源。他们用骈文形式写的记文、序文和墓志碑铭，都是当时人的习惯风格和格式，后人不了解这个情况，对此颇多议论。杜甫在诗中说："王、杨、卢、骆当时体，轻薄为文哂未休。尔曹身与名俱灭，不废江河万古流。"这里所说的正是这件事。身体和名字一起泯灭，是用来指责那些轻浮刻薄的人。江河万古流，则是指王勃等唐初四杰。韩愈在《滕王阁记》中说："有许多景点可供人游览观赏，景点中滕王阁居第一位。及后来见到三王所为序、赋、记等，很佩服他们的文辞。"在这一段后加注释说："王勃写《游滕王阁序》。"又说："中丞命我为洪州滕王阁写篇论文，我个人为能在滕王阁留下名字而感到欢喜，记文列在王勃、王绪、王仲舒的后面，也是一种光荣。"可见，韩愈推崇王勃也由来已久。王勃的诗文，现在存留的有二十七卷。

卷 六

用柰花事

窦叔向所撰用柰花①事,出《晋书》。云成帝②时,三吴女子相与簪③白花,望之如素柰。传言天公织女死,为之著服。已而,杜皇后崩,其言遂验。绍兴五年,宁德皇后讣音④,从北庭来,知徽州唐辉使休宁尉陈之茂撰疏文,有语云:"十年罹难,终弗返于苍梧。万国衔冤,徒尽簪于白柰。"是时,正从徽庙蒙尘⑤,其对偶精确如此。

[注释]

①柰花:茉莉花的别名。②成帝:晋成帝司马衍。③簪:头戴。④讣音:去世消息。⑤徽庙蒙尘:指靖康年间,宋徽宗与宁德皇后为金人俘虏而被囚禁。

[译文]

唐代窦叔向在所撰《贞懿挽歌》中说到"都人插柰花",见于《晋书》。这里说晋成帝司马衍在位的时候,江浙一带女子头上都戴白花,远远望去如同白色的柰花一样。相传织女死的时候,民间的女子为她戴孝都头戴白花。没有多久,杜皇后便去世了,从而证实了这种说法。宋高宗绍兴五年(1135年),宁德皇后在金国五国城去世,消息传来,知徽州唐辉让休宁县尉陈之茂写一篇文章表示哀掉。其中有这样一段话:"十年罹难,终弗返于苍梧。万国衔冤,徒尽簪于白柰。"(遭受了十年苦难,终究未能从苍梧返回。天下人都以为冤枉,无奈头戴白花为之致哀。)当时,宁德皇后与宋徽宗作为俘虏被软禁在金国,而陈之茂之文对仗和用典竟如此精妙!

草驹聋虫

今人谓野牧马为草马,《淮南子·修务训》曰:"马之为草驹之时,跳跃扬蹄,翘尾而走,人不能制①。"注云:"马五尺以下为驹,放②在草中,故曰草驹。"盖今之所称者是也。下文曰:"形之于马,马不可化③,其可驾御,教之所为也。马,聋虫也,而可以通气志④,犹待教而成,又况人乎?"注曰:"虫,喻无知也。"聋虫之名甚奇。

[注释]

①制:制服。②放:放牧。③化:教化。④通气志:理解人的意向。

[译文]

现在人们都称在野外放牧的马为草马。《淮南子·修务训》里说:"马在幼年为草驹时,扬蹄乱跳,翘起尾巴,四处奔跑,人们难以制服它。"在这一条后面,加注说:"马,五尺以下为驹,因为在草地上放牧,所以叫它草驹。"这也就是现在人们称草驹的来历。文章接着说:"马是有形体的,它不能接受教化。它之所以可以供人驾御,是驯化的结果。马,又叫聋虫。马通人性,能够理解人的意向,仍然有待于人驯化才能供人使用,又何况人呢!"在这一条后面,加注说:"虫,比喻无知的意思。"马又叫聋虫,聋虫这个名字非常奇特。

乾宁覆试进士

唐昭宗乾宁二年,试进士,刑部尚书崔凝下二十五人。放榜后,宣诏翰林学士陆扆、秘书监冯渥入内,各赠衣一副及毡被,于武德殿前复试,但放十五人。自状头①张贻范以下重落,其六人许再入举场②,四人所试最下,不许再入,苏楷其一也。故挟此憾,至于驳昭宗"圣文"之谥。崔凝坐贬合州刺史。是时,国祚如赘疣③,悍镇强藩,请隧问鼎之不暇,顾惓惓若此。其再试也,诗赋各两篇,内《良弓献问赋》,以"太宗问工人木心不正,脉理皆邪,若何道理"十七字皆取五声字,依轮次以双周隔句为韵,限三百二十字成。贻范等六人,讫唐末不复缀榜。当是时不糊名,一黜之后,主司不敢再收也。有黄滔者是年及第④,闽人也,九世孙沃为吉州永丰宰,刊其文,初试、复试⑤凡三赋皆在焉。《曲直不相入赋》,以题中曲直两字韵。释云,邪正殊途,各有好恶。终篇只押两韵。《良弓献问赋》,取五声字次第用,各随声为赋格。于是第一韵尾句云:"资国祚之崇崇⑥",上平声也。第二韵,"垂宝祚于绵绵⑦",下平声也。第三韵,"曾非唯唯⑧",上声也。第四韵,"露其言而粲粲⑨",去声也。而阙入声一韵。赋韵如是,前所未有。国将亡,必多制,亦云可笑矣。信州永丰王正白,时再试⑩中选,郡守为改所居坊名曰"进贤",且减户税,亦后来所无。

[注释]

①状头:即状元。②举场:考场。③国祚如赘疣:意思是唐朝天子犹如

多余的废物,随时有被人遗弃的可能。④及第:科举考中。⑤初试、复试:考试分初试、复试两个程序。复试是对初试取中者进行的考试。⑥崇崇:兴盛。⑦绵绵:长久绵延。⑧唯唯:是是。⑨粲粲:十分精彩。⑩再试:第二次参加考试。

[译文]

　　唐昭宗乾宁二年(895年),在京城举行进士科考试,主考官为刑部尚书崔凝,录取二十五人。放榜公布之后,朝廷命翰林学士陆扆、秘书监冯渥入官晋见。每人各赠给衣服一套,还有毡被等物,让他们在武德殿举行复试。复试完毕,正式宣布只取十五人。前次录取的自第一名张贻范以下有十人落榜,其中六个人准许下次再试,另外四人考试成绩很差,不许再入考场应试,苏楷便是这四人中的一个。他怀着满腔怒火,著文批驳给唐昭宗"圣文"中的谥号,因而为朝廷所恼恨。刑部尚书崔凝也因此事牵连被贬调至合州(今四川合州)任刺史。这时候,政局动荡不安,唐朝天子犹如多余的废物,随时有被人遗弃的可能。强横有力的藩镇势力,为着谋夺皇位而纷争不已,无暇顾及他事,而唐昭宗却还如此眷恋着进士科的考试。这次复试,考试内容为诗赋各两篇。其中一题为《良弓献问赋》,要求用"太宗问工人木心不正,脉理皆邪,若何道理"十七个字,从中选取上平、下平、上、去、入五个声调的字,按顺序两句用一个字押一次韵,字数以三百二十字为限。张贻范等六人屡次应试,直到唐朝末年仍然榜上无名。这是由于当时考试没有实行糊名制度。一旦一次考试落选,再参加考试时,考官可以直接看到他的真实姓名、籍贯,也就没有谁敢录取他。一个名叫黄滔的人,这一年考中进士,他是闽(今福建)人,第九代孙子黄沃为信州永丰县(今属江西)知县,曾将他的遗文搜集汇编刻印,黄滔初试、复试所作的三篇赋文都辑在书中。其中《曲直不相入赋》要求用题目中的曲、直二字为韵,并注邪正是对立的两条道路,各有自己的好恶，全篇只用二个韵。另一篇题目是《良弓献问赋》，要求选取五个声调的字依次使用，分别按声调作为赋的节律，按照这一要求撰文，第一次韵的末句是"资国祚之崇崇"，崇字是上平声。第二次韵的末句是"垂宝祚于绵绵"，绵字是下平声。第三次韵的末句是"曾非唯唯"，唯字是上声。第四次韵的末句是"露其言而粲粲"，粲字是去声。缺少一个入声韵。像这样的赋韵，是前所未有过的。一个王朝行将灭亡的时候，必定有如此复杂的制度，也是非常可笑的。信州永丰人王正白，这一年再试时被录取，郡守将他居住地的坊名改为"进贤"，并且决定免去他家里向官府交纳的户税。这也是后来所没有的。

洗儿金钱

车驾都钱塘①以来，皇子在邸生男及女，则戚里、三衙②、浙漕③、京尹，皆有饷献，随即致答，自金币之外，洗儿钱果，动以十数合，极其珍巧，若总而言之，殆不可胜算，莫知其事例之所起。刘原甫④在嘉祐中，因论无故疏决云："在外群情，皆云圣意以皇女生，故施此庆，恐非王者之令典也。又闻多作金银、犀象、玉石、琥珀、玳瑁、檀香等钱，及铸金银为花果，赐予臣下，自宰相、台谏，皆受此赐。无益之费，无名之赏，殆无甚于此。若欲夸示奢丽，为世俗之观则可矣，非所以轨物⑤训俭也。宰相、台谏，以道德辅主，奈何空受此赐，曾无一言，遂事不谏！臣愿深执恭俭，以答上天之贶，不宜行姑息之恩，以损政体。"传哉刘公之论，其劲切⑥如此。欧阳公铭墓，略而不书。予为国史亦不知载于本传，比方读其奏章，故敬纪之。

韩偓《金銮密记》云："天复二年，大驾在岐，皇女生三日，赐洗儿果子、金银钱、银叶坐子、金银铤子。"予谓唐昭宗于是时尚复讲此，而在庭无一言，盖宫掖⑦相承，欲罢不能也。

[注释]

①车驾：马驾的车，帝王的代称。钱塘：今浙江杭州。②三衙：宋代管理禁军的三个机构的长官。③浙漕：宋代管理浙江漕运的机构的长官。④刘原甫：刘敞，字原父，一作原甫，号公是。进士，官终南京御史台，北宋经学家。⑤轨物：法度、准则。⑥劲切：强劲有力、合情合理。⑦宫掖：皇帝嫔妃居住的地方，通常指皇宫。

[译文]

自从宋高宗南渡定都杭州以来，皇子在王府出生或男或女，皇亲国戚、三衙的长官、两浙漕司官、知临安府都要有礼物进献，随即回赠致谢。礼物除金钱、丝织品外，以洗儿名义的钱和花果往往有十几盒，极其珍贵精巧，若是合起来说，几乎数不胜数，这一做法，不知始于什么时候。刘原甫在嘉祐年间，批评无故下令清理遗留问题时说："在朝廷外面众人的看法，都说皇上的意思是因为皇女出生，所以下令庆祝，恐怕不是朝廷传下来的好制度。臣又听说制作了许多金银、犀牛角质、象牙、玉石、琥珀、玳瑁、檀香等钱币，还要熔铸金银制成各种各样的花果，赐给臣下，从宰相到御史台谏官，每人都能得到一份赏赐。没有益处的花销，没有名目的赏赐，或许没有比这更厉害了。如果是想显示奢侈富丽，让世人观看羡慕是可以的，却不能引导人们勤俭持家。宰相、御史和谏官，应当用良好的道德来辅助皇上，为什么平白无故地接受如此赏赐，却不讲一句话，不作一句规劝！臣希望皇上能够发扬恭行节俭的作风，以答谢上天的赐予，不应赐予姑息的恩惠，以免损伤国家政体的根本。"了不起啊！刘原甫的议论，说得理直气壮、合情合理。欧阳修在为他写的墓志铭中，没有提及这件事。我在写国史时，也因不知此事而未能写入《刘敞传》中。近来，读到他的奏章，所以恭敬地将它记录下来。

韩偓《金銮密记》说:"天复二年,皇帝在岐州,皇女出生。第三天,皇帝大行赏赐,赐给洗儿果子、金钱银钱、银叶装饰的坐子、金铤银铤。"我说唐昭宗在那个时候还实行这种礼节,而在朝廷上竟没有人提出一句批评的话,大概是由于宫中习惯成自然,代代相承,谁想取消也难啊!

娑罗树

世俗多指言月中桂为娑罗树,不知所起。案《酉阳杂俎》云:"巴陵①有寺,僧房床下,忽生一木,随伐而长,外国僧见曰,此娑罗也。元嘉中,出一花如莲。唐天宝初,安西②进娑罗枝,状言:'臣所管四镇拔汗郍国,有娑罗树,特为奇绝,不比凡草,不止恶禽,近采得树枝二百茎以进。'"

予比得③楚州淮阴县唐开元十一年,海州④刺史李邕所作《娑罗树碑》云:"非中夏物土所宜有者,婆娑十亩,蔚映⑤千人。恶禽翔而不集,好鸟止而不巢⑥。深识者虽徘徊仰止而莫知冥植,博物者虽沈吟称引而莫辩嘉名。随所方面,颇证灵应,东瘁⑦则青郊苦而岁不稔,西茂则白藏泰而秋有成。尝有三藏义净⑧,还自西域,斋戒瞻叹。于是邑宰张松质请邕述文建碑。"观邕所言,恶禽不集,正与上说同。又有松质一书答邕云:"此土玉像,爰及石龟,离淮阴,百有余载,前后抗表,尚不能称,赖公威德备闻,所以还归故里。谨遣僧三人,父老七人,齐状⑨拜谢。"宣和中,向子諲过淮阴见此树。今有二本,方广丈余,盖非故物,蒋颖叔云:"玉像石龟,不知今安在?"然则娑罗之异,世间无别种也。吴兴芮烨国器有《从沈文伯乞娑罗树碑》

古风一首云:"楚州淮阴娑罗树,霜露荣悴今何如?能令草木死不朽,当时为有北海书。荒碑雨侵涩苔藓,尚想墨律传东吴。"正赋此也。欧阳公有《定力院七叶木》诗云:"伊洛多佳木,娑罗旧得名。常于佛家见,宜在月宫生。钿砌阴铺静,虚堂子落声。"亦此树耳,所谓七叶者未详。

[注释]

①巴陵:今湖南岳阳。②安西:即安西都护府,唐六都护府之一,治龟兹(今新疆库车)。③比得:近来。④海州:今江苏连云港。⑤蔚映:遮盖。⑥不巢:不在这里构巢。⑦瘁:枯萎。⑧三藏:佛家以经、律、论为三藏,后把通晓三藏的僧人称为三藏。义净,又作净义,唐朝僧人。俗姓张,名文明,前往天竺取经,经25年,历30余国。⑨齐状:携带状文。

[译文]

现在社会上一般人多将月中的桂树说成是娑罗树,但不知它的由来。根据《酉阳杂俎》一书的记载:"巴陵有一座寺庙,在僧人所住房屋的床下,忽然冒出一棵小树苗,随着砍伐而生长。外国僧人见到后,说这是一棵娑罗树。南朝宋文帝元嘉年间(424~452年),在这棵树上,忽然开了一朵花,很像莲花。唐玄宗天宝初年,安西向唐朝进献娑罗树枝。在呈给朝廷的状文中说:'臣管辖四镇,在拔汗郁国有娑罗树,长得奇巧绝妙,与一般树木不同,凶猛的飞禽都不在上面停留。近来,采得二百枝,进呈给陛下。'"

后来,我在楚州淮阴县见到唐玄宗开元十一年(723年)海州刺史李邕撰写的《娑罗树碑》。在这篇碑文中说:"娑罗树不适宜在中原的气候土壤环境里生长。娑罗树很大,一棵可占地十亩,能供千余人在树底下乘凉。恶鸟只是在它的上空盘旋飞翔但不往树上落,善鸟只在它的树枝上落但不在上面构巢。一些知识渊博的人来到之后,仔细观察反复仰望,但不知它是怎样长成的。博物家们虽然费尽心机广求博搜也找不出对它的确切记载。它的上下左右,一有变化,就会出现反应,而且大都很灵验。如果它的东部枝叶枯萎,那么在它的东部地区就会出现旱灾而当年歉收;如果它的西部枝叶茂盛,那么在它的西部地区就会出现太平而获得丰收。过去著名的僧人三藏义净到天竺取经,自西域返回时,在此斋戒瞻仰赞叹。于是淮阴县令张松质就请李邕撰文,并在此刻石立碑。"通观李邕所述恶鸟不在树上聚集,正好与《酉阳杂俎》的记载相同。此外,张松质在给李邕的一封回信中说:"这里的泥像、玉像石龟,在一百多年前,就被移到外地。在此之前,虽然多次上奏朝廷,要求归还这些遗物,一直未能如愿。现在借助你的威望和德行,使这些遗物归还故里。为此,特派僧人三名、父老七人,携带状文,前去拜谢。"本朝徽宗宣和年间(1119~1125年),向子谭路过淮阴见到此树,有两棵,长宽各一丈多,已经不是先前的娑罗树了。蒋颖叔曾说:"这里的玉像石龟,不知现在都在什么地方。"然而,娑罗树的不同,虽然奇异,但世界上没有别的品种。吴兴人芮烨国器在所撰《从沈文伯乞娑罗树碑》中有一首古体诗说:

> 楚州淮阴娑罗树,霜露荣悴今何如?
>
> 能令草木死不朽,当时为有北海书。
>
> 荒碑雨浸涩苔藓,尚想墨律传东吴。

另外,欧阳修在《定力院七叶木》这首诗中说:

> 伊洛多佳木,娑罗旧得名。
>
> 常于佛家见,宜在月宫生。
>
> 钿砌阴铺静,虚堂子落声。

这里说在伊水和洛水之间,也有娑罗树。但这里说的七叶木是什么,可惜作者未作解释。

卷七

天咫

黄鲁直和王定国①诗《闻苏子由病卧绩溪》云:"湔祓瘴雾姿②,朝趋去天咫。"蜀士任渊注引"天威不违颜咫尺"③。予按《国语》,楚灵筑三城,使子晳问范无宇,无宇不可。王曰:"是知天咫,安知民则?"韦昭曰:"咫者少也,言少知天道耳。"《酉阳杂俎》有《天咫篇》。黄诗盖用此。徐师川《喜王秀才见过小酌玩月》四言曰:"君家近市,所见天咫。庭户④之间,容光能几?菰蒲⑤之中,江湖之矣。一碧万顷,长空千里。"正祖述⑥黄所用云。

[注释]

①王定国:王巩,字定国,北宋文学家。诗文为苏轼兄弟所称赞。②湔祓瘴雾姿:除去贬官时染上的瘟邪毒气。③天威不违颜咫尺:离皇帝很近能看清皇帝的脸。颜,面目。④庭户:门窗。⑤菰蒲:芦苇。⑥祖述:效仿、沿用。

[译文]

黄鲁直在和王定国诗《闻苏子由病卧绩溪》中说:"湔祓瘴雾

姿，朝趋去天咫。"四川士人任渊作注，引用"天威不违颜咫尺"。我查阅《国语》，内载楚灵王在修建三座城时，派子皙前去征求范无宇意见，无宇认为不可以这样。楚灵王说："他所知道的天咫只是知道眼前的小道理，哪里知道治理百姓的大道理？"韦昭解释说："咫是少的意思，说他懂得的天道很少。"《酉阳杂俎》里有《天咫篇》。黄庭坚诗中采用的就是这一说法。徐师川在《喜王秀才见过小酌玩月》四言诗中说："君家近市，所见天咫。庭户之间，容光能几？菰蒲之中，江湖之矣。一碧万顷，长空千里。"正是沿用了黄庭坚的用法。

县尉为少仙

《随笔》载县尉为少公，予后得晏几道叔原①一帖《与通叟少公》者，正用此也。杜诗有《野望因过常少仙》一篇，所谓"落尽高天日，幽人未遣回"者，蜀士注曰："少仙应是言县尉也。"县尉谓之少府，而梅福②为尉，有神仙之称。少仙二字，尤为清雅，与今俗呼为仙尉不侔③矣。

[注释]

①晏几道：字叔原，号小山。晏殊第七子。北宋文学家，工于词。②梅福：西汉人，字子春，曾为南昌尉，有神仙之称。③不侔：不同。

[译文]

我在《随笔》中说县尉叫少公。后来，我见到晏几道的《与通叟少公》帖子，正好也采用了这一说法。杜甫在《野望因过常少仙》诗中说："落尽高天日，幽人未遣回。"四川的士人加注说："少仙指的就是县尉。"县尉又叫少府，西汉有个叫梅福的曾任县尉，有神仙之称。少仙二字，非常高洁文雅，这与现在人们通常所叫的仙尉不可相提并论。

西太一宫六言

"杨柳鸣蜩绿暗,荷花落日红酣①。三十六陂②春水,白头想见江南。"荆公③《题西太一宫》六言首篇也。今临川刻本以杨柳为柳叶,其意欲与荷花为切对,而语句遂不佳。此犹未足问,至改"三十六陂春水"为"三十六宫烟水",则极可笑。公本意以在京华④中,故想见江南景物,何预于宫禁哉!不学者⑤妄意涂窜,殊为害也。彼盖以太一宫为禁廷⑥离宫尔。

[注释]

① 酣:令人陶醉。② 陂:池。③ 荆公:即王安石,封荆国公,故又称为王荆公。④ 京华:京都。⑤ 不学者:不学无术的人。⑥ 禁廷:皇宫。

[译文]

"杨柳鸣蜩绿暗,荷花落日红酣。三十六陂春水,白头想见江南。"这首诗是王安石所作《题西太一官》六言诗中的第一篇。现在王安石文集《临川集》刻本中,将杨柳改为柳叶,其用意似乎是想与荷花对应得更为切当。但是这么一改,语句就不优美了。关于这一点,可以不予推究。至于将"三十六陂春水"改为"三十六宫烟水",却是非常荒唐可笑的。王安石"三十六陂春水,白头想见江南"诗句的意思是:三十六池春天的碧水,使得白了头发的我思念故乡江南的景色。作者的本意是说因为自己久居北方京城开封,所以不时地想念故乡江南美丽诱人的景色。这与皇宫的禁令又有什么关系呢?那些不学无术而自以为高明的人,任意乱改诗句,实在害人非浅。导致他们乱改的原因,大概是将太一宫当成了皇宫中的离宫。

久而俱化

天生万物，久而与之俱化，固其理焉，无间①于有情无情，有知无知也。予得双雁于衢②人郑伯膺，纯白色，极驯扰可玩，置之云壑，不远飞翔。未几，殒其一，其一块独无俦③，因念白鹅正同色，又性亦相类，乃取一只与同处。始也，两下不相宾接，见则东西分背，虽一盆饲谷，不肯并啜，如是五日，渐复相就④，逾旬之后，怡然⑤同群，但形体有大小，而色泽飞鸣则一。久之，雁不自知其为雁，鹅不自知其为鹅，宛如⑥同巢而生者，与之俱化，于是验焉。今人呼鹅为舒雁，或称家雁，其褐色者为雁鹅，雁之最大者曰天鹅。

唐太宗时，吐蕃禄东赞⑦上书，以谓圣功远被，虽雁飞于天，无是之速，鹅犹雁也，遂铸金为鹅以献。盖二禽一种也。

[注释]

①无间：不分、无论。②衢：衢州，今浙江衢州。③俦：伴侣。④相就：接近。⑤怡然：愉快、快乐。⑥宛如：就像、如同。⑦禄东赞：吐蕃首领，曾助松赞干布治理朝政。唐贞观年间，赴长安迎文成公主入蕃，自留唐为质，后回归故土，与唐修好，平息内乱，雄霸本土。

[译文]

天生万物，久而久之，都会发生变化，这是万物发展固有的规律。无论是有情感的还是无情感的，有知觉的还是无知觉的，都是这样，没有例外。我曾经从衢州郑伯膺那里得到一对大雁，纯白色，十分温顺可爱，把它们放在云壑园内，也不远飞而去。没有多久，其中的一只死去，剩下一只孤零零的没有了同伴。我想白鹅和它的颜色相同，习性也颇相似，都很温顺，于是就找来一只白鹅与它作伴。开始的时候,两个根本不相理睬。一遇见,就各奔东西,背对着而立。虽然同在一个盆里喂养,它们也不肯在一起同吃食物。这样持续了五天。五天之后,它们逐渐熟悉了,开始接近。十天之后,它们就像与自己的同类在一起一样,十分自然快活。它们之间,看起来形体一个大一个小,其他如颜色、能飞、鸣叫都是一样的,时间长了,大雁不知道自己是大雁,鹅也不知自己是鹅了,就像是同巢出生的那样亲密无间。天地间的万物,时间长了,都会融合变化,从这里可以得到验证。现在有人叫鹅为舒雁,或叫家雁,褐色的鹅叫雁鹅,雁中最大的雁叫天鹅。

唐太宗在位的时候,吐蕃人禄东赞在给唐朝的上书中称赞太宗皇帝的功德无量,声闻远方。即使大雁在天空中疾飞,也没有太宗皇帝名声传播得那样快速。并且认为雁如同鹅,于是用黄金铸造了一只鹅献给了太宗皇帝。究其原因,雁和鹅两种禽类本属同一类别。

替戾冈

坡公游鹤林、招隐,有冈字韵诗,凡作七首。最后云:"背城借一吾何敢,切勿樽前替戾冈。"小儿①问三字所出。按《晋书·佛图澄传》,澄能听铃音以知吉凶,往投石勒。及刘曜攻洛阳,勒将救之,其群下咸谏②,以为不可。勒以访澄,澄曰:"相轮铃音云:'秀支替戾冈,仆谷劬秃当。'"此羯语③也。秀支,军也。替戾冈,出也。仆谷,刘曜胡位也。劬秃当,捉也。此言军出捉得曜也。勒遂擒曜。坡公正用此云。

[注释]

①小儿:小儿子。②谏:劝阻。③羯语:羯族语。羯,北方少数民族

之一。

[译文]

　　苏东坡在游览鹤林寺、招隐寺的时候，写有押冈字韵的诗，共七首。诗的最后一句是："背城借一吾何敢，切勿樽前替戾冈。"（意思是我怎么敢做背城一战的尝试，告诫自己千万不要乘醉意再写出应时的诗。）我的小儿子问我替戾冈三字出自何处。我查《晋书·佛图澄传》中载：佛图澄能听铃的声音，测知吉凶祸福，于是投奔了石勒。等到刘曜攻克洛阳，石勒想发兵援救，他的部下认为不可这样做，都出来劝阻。为此，石勒访问了佛图澄。佛图澄告诉石勒说："法器相轮上的铃声说：'秀支替戾冈，仆谷劬秃当。'"这里讲的是羯族语。所云秀支，是军队。替戾冈，是出动的意思。仆谷是刘曜的名字。劬秃当，是捉拿的意思。这句话的意思是说出动军队，可以将刘曜捉拿。石勒根据这一预测，立即率军出战，真的俘虏了刘曜。苏东坡的诗，就是采用了这个典故。

文潞公平章政事

　　文潞公[1]元丰六年以太师致仕，时七十八岁矣。后二年，哲宗即位。太皇太后垂帘同听政。用司马公为门下侍郎，公奏乞召文潞公置之为百寮之首，以镇安四海，后遣中使[2]梁惟简宣谕曰："彦博名位已重，又得人心，今天子幼冲[3]，恐其有镇主之威，且于辅相中无处安排，又已致仕，难为起复。"公当时以新入，不敢复言。

　　元祐元年三月，公拜左仆射，乃再上奏曰："书曰：'人惟求旧。'盖以其历年之多也。彦博沉敏有谋略，知国家治体，能断大事，自仁宗以来，出将入相，功效显著，天下所共知，年逾八十,精力尚强。臣初曾奏陈,寻蒙宣谕。切惟彦博一书生尔,年逼桑榆④,富贵已极,夫复何求?非有兵权死党可畏惧也。假使为相,一旦欲罢之,止烦召一学士,授以词头⑤,白麻⑥既出,则一匹夫尔,何难制之?有震主之威,防虑大过。若依今官制用之为相,以太师兼侍中,行左仆射,有何不可?倘不欲以剧务烦老臣,则凡常程文书,只委右仆射以下签书发遣,惟事有难决者,方就彦博咨禀⑦。自古致仕复起,盖非一人,彦博今年八十一,不过得其数年之力,愿急用之,臣但以门下侍郎助彦博,恐亦时有小补。今不以彦博首相,而以臣处之,是犹舍骐骥而策驽骀⑧也,切为朝廷惜之。若以除臣左仆射,难为无故以他人见易之,则臣欲露表举其自代。"

奏入,不许。给事中范纯仁亦劝乞召致,留为师臣。未几,右仆射韩缜求去,后始赐司马公密诏,欲除彦博兼侍中,行右仆射事,其合行恩礼,令相度条具⑨。公以名体未正,不放居其上,乞以行左仆射,自守右仆射。诏曰:"使彦博居卿上,非予所以侍卿之意,卿更思之。"公执奏言:"臣为京官时,彦博已为宰相,今使彦博列位在下,非所以正大伦也。"于是召赴阙。既而御史中丞刘挚、左正言朱光庭、右正言王觌俱上言:"彦博春秋高,不可为三省长官。"司马公又言:"若令以正太师平章军国重事,亦足以尊老成矣。"四月,遂下制如公言,诏一月两赴经筵⑩,六日一入朝,因至都堂⑪与执政商量事,朝廷有大政令,即与辅臣共议。潞公此命,可谓郑重费力,盖本不出于主意也。然居位越五年,屡谢病,乃得归,竟坐此贻绍圣之贬。

[注释]

①文潞公:文彦博,字觉夫,封潞国公。北宋大臣,历仕四朝,任将相五十年。②中使:皇帝派遣的使臣,因出自宫中,故称。③幼冲:年幼。④年逼桑榆:年逾七十。⑤词头:唐宋朝廷任命官职的谕旨。⑥白麻:用白麻纸写

的诏书。⑦咨禀：请示、报告。⑧舍骐骥而策驽骀：舍弃骐骥那样的骏马不用而去骑劣马。⑨条具：一一奏陈。⑩经筵：皇帝与讲读官讨论经史。⑪都堂：即政事堂，宰相办公之地。

[译文]

宋神宗元丰六年（1083年），文潞公彦博以太师官阶离职退休。这一年，他七十八岁。两年之后，哲宗继承了皇位。由于哲宗年幼，司马光就任后，上书请求召回文彦博，任命他为全体官员之首位，以便稳定天下。太后看到这个奏折后，就派宦官梁惟简前去宣谕说："文彦博的名声和职位都很高，又深得众人爱戴，而今天子年幼，恐怕按卿所说的那样去做，就会出现位高震主的危险。况且辅相没有空缺，无法予以安排。再说他已退休，实在难以召回再用。"司马光这时也是刚被起用，不敢再说什么。

哲宗元祐元年（1085年）三月，司马光升任左仆射，于是再次上奏。说："《尚书》中说：'用人只求老人。'大概是因为老年人经历的事多，经验丰富。文彦博沉着机智，善于出谋划策，熟知国家的政体，又能决断大事。自仁宗朝以来，一直身居要职，外出做统帅，回京做宰相，功绩卓著，为天下人所共知。而今他虽年逾八十，但精力旺盛。臣在此之前，曾经上奏请求起用他。不久，承蒙太后派人宣谕，才知道不能起用他的原因。在臣看来，文彦博只不过是一个书生，他已年过古稀，富贵到了极点，还会再有什么要求呢？何况他一没有兵权，二没有死党，有什么值得畏惧的呢？如果起用他为宰相，一旦想罢免他，只不过是让一位学士草拟一道制书，制书一下，他就立即变成一名普通百姓，又有什么难以制服呢？那种担心有位高震主威胁的想法，恐怕是防范太过了。如果按照现在官制的规定，用他做宰相，以太师兼侍中，行右仆射，有什么不可以的呢？如果不想以繁杂紧急的事务去麻烦老臣，那些一般的日常事务性的上呈文书，可让右仆射以下的官吏签字下发。只有在处理一些难办的事情时，才向文彦博禀报请示。

"自古以来，重新起用退休官员回来做官的，并不是只有一人。文彦博今年已经八十一岁，即使重新起用，也不过是利用他有数的几年时间。希望赶紧任用他，我只以门下侍郎的身份协助文彦博，对于稳定当今的时局不是无益的。如果现在不起用文彦博做第一宰相，而让臣来担任，那就如同舍弃骐骥那样的骏马不用而去骑劣马一样。臣为皇上这样做而痛惜。如果认为已任用臣作左仆射，其他的人无故很难取而代之，则臣愿公开上疏举荐文彦博来代替我。"

司马光的这份奏折进呈之后，没有得到批准。后来，给事中范纯仁也上书请求召回文彦博，留做师臣。没有多久，右仆射韩缜上书请求辞职，太后才颁给司马光一道密诏，想任命文彦博为右仆射，兼任侍中。应该施行加恩礼仪，让司马光拟定个方案奏报。司马光接到这个密诏之后，以为名位不正，不敢使自己的职位居于文彦博之上，请求任命文彦博为左仆射，自己做右仆射。为此，太后特下诏书给司马光说："让文彦博位居你的上面，这不符合我对你的厚望，希望爱卿仔细想一下。"司马光坚持自己的主张，上奏解释说："臣在出任京官时，文彦博已经在朝做宰相。现在让他位居臣的下面，与社会公德不合。"由于司马光的坚持，朝廷才下诏召文彦博回朝。接着，御史中丞刘挚、左正言朱光庭、右正言王觌都先后上书说："文彦博年龄太大，不宜再做尚书省、中书省、门下省三省的长官。"司马光得知这一情况后又上书说："如果下令让文彦博以正太师平章军国重事，亦就足以表现出朝廷对元老重臣的敬重了。"这年四月，根据司马光的建议，朝廷发布制书，委任文潞公为平章军国重事。诏书中特意申明文潞公一月两次为皇上讲解经史及治国安邦之策，每六天上朝一次，到都事堂和执政大臣共商国事。朝廷有什么重大决策、重大政令的发布，都要让他与辅臣们共同商定。文彦博这次重新起用的任命，可以说是郑重而费尽周折。

究其原因，在于首先不是皇帝的意思。文彦博在这个位置上呆了五年，屡次以身体有病请求辞职，才得到批准。最后竟因担任平章军国重事，在绍圣年间被贬官。

卷八

得意失意诗

旧传有诗四句，夸世人得意者，云："久旱逢甘雨，他乡见故知。洞房花烛夜，金榜挂名①时。"好事者续以失意诗四句曰："寡妇携儿泣，将军被敌擒。失恩②宫女面，下第③举人心。"此二诗，可喜可悲之状极矣。

[注释]

①金榜挂名：亦作金榜题名。科举时代考试录取者张榜公布，此榜称之为金榜。②失恩：失去宠爱。③下第：又称落第。科举时代，应试考生未能考取者，称为下第。

[译文]

以前流传有四句诗，描述人得意时的情形说：

久旱逢甘雨，他乡见故知。

洞房花烛夜，金榜挂名时。

有些多事的人，仿照这首诗，续得四句，描述失意时的情形说：

寡妇携儿泣,将军被敌擒。

失恩宫女面,下第举人心。

这两首诗将当时人们高兴与悲伤的情态描绘得淋漓尽致。

穆护歌

郭茂倩编次①《乐府集》诗《穆护歌》一篇。引《历代歌辞》曰"曲犯角"。其语曰:"玉管②朝朝弄,清歌日日新。折花当驿路,寄于陇头人。"黄鲁直《题牧护歌后》云:"予尝问人此歌,皆未能说牧护之义,昔在巴、僰③间六年,问诸道人,亦莫能说。他日,船宿云安野次,会④其人祭神罢而饮福,坐客更起舞,而歌《木瓠》。其词有云:'听说商人木瓠,四海五湖曾去。'中有数十句,皆叙人之乐。末云:'一言为报诸人,倒尽百瓶归去。'继又有数人起舞,皆陈述己事,而始末略同。问其所以为木瓠,盖刳曲木状如瓠,击之以为歌舞之节耳。乃悟⑤穆护盖木瓠也。"据此说,郭茂倩所序,为不知本原⑥云。且四句律诗,如何便差排为犯角曲⑦,殊无意义。

[注释]

①郭茂倩:郓州须城(今山东东平)人,通音律,善汉隶。宋音律学家、书法家。著有《乐府诗集》。编次:编辑。②玉管:玉笛。③巴、僰:巴州,今重庆奉节;僰州,今四川宜宾。④会:正赶上。⑤悟:体会、醒悟。⑥本原:由来。⑦差排为犯角曲:错误地说成是犯角曲。

[译文]

郭茂倩编辑的《乐府集》中收录有《穆护歌》一首。诗中引用《历代歌辞》里所说的"它的曲调是犯角"。其歌辞是:"玉管朝朝弄,清歌日日新。折花当驿路,寄于陇头人。"黄庭坚读后,写了《题牧护歌后》说:"关于这首歌,我曾经问过一些人,为什么叫牧护歌,人们都不明白它的含义。以前,我在巴州、夔州呆过六年,向当地人进行询问,也不能说出个究竟。一天夜晚,船停泊在云安县偏僻的渡口,正好遇到当地的人祭神完毕后饮酒祝福,座中的客人纷纷起来翩翩起舞,并且放声高唱《木瓠歌》。歌词中说:'听说商人木瓠,四海五湖曾去。'中间有几十句,都是描述商人经商的欢乐。它的最后一句是:'一言为报诸人,倒尽百瓶归去。'接着又有数人一边跳舞,一边陈述往事。开头与结尾的情景与上面说的大致相同。问什么叫木瓠,说是将木材刳去成为形状像瓠的曲木当做乐器,进行敲打,以打击声作为跳舞的节拍。由此得到启发,大概穆护就是这种木瓠器。"按照这种说法,郭茂倩在序中说到穆护,但他并没有弄清它的由来与含义,他引录有四句律诗,说是犯角的曲调,尤其没有根据。

莆田荔枝

莆田荔枝,名品皆出天成①。虽以其核种之,终于其本不相类②。宋香之后无宋香,所存者孙枝尔③。陈紫之后无陈紫,过墙则谓小陈紫矣。《笔谈》④谓焦核荔子,土人能为之,取其本,去其大根,火燔令焦,复植于土,以石压之,令勿生旁根,其核自小,里人谓不然。此果形状,变态百出,不可理求⑤。有似龙牙,有似凤爪,钗头红可簪,绿珠子之旁缀,是岂人力所能加哉?

初,方氏有树,结实数千颗,欲重其名,以二百颗送蔡忠惠公⑥,绐以常岁所产止此。公为目之⑦曰"方家红",著之于谱⑧,印证其妄。自后华实虽极茂盛,逮至成熟,所存者未尝越二百,遂成语谶⑨。

此段已载《遁斋闲览》中,郡士黄处权复志其详如此。

[注释]

①名品:著名品种。天成:自然形成,不是人工培植而成。②其本不相类:与其母树不相类同。③孙枝尔:意即变种。④《笔谈》:即《梦溪笔谈》。北宋科学家、政治家沈括所撰的一部科学著作。⑤不可理求:不能用常规来说明。⑥蔡忠惠公:蔡襄,字君谟,官至三司使,北宋著名书法家,所著《荔枝谱》,是我国现存的第一部荔枝专著。⑦目之:定名。⑧著之于谱:写入《荔枝谱》中。⑨语谶:咒语。

[译文]

福建莆田荔枝著名的品种,都是天然生长的。虽然是用它的核作为种子种下,但是长出来的荔枝最终与其母树有很大不同。用宋诚家的宋香核种植长不出宋香,培养出来的都是它的变种。用陈琦家的陈紫核种植长不出陈紫,越过陈琦家院墙的,就叫小陈紫。沈括在《梦溪笔谈》中说:有一种名叫焦核荔枝,当地人能够培植,取其树枝,去掉树根,用火将它的底部烧焦,再植于土中,用石头压在上面,不使它生于旁根,长出的荔枝核自然会小,村里人则说不是这样。荔枝果的形状多种多样,不可以常规来说明它的原因。有的像龙爪,有的像凤爪,钗头红可以插在头上做簪子,名叫绿珠子的成行成串旁缀,这岂能是人力所能做到的吗?

起初,方氏家有荔枝树,每年结果多达数千个。方氏为了提高它的知名度,就拿出二百个送给了蔡襄,并欺骗蔡襄说我家荔枝每年结果就这么多。蔡襄将方氏送来的荔枝定名为"方家红",并写入他所编著的《荔枝谱》中,以印证方氏所说的不实。自此而后,方家的荔枝,虽然枝叶茂盛,待到成熟的时候,能够保存下来的都没有超过二百个的。于是,《梦溪笔谈》关于"方家红"的话成为人们的咒语。

这件事，已载入《遁斋闲览》一书之中，本郡人黄处权又详述其事。

省试取人额

累举省试①，锁院②至开院③，限以一月。如未讫事，则申展亦不过十日，所奏名以十四人取一为定数，不知此制起于何年。黄鲁直以元祐三年为贡院参详官，有书帖一纸云："正月乙丑锁太学，试礼部进士四千七百三十二人。三月戊申具奏进士五百人。"乃是在院四十四日，而九人半取一人，视今日为不侔也，此帖载于别集。

[注释]

①省试：尚书省礼部举行的考试，合格者取得参加殿试的资格。②锁院：考试时将贡院大门锁上，使应试者与外界隔离，以杜绝作弊。③开院：打开贡院的大门。表示考试结束。

[译文]

省试是由尚书省礼部主持的科举考试。历次举行省试，从锁院到开院，期限是一个月。如果阅卷未能结束，则延长也不过十天，所录取上报的有十四人取一人的固定数额，不知道这些规定起始于哪一年。黄鲁直在元祐三年（1088年）任贡院参详官，有书信一封说："正月乙丑日，锁闭太学，参加礼部科举考试的士人有四千七百三十二人。三月戊申日上奏录取士人五百人。"乃是考官在院内共四十四天，而每九个半人录取一人，和今天的制度规定相比有不小的差异。此书信收入《黄庭坚文集》中。

卷 九

沈庆之曹景宗诗

宋孝武尝令群臣赋诗,沈庆之①手不知书,每恨眼不识字,上逼令作诗,庆之曰:"臣不知书,请口授师伯。"上即令颜师伯执笔,庆之口授之曰:"微生遇多幸,得逢时运昌。朽老筋力尽,徒步还南冈。辞荣此圣世,何愧张子房②?"上甚悦,众坐并称其辞意之美。梁曹景宗③破魏军还,振旅凯入,武帝宴饮联句,令沈约④赋韵,景宗不得韵,意色不平,启求赋诗,帝曰:"卿伎能甚多,人才英拔,何必止在一诗!"景宗已醉,求作不已。时韵已尽,唯余竞、病二字,景宗便操笔,其辞曰:"去时儿女悲,归来笳鼓竞。借问行路人,何如霍去病?"帝叹不已,约及朝贤,惊嗟竟日。予谓沈、曹二公,未必能办此,疑好事者为之,然正可为一佳对,曰:"辞荣圣世,何愧子房?借问路人,何如去病?"若全用后两句,亦自的切⑤。

[注释]

①沈庆之:字弘先,封始兴郡国公。南朝宋将领,善用兵,不识字。

②张子房：即张良。③曹景宗：字子震，南朝宋将领，封竟陵侯。④沈约：南朝梁宋齐历史学家。撰有《晋书》、《宋书》。⑤的切：确切。

[译文]

一天，南朝宋孝武帝大摆宴席，宴请文武百官。君臣举杯畅饮，孝武帝让群臣赋诗助兴。这对于经常舞文弄墨的文臣来说，的确是一个表现自己才华的时机，然而对于那些目不识丁的武官来说，却是一件非常头痛的事。

参加宴会的沈庆之，不识字，也不会写字，听到孝武帝也要他赋诗，不免有些焦急。无奈，便硬着头皮对孝武帝说："臣自幼不会写字，请皇上允许我口授，让颜师伯代我记录下来。"孝武帝连声说好，并且降旨让颜师伯执笔录。顿时，宴会上鸦雀无声，群臣把目光都集中在沈庆之身上静心倾听。不久，沈庆之吟道："微生遇多幸，得逢时运昌。朽老筋力尽，徒步还南冈。辞荣此圣世，何愧张子房？"宋武帝听后心花怒放，赞不绝口。在座的文武大臣也异口同声地称赞这首诗不仅语言优美，而且内容亦真切感人。

南朝梁大将曹景宗发兵与北魏军队作战，大获战捷凯旋。梁武帝特设盛宴表示祝贺，并命文武群臣赋诗对句助兴，按照自己的韵去作诗。曹景宗没有得到分给他的韵字，心中很不高兴。于是，就请求武帝允许他赋诗。武帝见此情景，就劝他说："爱卿武艺超人，人才英俊，何必为一首诗而计较呢！"这时候，曹景宗正在兴头上，饮酒已有醉意，连声请求武帝允许他赋诗。这时，事先拟定的韵字，只剩竞、病两个字了。景宗听后，立即操笔疾书诗一首，诗中说："去时儿女悲，归来笳鼓竞。借问行路人，何如霍去病？"梁武帝看后惊叹不已，赞不绝口。沈约及参与赋诗的文武大臣亦为此赞叹了一整天。

在我看来，沈庆之、曹景宗二人，未必真能作出这样令人叹服的好诗，我怀疑这件事是那些多事的人杜撰出来的。然而，这两首诗正好可以合成为这样一副很好的对联:"辞荣圣世,何愧子房?借问路人,何如去病?"如果全用后两句,也非常恰当真切。

蓝尾酒

白乐天元日①对酒诗云:"三杯蓝尾酒,一楪胶牙饧。"又云:"老过占他蓝尾酒,病余收得到头身。""岁盏后推蓝尾酒,春盘先劝胶牙饧。"《荆楚岁时记》②云:"胶牙者,取其坚固如胶也。"而蓝尾之义,殊不可晓。《河东记》载申屠澄与路旁茅舍中老父、妪及处女③环火而坐,妪自外挈酒壶至曰:"以君冒寒,且进一杯。"澄因揖,逊曰:"始自主人翁,即巡④,澄当婪尾。"盖以蓝为婪,当婪尾者,谓最在后饮也。叶少蕴⑤《石林燕语》云:"唐人言蓝尾多不同,蓝字多作啉,出于侯白⑥《酒律》,谓酒巡匝⑦,末坐者连饮三杯为蓝尾,盖末坐远,酒行到常迟,故连饮以慰之,以啉为贪婪之意。或谓啉为爁,如铁入火,贵其出色,此尤无稽,则唐人自不能晓此义。"叶之说如此。予谓不然,白公三杯之句,只为酒之巡数耳,安有连饮者哉?侯白滑稽之语,见于《启颜录》。《唐·艺文志》,白有《启颜录》十卷、《杂语》五卷,不闻有《酒律》之书也。苏鹗⑧《演义》亦引其说。

[注释]

①元日:农历正月初一。②《荆楚岁时记》:南朝宗懔撰,述记荆楚风土人情。③处女:女孩。④巡:轮流。⑤叶少蕴:名梦得,号石林,宋哲宗时进士。⑥侯白:隋魏郡人,性滑稽,善为俳偕杂说。文帝时曾参与国史修纂。⑦匝:环绕一周叫一匝。⑧苏鹗:字德祥,唐僖宗时进士。著有《苏氏演义》。

[译文]

唐朝著名诗人白居易在元日对酒作诗说:"三杯蓝尾酒,一楪胶牙饧。"又说:"老过占他蓝尾酒,病余收得到头身(年老的过去喝他的酒,病愈保住快到尽头的生命)。"还说:"岁盏后推蓝尾酒,春盘先劝胶牙饧(过年的酒宴排在最后的推辞去喝蓝尾酒,新春款待客人先用满盘的胶牙饧)。"《荆楚岁时记》里说:"胶牙糖取其坚固像胶的意思。"至于说为什么叫蓝尾,则没有解释,亦不大明白。

我在《河东记》里见到这样的记载:申屠澄与住在路旁草房中的老头、老太婆及少女围着火炉而坐。老太太从外面提着一个酒壶进来,对申屠澄说:"因为你冒着天寒而来,应先喝一杯。"申屠澄立即站起身来拱手施礼,辞让道:"礼当先让主人喝一杯,然后才能轮到我当婪尾。"这里写做婪尾,大概是由于将蓝字写成婪字,当婪尾的意思,就是最后一个喝酒。

宋朝文学家叶梦得在所撰《石林燕语》中说:"唐朝的时候,人们在说到蓝尾时,往往说法不一,蓝字多写做啉。这个词最早见于侯白的《酒律》一书。侯白在这里说人们在一起聚会,轮流喝酒,坐在末尾的人要连喝三杯,叫做蓝尾。这大概是由于坐在末尾的人离首席较远,轮到他喝时需要经过一段时间,所以让他连喝三杯,以示安慰。将蓝字写做啉,是表示贪婪的意思。也有人认为蓝字应写做燣,就像将一块铁在炉火中烧,烧得时间越长就越红。这种说法是没有什么根据的。从这里便可看出唐朝人已不大明白蓝尾的含义了。"这是叶梦得的看法。

在我看来,上述说法,未必真的就是如此。白居易诗中所说的三杯,只不过是说饮酒的巡数,哪里有连饮三杯的意思呢?侯白这些幽默风趣的述说,见于《启颜录》。《新唐书·艺文志》著录侯白的著作有《启颜录》十卷、《杂语》五卷,没有说他著有《酒律》一书。苏鹗在他的《苏氏演义》中引录的也是叶梦得的这种说法。

南北语音不同

南北语音之异,至于不能相通,故器物花木之属,虽人所常用,固有不识者。如毛、郑①释《诗》,以梅为柟,竹为王刍,荾为翘翘之草是矣。颜师古注《汉书》亦然。淮南王安《谏武帝伐越书》曰:"舆轿而隃领。"服虔曰:"轿音桥,谓隘道舆车②也。"臣瓒曰:"今竹舆车也,江表③作竹舆以行。"项昭曰:"陵绝水曰轿,音旗庙反。"师古曰:"服音、瓒说是也,项氏谬矣。此直言以轿过领耳,何云陵绝水乎?旗庙之音,无所依据。"又《武帝纪》:"戈船将军。"张晏曰:"越人于水中负人船④,又有蛟龙之害,故置戈于船下,因以为名。"瓒曰:"《伍子胥书》有戈船,以载干戈,因谓之戈船也。"师古曰:"以楼船之例言之,则非为载干戈也。此盖船下安戈戟以御蛟鼍水虫之害。张说近之。"二说皆为三刘⑤所破,云:"今南方竹舆,正作旗庙音,项亦未为全非。颜乃西北人,随其方言,遂音桥。"又云:"船下安戈戟,既难厝置,又不可以行。且今造舟船甚多,未尝有置戈者,颜北人,不知行船。瓒说是也。"予为项音轿字是也,而云陵绝水则谬,故刘公以为未可全非。张晏云"越人于水中负船",尤可笑。

[注释]

①毛、郑:毛亨、郑玄的简称。②舆车:滑竿。③江表:江南。④中负人船:托负载人的船只。⑤三刘:刘攽撰《三刘汉书》。

[译文]

南北方语音上的差异,甚至于不能听明白对方的话,所以器物和花草树木一类,即使人们常用,竟然也有一些名字和实物对不上的。例如毛亨、郑玄注释《诗经》,将梅说成是柟,将竹说成是王刍,将萎说成是翘翘草就是例子。颜师古在注释《汉书》时也是这样。淮南王刘安在《谏武帝伐越书》中说:"抬着轿而翻越南岭。"服虔说:"轿读音桥,是山路上乘用的滑竿。"臣瓒注释说:"桥就是今天的竹制滑车,江南人制作滑竿作为交通工具。"项昭注释说:"跨越河流的就是轿,读音为旗庙二字的反切。"颜师古曰:"服虔注的音、臣瓒的解释是对的,项昭的说法是错误的。这里只是讲乘轿过岭南,哪里有跨越水流呢?所说读旗庙二字的反切之音,也是没有根据的。"

另外,《汉书·武帝纪》载有:"戈船将军。"张晏注释说:"越人在水中托载人的船,又有蛟龙的侵害,因而在船下放置戈这种武器,船也因此而叫戈船。"臣瓒注释说:"《伍子胥书》中记载有戈船,用来装载盾牌矛戈武器,所以叫做戈船。"颜师古解释说:"以楼船的例子来说,则不是装载盾牌矛戈的船。这种大船下面安有戈和戟,是为了防止蛟龙鳄鱼的侵害。张晏的说法比较接近实情。"这两种说法都为三刘所批驳,刘邠在《三刘汉书》中说:"现在南方竹制滑竿的名字,读音正是旗庙二字的反切,项昭说得也不是全错。颜师古是西北人,依据的是西北地区的方言,便读轿为桥音。"又说:"船下安装兵器戈、戟,既难以措置,又不便使用。况且今日造舟船的人家甚多,未见有在船底下安装戈的。颜是北方人,对船的运行操作不十分了解。臣瓒的说法是对的。"据此,我认为项昭所说的轿字读音旗庙反切是对的,而所说跨越水流是不对的,所以刘公认为他们的解释不能说是全错。至于张晏所说越人在水中托载人船的说法,则可笑的。

南舟北帐

顷在豫章①,遇一辽州②僧于上蓝,与之闲谈,曰:"南人不信北方有千人之帐,北人不信南人有万斛之舟,盖土俗然也。"《法苑珠林》③云:"山中人不信有鱼大如木,海上人不信有木大如鱼。胡人见锦④,不信有虫食树吐丝所成。吴人身在江南,不信有千人毡帐,及到河北⑤,不信有二万硕船。"辽僧之谈合于此。

[注释]

①豫章:今江西南昌。②辽州:今山西左权。③《法苑珠林》:唐道世撰,佛教典籍之一。④胡人:西北少数民族。锦:丝织品。⑤河北:黄河以北。

[译文]

不久前,我在豫章一处寺院里遇见一位辽州僧人,与他闲谈。他对我说:"南方人不相信北方有可以容纳一千人的大帐篷,北方人不相信南方有可以装载一万斛粮食的大船。然而在当地的习俗却是这样,在北方就是有可以容纳一千人的大帐篷,在南方就是有可以装载一万斛粮食的大船。"

另外,在《法苑珠林》这本书中说:"长期生活在山区的人,不相信有鱼像树那样大,长期生活在海上的人,不相信有大树像鱼那样大。北方的少数民族见到用丝织成的锦,不相信这是蚕吃了桑树上的叶吐的丝织成的。吴人身在长江不相信北方有可以容纳一千人的帐篷,黄河以北的地方,也就不会相信南方有可以装载二万斛粮食的大船了。"那位辽州僧人所说的,与《法苑珠林》里的记载是一致的。

姓源韵谱

姓氏之书,大抵多谬误。如唐《贞观氏族志》,今已亡其本。《元和姓纂》①诞妄最多。国朝所修《姓源韵谱》②,尤为可笑。姑以洪氏一项考之,云:"五代时有洪昌、洪杲,皆为参知政事。"予按二人乃五代南汉僭主刘龑之子,及晟嗣位,用为知政事,其兄弟本连弘字,以本朝国讳③,故《五代史》追改之,元非姓洪氏也,此与洪庆善序丹阳④弘氏云:"有弘宪者,元和四年,尝跋⑤《辋川图》。"不知弘宪乃李吉甫之字耳。其误正同,《三笔》⑥记载此说。

[注释]

①《元和姓纂》:唐林宝撰,十卷,因成书于唐宪宗元和七年(812年)故名。是记述我国姓氏源流的一部专著。②《姓源韵谱》:唐张九龄撰。③国讳:宋朝颁行的避字讳。④丹阳:今属江苏。⑤跋:书后的序文。⑥《三笔》:即《容斋三笔》。

[译文]

姓氏一类书籍,大多数都有谬误。唐太宗年间纂修的《贞观氏族志》一书,原书现在已看不到了。而今所见到的《元和姓纂》一书,是唐代宪宗元和年间纂修的。本朝人编写的《姓源韵谱》更是令人可笑。这里,仅以洪氏一姓为例进行考察。《姓源韵谱》中说:"五代时洪昌、洪杲,都任参知政事。"实际上并不是这样,我查知洪昌、洪杲二人都是五代南汉君主刘龑的儿子,到刘䶮的次子刘晟杀死哥哥刘玢自立后,才被任命为参知政事。他们兄弟二人,原来名叫弘昌、弘杲。因为我朝太祖皇帝的父亲名叫赵弘殷,《五代史》的纂修者为避国朝名讳,就将他们二人名字中的弘字改为洪。可见，这二人本不是姓洪而是姓刘。这与洪庆善在为丹阳《弘氏族谱》写的序文中所说的相类似。序文中说："有个名叫弘宪的人，在唐宪宗元和四年（809年）曾为《辋川图》写过一篇跋文。"洪庆善不知道弘宪乃是唐代李吉甫的字。这个错误，与上述《姓源韵谱》中的错误是相同的。我在《容斋三笔》里已有述及。

文字书简谨日

作文字纪月日，当以实言，若拘拘然必以节序①，则为牵强，乃似麻沙书坊②桃源居士辈所跋耳。至于往还书问，不可不系日，而性率者，一切不书。予有婿生子，遣报云："今日巳时得一子。"更不知为何日。或又失之好奇。外姻③孙鼎臣，每致书，必题其后曰"某节"，至云"小暑前一日"、"惊蛰前两日"之类。文惠公常笑云："看孙鼎臣书，须著置历日于案上。"盖自元正、人日、三元、上巳、中秋、端午、七夕、重九、除夕④外，虽寒食、冬至，亦当谨识之，况于小小气候？后生宜戒。

[注释]

①节序：节令。②书坊：经营图书的书铺。③外姻：亲家。④元正、人日、三元、上巳、中秋、端午、七夕、重九、除夕：元正，正月初一日。人日，正月初七日。三元，即上元，正月十五日；中元，七月十五日；下元，十月一日。上巳，三月初三日。中秋，八月十五日。端午，五月初五日。七夕，七月初七日。重九，九月初九日。除夕，十二月三十日。

[译文]

作文章写信落款记时间时，应当按照书写的实际日期去写，如果都写成节气，就不免牵强，还会引出笑话来。比如福建麻沙镇书坊刻印的桃源居士所撰写的题跋就有这种情形。至于说来往信，更不可不写明日期。有些性情直率的人,写信时,日月节气一律不写,使人看后,不知道是什么时候写的。我的门婿有了儿子,派人前来送信报喜。信中说:"今日巳时(上午九点到十一点)生得一个儿子。"看后不知是哪天巳时得子。还有一些人,追求好奇。我的姻亲孙鼎臣,每次给我家写信,后面必定写于什么节气,或写作"小暑前一日","惊蛰前两日"等。我的哥哥文惠公洪适看后,常常笑着说:"每次看孙鼎臣的来信,须将历书放在桌子上去查,才知道他的信是什么时间写的。"这是因为元正、人日、三元(上元、中元、下元)、上巳、中秋、端午、七夕、重九、除夕节气的日期为人们所熟悉,除此之外,即使是寒食、冬至,亦都应当一一写明日期,何况一小小的节气呢?子孙后代们在写信的时候,应以此为戒。

更 衣

雅志堂后小室,名之曰"更衣",以为姻宾憩息①地。稚子②数请所出,因录班史语示之。《灌夫传》:"坐乃起更衣。"颜注③:"更,改也。凡久坐者皆起更衣,以其寒暖或变也。""田延年起,至更衣。"颜注:"古者延宾必有更衣之处。"《卫皇后传》:"帝起更衣,子夫④侍,尚衣。"

[注释]

①憩息:休息。②稚子:儿子。③颜注:颜师古注解。④子夫:即卫子夫,汉武帝皇后。其弟卫青,为司马大将军。

[译文]

在雅志堂后面,有一间小屋,起名叫"更衣室",用它作为朋友宾客暂时休息的地方。我的小儿子多次问我"更衣"这个词出自何处，我将班固《汉书》中的记载摘出给他看。《灌夫传》中说："坐着的人起来更衣。"颜师古注解说："更是改换的意思。凡是坐的时间长的要起来换衣服，因为天气变化，有时可以变热或变冷。"又说"田延年起身去更衣"。颜师古注解说："古代延请宾客一定要有更换衣服的地方。"另外，在《卫皇后传》中说："皇帝起来更衣休息，由卫皇后子夫服侍，为皇帝选择合适的衣服。"

卷 十

过 所

《刑统·卫禁律》云:"不应度关而给过所①,若冒名请过所而度者。"又云:"以过所与人。"又《关津疏议》:"关谓判②过所之处,津直③度人,不判过所。"《释名》曰:"过所,至关津以示之。"或曰:"传,传转也,转移所在,识以为信④。"汉文帝十二年,"除关无用传"。张晏曰:"传,信也,若今过所也。""两行书缯帛,分持其一,出入关,合之乃得过,谓之传也。"《魏志》,仓慈为敦煌太守,西域杂胡欲诣洛者,为封过所。《廷尉决事》曰:"广平赵礼诣雒治病,门人赍⑤过所诣洛阳,责礼冒名渡津,受一岁半刑。"徐铉《稽神录》:"道士张谨好符法,客游华阴,得二奴,曰德儿、归宝,谨愿可凭信。张东行,凡书囊符法、过所、衣服,皆付归宝负之,将及关,二奴忽不见,所赍之物,皆失之矣。时秦陇用兵,关禁严急,客行无验,皆见刑戮,既不敢东度,复还,主人乃见二儿,因掷过所还之。"然过所二字,读者多不晓,盖若今时公凭引据之类,故衷⑥其事于此。

[注释]

①过所：通行证，凭证。②判：检验。③直：负责。④信：凭证。⑤赍：携带。⑥裒：聚集，录辑。

[译文]

古时候，人们在通过关卡时要交验通行证。

《宋刑统·卫禁律》中记载："如果不应通过关卡而发给他们过所即通行证，或者冒名顶替请求领取过所而通过关卡的"，以及"把过所给予别人"都要受到惩罚。《关津疏议》里说："关卡是检验过所的地方，津渡只负责让人安全过河，不查验过所。"另外，《释名》里说："过所，到关卡渡口的地方要出示给守关卡渡口的人看。"有人则认为："传，就是传达转移的意思，由一个地方到另一个地方，就要用传作为凭证。"汉文帝十二年（前169年）曾经下令：废除关卡渡口出示传的规定。张晏在此作注说："传就是凭证，如同现在的过所。"又注说："在一块绢布上书写，然后分成两半，官方和行人各持一半。在通过关卡时，要交守关人查验，与官方保存的一份相合，方可允许通过。这就是所说的传。"

《魏志》里记载，仓慈在敦煌担任太守，西域一些胡人想去洛阳，仓慈接受了他们的请求，为他们签过所。《廷尉决事》载："广平（今河北鸡泽东南）赵礼到洛阳治病，他的门人拿着他的过所来到洛阳，被查出。官府就斥责赵礼冒名过河，判他一年半的徒刑。"

徐铉在所撰《稽神录》中说："道士张谨爱好符法，到华阴游历时，得到两个奴仆，一个叫德儿，另一个叫归宝，都很谨慎朴实，可以信任。所带的书籍行李、符法、过所、衣服都让归宝担负着。快到关口时，那两个奴仆忽然不见了，所带的行李、物品与过所等，也被两个奴仆带走了。这时候，秦陇之间正在打仗，关禁盘查很严。过关的旅客行人如果没有证件，要被当做奸细而杀掉。张谨既没有了过路的过所,也就不敢东行,于是就又回来了。后来,主人见到两个奴仆,叫他们把过所还给了张谨。"

然而,过所这两个字的意思,很多人都不明白,大概同现在的公凭、引据之类的东西相似。所以,我将有关史书上的记述辑录于此,并略作说明。

露 布

用兵获胜,则上其功状于朝,谓之露布。今博学宏词科以为一题①,虽自魏、晋以来有之,然竟不知所出,唯刘勰《文心雕龙》云:"露布者,盖露板不封,布诸观听也。"唐庄宗为晋王时,擒灭刘守光,命掌书记王缄草露布,缄不知故事②,书之于布,遣人曳之,为议者所笑。然亦有所从来,魏高祖南伐,长史韩显宗与齐戍将力战,斩其裨将。高祖曰:"卿何为不作露布?"对曰:"顷闻③将军王肃获贼二三人,驴马数匹,皆为露布,私每哂④之。近虽得摧丑虏,擒斩不多,脱⑤复高曳长缣,虚张功捷,尤而效之,其罪弥甚,臣所以敛毫⑥卷帛,解上而已。"以是而言,则用绢高悬久矣。

[注释]

①题:作为考试试题。②故事:旧的典章制度。③顷闻:近来听说。④哂:讥笑。⑤脱:如果。⑥敛毫:搁笔。

[译文]

露布是出兵打仗,取得战捷,向朝廷呈报战功所采取的方法。现在,国家选拔人才的博学宏词科把它作为考试的一道试题。虽然魏晋以来就出现有露布,但是很多人不知道它的来历。只有刘勰在《文心雕龙》中说:"露布是公文外露不密封,让人观看。"后唐庄宗李存勖为晋王时,作战获胜,俘虏了刘守光,让掌书记官王缄起草露布,记述其战功。王缄不懂得露布制度是怎么一回事,就将晋王的战绩写在布上,派人拉着布的两端,向众人展示。结果,遭到许多人的讥笑。然而,王缄也不是这一做法的创始人。在他之前,已经有人这样做了。

北魏高祖举兵南下,攻打南齐。长史韩显宗与南齐守军展开激战,斩杀了南齐的几个裨将。高祖问韩显宗道:"爱卿出兵作战,旗开得胜,为什么不做露布报告战功呢?"韩显宗听了,回答说:"不久前,我听说将军王肃好做露布,每次出战,擒获贼寇二三人,收缴驴马几匹,都要做露布上报朝廷,以表其战功。我每次听说后,就私下里偷偷地讥笑他小题大做。而今我虽然出战获胜,打击了敌人的气焰,但俘虏斩获不多。如果也像王肃那样,派人高拉绢布,虚张声势,炫耀自己的战功,那样,我的罪可就大了。我之所以搁笔卷绢,只将战利品缴上也就算了,原因便在于此。"

由此来看,用绢高悬作为露布报功的做法,并不是现在才有的,而是由来已久了。

山公启事

《晋书·山涛传》:"涛再居选职,十有余年,每一官缺,辄启拟数人,诏旨有所向①,然后显奏,随帝意所欲为先。故帝之所用,或非举首,众情不察,以涛轻重任意。或谮之于帝,涛行之自若。一年之后,众情乃寝②。涛所奏甄拔人物,各为题目,时称《山公启事③》。"此语今多引用,然不得其式④,法帖⑤中乃有之,云:"侍中、尚书仆射、奉车都尉、新沓伯臣涛言,臣近启崔谅、史曜、陈准可补吏部郎,诏书可尔。此三人皆众所称,谅尤质止少华,可以崇教,虽大化未可仓卒⑥,风尚所劝,为益者多,臣以为宜先用谅。谨随事以闻。"观此一帖,可以概见。然所启三人,后亦无闻,既云皆众所称,当不碌碌也。旧《潭帖》为识者称许,以为贤于他本,然于此奏"未可仓卒"之下,乃云"风笔恻然",全无意义。今所录者,临江本也。

[注释]

①所向:意图。②寝:平息,安定。③启事:奏章。④式:格式,形制。⑤法帖:字帖。⑥大化未可仓卒:大的教化不可能在短时期内实现。

[译文]

自《晋书·山涛传》:"山涛再次担任录用官员的职务,十余年来,每次出现官缺,他就拟定数人先报告给朝廷,等皇帝表示了意向,而后正式上奏,并按照朝廷意向去排列启奏备录官员的先后名次。所以,为皇帝选用的人,有时并不是山涛首先提出的,人们不了解这个情况,以为选官用人是山涛任意确定的。有人在皇帝面前指责他,山涛照旧去做,若无其事。经过一年之后,人们的这些议论逐渐消失。山涛在上奏选拔人才时,分别加上一个标签,当时叫做《山公启事》。"《山公启事》一语现在人们多在引用,然而人们并不知道它的格式。今在法帖中见有辑录,特抄出:"侍中、尚书仆射、奉车都尉、新沓伯臣山涛说,我近日启奏上报崔谅、史曜、陈准可补吏部郎缺官,诏书准允。这三个人都为众人称赞,崔谅尤其质朴端正,年少有才华,可以弘扬教化,虽然大的教化不可能在短期内实现,但提倡风尚,受益甚多,我认为应当先任用崔谅。谨将这些情况奏报。"看到这份帖子,可以知道《山公启事》格式的大概。然而这里所奏报的三个人,后来情况如何不得而知,既然说为众人所称赞,当不是碌碌无为之人。过去《潭帖》曾为有识之士称道,认为优于别的本子,然而在此奏"未可仓卒"之后面,又说"风笔恻然",则全然没有意义。这里所引录的,是临江本上的记载。

责降考试官

　　天禧二年九月，敕差屯田员外郎判度支计院任布、著作郎直史馆徐奭、太子中允直集贤院麻温其，并充开封府发解官①。十月，差兵部员外郎直集贤院杨侃、太子中允直集贤院丁度，并国子监发解官。十一月，解②一百四人，解元③郭稹。十六日，宣翰林学士钱惟演、盛度，枢密直学士王晦叔，龙图阁待制李虚己、李行简，复考开封举人，为④落解举人有讼不平⑤者。及奏名，郭稹依旧，其余复落，并却⑥考上人数甚多。十二月，发解官并降差遣，任布邓州，徐奭洪州，杨侃江州，丁度齐州，并监税。此事见于钱丕《杂记》，用五侍从复考解试，前后未之有也。

[注释]

　　①发解官：又称考试官，临时差遣主持考试的官员。②解：宋代科举考试分级进行，州试合格者，遣人解送至京参加省试称解，又称发解。③解元：唐宋时地方府州保送到京参加尚书省考试的第一名。明清时，称乡试第一名为解元。④为：由于。⑤讼不平：控诉考试不公。⑥却：落选。

[译文]

　　天禧二年（1018年）九月，朝廷发布敕令，指派屯田员外郎判度支计院任布、著作郎直史馆徐奭、太子中允直集贤院麻温其，一起担任开封府科举考试的发解官。十月，指派兵部员外郎直集贤院杨侃、太子中允直集贤院丁度，一起担任国子监科举考试的发解官。十一月，录取一百零四人，解元是郭稹。十六日，朝廷命令翰林学士钱惟演、盛度，枢密直学士王晦叔，龙图阁待制李虚己、李行简,重新考试开封府举人,这是由于落选的举人有控诉考试结果不公平的缘故。等到向朝廷申报第二次考试录取名次,郭稹仍旧是解元,其余原先被录取的却都落选了,而且原先落选这次被录取的人很多。十二月,原发解官都被降低职务,任布到邓州,徐奭到洪州,杨侃到江州,丁度到齐州,都是担任监税。这件事钱丕的《杂记》中有记载。任用五名侍从大臣重新进行解试,这以前和这以后都没有过。

青莲居士

李太白《赠玉泉仙人掌茶诗序》云:"荆州①玉泉寺近清溪诸山,往往有乳窟②。其水边处处有茗草罗生,枝叶如碧玉,唯玉泉真公常采而饮之。余游金陵③,见宗僧中孚,示予茶数十片,其状如手,名为仙人掌茶,盖新出乎玉泉之山,旷古④未觌,因持以见遗⑤,兼赠诗,要予答之,遂有此作。后之高僧大隐,知仙人掌茶发乎中孚禅子及青莲居士李白也。"太白之称,但有"谪仙人"尔,"青莲居士"独于此见之,文人未尝引用。而仙人掌茶,今池州⑥九华山中亦颇有之,其状略如蕨拳也。

[注释]

① 荆州:今湖北江陵。② 乳窟:由石钟乳生成的洞穴。③ 金陵:今江苏南京。④ 旷古:自古以来。⑤ 遗:馈赠,赠送。⑥ 池州:今安徽贵池。

[译文]

唐代诗人李白在《赠玉泉仙人掌茶诗序》中说:"在荆州玉泉寺附近,有清溪诸山并峙,处处有石钟乳丛生的洞穴。在水边的地方,到处长满着名叫茗草的茶草。茗草的枝叶如同碧玉,似乎还没有引起人们的注意。只有玉泉寺的真公常常采摘取作茶叶饮用。有一次游历，我来到金陵，见到高僧中孚，他拿出茶叶数十片给我看。叶片的形状很像人的手掌，所以就把它叫做仙人掌茶。这是才从荆州玉泉山采集而来的，自古以来，从未有人见到过。因此，特意拿出来赠送给我，并且赠诗一首，要我作诗以答，为此，我写下了这首诗。后来的高僧及著名的隐士，都知道仙人掌茶是中孚和尚及青莲居士李白最早发现的。"作为李太白的称号，只有"谪仙人"，"青莲居士"仅仅在这里见到，还没有见有人引用。而仙人掌茶，在现在池州九华山亦有出产，它的形状与才长出来的蕨菜差不多，很像小孩子的手掌。

吏部循资格

唐开元十八年四月，以侍中裴光庭兼吏部尚书。先是选司注官①，惟视其人之能否，或不次超迁②，或老于下位，有出身二十余年，不得禄者。又州县亦无等级，或自大入小，或初近后远，皆无定制。光庭始奏用《循资格》，各以罢官若干选而集，官高者选少，卑者选多，无问能否，选满则注③，限年蹑级④，毋得逾越，非负谴者⑤皆有升无降。其庸愚沉滞者⑥皆喜，谓之《圣书》，而材俊之士，无不怨叹，宋璟争之，不能得。二十一年，光庭薨，博士孙琬议光庭用《循资格》，失劝奖之道，请谥曰"克"。是年六月制⑦，自今选人有才业操行，委吏部临时擢用。虽有此制，而有司以《循资格》便于己，犹踵行之。盖今日吏部四选⑧，乃其法也。予案元魏肃宗神龟二年，官员既少，应选者多，尚书李韶铨注不行⑨，大致怨嗟。崔亮代之，奏为格制，不问士之贤愚，专以停解月日为断⑩，沉滞者皆称其能。亮甥刘景安与书曰："商、周以乡塾贡士，两汉由州郡荐材，魏、晋中正⑪，虽未尽美，应什收六七。而朝廷贡材，止求其文，不取其理，察孝廉唯论章句，不及治道，立中正不考材行，空辨姓氏。舅属当铨衡，宜须改张易调，反为《停年格》以限之，天下士子，谁复修厉名行哉？"洛阳令薛琡上书言："黎元命系长吏，若选曹⑫惟取年劳，不简能否，义均行雁，次若贯鱼，执簿呼名，一人足矣，数人而用，何谓铨衡⑬？乞令王公贵人荐贤以补郡县。"诏公卿议之。其后甄琛等继亮，利其便已，踵而行之。魏之选举失人，自亮始也。至孝静帝元象二年，以高澄摄⑭吏部尚书，始改亮年劳之制，铨擢贤能，当是自此一变。光庭又祖亮故智云。然后人罕有谈亮、澄事者。

[注释]

①选司注官：吏部选拔安排官员。②超迁：破格提拔。③选满则注：达到参选次数就安排入官。注，入官。④限年蹑级：按照年限晋级。蹑，晋升。⑤负谴者：犯罪受到处分的人。⑥庸愚沉滞者：平庸愚笨，长期得不到提升的人。⑦制：朝廷颁布的制令。⑧吏部四选：宋代主管官吏铨选机构的总称。元丰后四选皆归吏部。⑨不行：难以安排，不能安排。⑩断：依据。⑪中正：三国曹魏州郡负责人才品德才能评定的官吏。⑫选曹：掌官吏铨选的机构。⑬铨衡：评定人才。⑭摄：代理。

[译文]

唐玄宗开元十八年（730年）四月，任用侍中裴光庭兼任吏部尚书。在这之前，吏部选拔安排官员职务，只看本人是否有才能，有才能的破格越级提升，否则不予提升。有的到老还担任下级官职，有的为了取得做官资格等了二十多年，因没有实际职务而得不到俸禄。另外州县官吏也不分等级，有的从大州刺史、大县县令调任小州刺史、小县县令，有的从离都城近的地方调到离都城远的地方，都没有固定的制度。

裴光庭担任吏部尚书后，针对这些，上奏朝廷，得到批准，开始使用《循资格》，各个官员都以上次任职结束后参加过的选官次数为准到吏部登记，官阶高的参加选官的次数少，官阶低的参加选官的次数多。不管是否有才能，达到规定的参加选官次数的就安排职务，按做官年限晋级，不许超越，除了犯罪受处分的都有升无降。其中因平庸愚笨长期得不到提升的都十分高兴，称赞这是《圣书》；而有才能的人，则无不怨声载道。宋璟竭力反对，也没有结果。

开元二十一年（733年），裴光庭去世，博士张琬批评裴光庭使用《循资格》，违背了鼓励奖赏有能力、肯干官员的原则，请求用"克"字作为裴光庭的谥号。这年六月，朝廷颁布制令，规定从今以后候选官员有才能政绩和操行的，委托吏部临时根据情况提拔使用。虽然有这个规定，而有关官员认为《循资格》对自己有利，仍然继续沿用。大概现今吏部四选安排官员，仍是用这个办法。

考查历史，北魏肃宗神龟二年（519年），由于国家官职位置少，要求安排职务的人太多，吏部尚书李韶安排不开，引起很多人的埋怨不满。在这个时候，崔亮代替了他的职务，拟定制度和标准上奏，请求采用停格制，不问官员的品德才能好坏，只依据失去职务的时间长短为基准。长期不受重用的人都称赞他的办法好。崔亮的外甥刘景安写信给他说："商代、周代靠乡塾推荐士人，两汉从州郡举荐人才，魏、晋实行九品中正制，虽然不是尽善尽美，想必也得到了人才的十分之六七。而朝廷选拔人才，只要求外表，不重视实质，选拔孝廉，只看读经书写文章，不看治国方略，实行中正制不考察被举荐者的能力品行，空泛地追求他们的家族。舅舅您担任了选择安排人才的官职，应当改旧图新，反而拟定了《停年格》以限制有用人才的提拔，天下的士人，谁还再讲究名节操行呢？"洛阳令薛琡上书说："平民百姓的命运都掌握在长官手里，如果吏部只按照年月资历，不考察是否有能力，像飞行的大雁排队那样把官员彼此没有差异地一列,把官员像用草串鱼那样地排列次序,拿着花名册来叫名字,一个人就足够了。现在国家安排你们好几个人做这件事,这样做怎么能说选拔评定人才?请求命令官爵高贵的人举荐贤人用来补充州县官员。"这一奏疏进呈后,朝廷下诏命令大臣们讨论。后来甄琛等接替崔亮的职务,认为《停年格》对自己有利,效法崔亮。北魏选拔举荐人才失当,是从崔亮开始的。到了孝静帝元象二年(539年),任用高澄代理吏部尚书,才开始改变崔亮按年月安排职务的做法,吏部选拔贤明有才能的人,大约从此发生一次大的变化。裴光庭又效法了崔亮的做法。然而后代人很少有人谈到崔亮、高澄的事略。

王逸少为艺所累

王逸少①在东晋时,盖温太真、蔡谟、谢安石一等②人也,直以抗怀物外③,不为人役,故功名成就,无一可言,而其操履识见,议论闳卓,当世亦少其比。公卿爱其才器,频召④不就。殷渊源辅政,劝使应命,遗之书曰:"足下出处,正与隆替⑤对,岂可以一世之存亡,必从足下从容之适?"逸少报曰:"吾素自无廊庙⑥,王丞相欲内⑦吾,誓不许之,手迹犹存,由来尚矣,不于足下参政而方进退。自儿娶女嫁,便怀尚子平⑧之志,数与亲知言之,非一日也。"及殷侯将北伐,以为必败,贻书止之。殷败后,复图再举,又遗书曰:"以区区江左,所营综如此,天下寒心久矣!自寇乱以来,处内外之任者,疲竭根本,各从所志,竟无一功可论,一事可纪。任其事者,岂得辞四海⑨之责哉!若犹以前事为未工,故复求之于分外,宇宙虽广,何所自容。"又与会稽王笺曰:"今虽有可欣之会,内求诸己,而所忧乃重于所欣,以区区吴、越,经纬⑩天下十分之九,不亡何待!愿令诸军皆还保淮,须根立势举,谋之未晚。"其识虑精深,如是其至,恨不见于用耳。而为书名所盖⑪,后世但以翰墨称之。《晋书》本赞,标为唐太宗御撰,专颂其研精篆素,尽善尽美,至有"心慕手追"之语,略无一词论其平生,则一艺之工,为累⑫大矣。献之立志,亦似其父。谢安欲使题太极殿榜,以为万代宝,而难言之,试及韦仲将凌云榜事,即正色曰:"使其若此,有以知魏德之不长。"遂不之逼。观此一节,可以知其为人,而亦以书名之故,没其威德。二王尚尔,况于他人乎!

[注释]

①王逸少:王羲之,字逸少,东晋书法家。②一等:一类。③抗怀物外:心胸高尚,超脱世俗。④频召:屡次征召任用。⑤隆替:兴衰。⑥廊庙:原是帝王和大臣议礼的地方,泛指朝廷。⑦内:通"纳",接纳。⑧尚子平:西汉末人,隐士。⑨辞:避开。四海:天下。⑩经纬:规划治理。⑪盖:掩饰。⑫累:牴累。

[译文]

大书法家王羲之在东晋时期,大抵与温峤(字太真)、蔡谟、谢安石同是一个等次的人,只是因为他不爱钱财,不愿被人役使,所以在功名成就上没有什么值得称述的。但他道德高尚,识见非凡,议论宏博超群,当时的人也很少有能同他相比的。宰相大臣们喜爱他的才华能力,屡次想任用他,他都谢绝了。殷渊源(殷浩)任宰相,主持国政,劝他接受任命,写信给他说:"足下您的出仕还是隐退,应与国家政局的兴衰相应,怎么能让整个国家的存亡,服从足下您的从容闲适呢?"王羲之回信说:"我对在朝中做官一向没有兴趣,丞相想接纳我,我发誓不去,我立下誓言的手迹还在。这种想法由来很久了,不是因为足下您主持国政才有这种想法的。自从儿子娶妻、女儿出嫁,我便有了效法东汉尚子平(尚长)归隐的想法，多次与亲戚朋友讲过，已不是一天两天了。"后来殷浩准备举兵北伐，王羲之认为必定失败，写信阻止他。殷浩毅然出兵，结果失败，之后谋划再次北伐，王羲之得知后，又写信说："以衰弱的江东，发生的事情这样多，天下人寒心很久了。自从动乱以来，担任负责国政或指挥军队职务的人使国家的根基空虚，各自按照自己的想法采取措施，最终没有一点成效，没有一事值得记录。主管的人，难道能够避开人们的指责吗？如果还认为以前的事做得不大周全，还意图谋取自己力所不能及的东西，宇宙虽然广大，哪里有他们容身的地方？"在给会稽王的信中说："现在虽然有可以高兴的情形，仔细想想，可以忧虑的事比高兴的事要多得多。以有限的吴国为例，要去谋求天下十分之九的地区，能有不失败的吗？我希望命令诸军都退回保卫淮河，等到根基巩固形势有利，再谋划北伐也为时不晚。"他的见识思虑精深，达到这种程度。遗憾的是，他的意见没有被采纳。他的这些事迹被善于书法的名声所掩盖，后人只是从擅长书法方面去称赞他。《晋书·王羲之传》的赞语，书作唐太宗亲御撰，专门称赞他精通书法，尽善尽美，甚至用"心慕手追"来评论他的书法影响，竟然没有一句话说到他的生平。可见精通书法技艺，为他造成的累害太大了。王献之的志向和他的父亲相似。谢安想请他为太极殿写个匾，作为永久的存世珍宝，而难于开口，用三国时韦仲将题写的凌云榜故事来试探。王献之严肃地说："假如韦仲将真的是这样，这不正是魏国寿命不长的原因吗？"谢安听了，很是吃惊，也就不再逼他题写了。通过这一件事，便可看出王献之的为人。也是由于他的书法的原因，使得他的其他事迹销声匿迹。王羲之、王献之尚且如此，何况其他的人呢？

卷十一

熙宁司农牟利

　　熙宁、元丰中，聚敛之臣，专务以利为国，司农遂粥①天下祠庙。官既得钱，听民为贾区②，庙中慢侮秽践③，无所不至。南京④有阏伯⑤、微子⑥两庙，一岁所得不过七八千，张文定公判应天府⑦，上言曰："宋王业所基也，而以火王。阏伯封于商丘，以主夫火，微子为宋始封，此二祠者独不可免乎！乞以公使库钱代其岁入。"神宗震怒，批出曰："慢神辱国，无甚于斯！"于是天下祠庙皆得不粥。又有议前代帝王陵寝⑧许民请射⑨耕垦，司农可之，唐之诸陵，因此悉见芟刈。昭陵乔木，剪伐无遗。御史中丞邓润甫言："熙宁著令，本禁樵采，遇郊祀⑩则敕吏致祭，德意可谓远矣。小人掊克⑪，不顾大体，使其所得不赀，犹为不可，况至为浅鲜者哉！愿绌⑫创议之人，而一切如故。"于是未耕之地仅得免。二者可谓前古未有，一日万几，盖无由尽知之也。

[注释]

①司农：宋代主管农业的机构。粥：古同"鬻"，出卖。②听民为贾区：允许百姓在祠庙内设摊叫卖。③慢侮秽践：侮辱践踏。④南京：今河南商丘。⑤阏伯：相传轩辕黄帝曾孙帝喾的儿子。⑥微子：名启，纣的庶兄。多次向纣王劝谏，王不听，遂出走。武王克商，他肉袒面缚乞降。后封于宋。⑦判应天府：兼任应天府知府。判，兼职，高官兼任低级的职务。应天府，今河南商丘。⑧陵寝：帝王墓地建筑。⑨射：追求，追逐。⑩郊祀：祭祀天地。⑪掊克：敛财，搜刮。⑫绌：贬斥。

[译文]

神宗熙宁、元丰年间，那些平日爱财如命的官员，聚敛钱粮不择手段。掌管国家财政的司农决定租赁全国各地的祠堂庙宇。官府为了得到一些钱，就让百姓在祠堂庙宇内设摊叫卖。祠堂庙宇中的神像及各种设施，任人侮辱践踏，却无人过问。南京有阏伯庙和微子庙，租赁之后，一年所得不过七八千钱。张方平在任应天府知府时曾经上疏说："南京是我朝王业根基重地，我朝是以火德为王的。阏伯受封到商丘，主管大火。微子被封于宋。而今就连供奉阏伯和微子的两个祠庙也不得幸免，恳请朝廷降旨以国家库存钱粮来代替这两个地方每年的收入。"神宗从这一奏折中得知各地祠庙遭到破坏的严重情况，十分恼火，立即批示说："侮神辱国，莫甚于此。"自此而后，各地的祠庙一如既往，不许人们在这里设摊叫卖。

此外，又有人提出前代帝王陵墓占地甚广，请准许百姓开垦耕种，司农批准了这一建议。唐代帝王陵墓上的草木被铲除一尽，昭陵上高大的树木亦被砍伐无遗。御史中丞邓润甫得知这种情况后，就给神宗上疏说："熙宁时的国家法令，本来是禁止打柴的人乱砍乱伐的。每遇在郊外祭祀天地的时候，都要诏令各地官吏前往致祭，朝廷的德意不能说不是深谋远虑、从长计议的。而今那些无耻小人，贪得无厌，不顾大局，他们搜刮所得已难以数计，还不满足，何况要叫他们少搜刮呢？希望贬斥首先提出准许垦耕前代帝王墓的人，恢复旧的制度。"神宗见到此奏之后，立即下令禁止。这样才使未被开垦耕种的帝王陵墓得到幸免。

以上二事，可以说是前所未有。皇上日理万机，哪能什么都知道啊！

船名三翼

《文选》张景阳《七命》曰："浮三翼，戏中泚。"其事出《越绝书》。李善①注颇言其略，盖战船也。其书云："阖闾见子胥，问船运之备。对曰：'船名大翼、小翼、突冒、楼船、桥船。大翼者当陵军②之车，小翼者当陵军之轻车。'"又《水战兵法内经》曰："大翼一艘，广一丈五尺三寸，长十丈；中翼一艘，广一丈三尺五寸，长九丈；小翼一艘，广一丈二尺，长五丈六尺。"大抵皆巨战船。而昔之诗人，乃以为轻舟，梁元帝云："日华三翼舸。"又云："三翼自相追。"张正见云："三翼木兰船"，元微之③云"光阴三翼过"。其它亦鲜用之者。

[注释]

①李善：号文选学。唐高宗时，历崇贤馆直学士，后以教授为业，注解《文选》。②陵军：步兵。③元微之：元稹，字微之，唐著名文学家。诗风平易，与白居易齐名。

[译文]

《文选》里辑有张景阳撰写的《七命》八首。这里说："浮三翼，到水中岛上去游戏。"三翼的典故出于《越绝书》。唐李善在作注时，只是作了概括的说明。所谓三翼，就是战船名。《越绝书》中说："吴王阖闾见到伍子胥就问：'运载的船，准备得如何？'伍子胥回答说：'船名有大翼、小翼、突冒、楼船、桥船。名叫大翼的船相当于步兵的车，小翼相当于步兵的轻便车。'"另外，《水战兵法内经》里说："大翼船一艘，宽一丈五尺三寸，长十丈；中翼一艘，宽一丈三尺五寸，长九丈；小翼一艘，宽一丈二尺，长五丈六尺。"据此所载，大翼、中翼、小翼，长宽各不相同，大概都是大型的战船。

过去的一些文人，在他们的诗作中把三翼作为轻便的小舟。例如梁元帝写诗说："日华三翼舸（阳光照射在三翼船上）。"又说："三翼自相追。"张正见写诗说："三翼木兰船"，元微之也有"光阴三翼过"的诗句。除此，就很少有人用它。

唐御史迁转定限

唐元和中，御史中丞王播奏："监察御史，旧例在任二十五月转①，准具员②不加，今请仍旧。其殿中侍御史，旧十二月转，具员加至十八月，今请减至十五月。侍御史，旧十月转，加至十三月，今请减至十二月。"从之。案：唐世台官③，虽职在抨弹④，然进退从违，皆出宰相，不若今之雄紧⑤。观其迁叙定限可知矣。

国朝未改官制之前，任监察满四年而转殿中，又四年转侍御史，又四年解台职，始转司封员外郎。元丰五年以后，升沉迥别矣。

[注释]

①转：平级调动。②具员：没有作为的官员。③台官：谏官，监察官。④抨弹：抨击弹劾。⑤雄紧：重要。

[译文]

　　唐朝元和年间，御史中丞王播在所上奏折中说："监察御史，旧制规定在任二十五个月后晋级，其任期内，庸碌无为者不延长时间，现在请求仍按旧制施行。殿中侍御史，旧制规定任满十二个月后晋升，其没有作为者，任期延长至十八个月，现在请求减去三个月。侍御史，旧制规定任满十个月晋升，其没有作为者，延长至十三个月，现在请求减短至十二个月。"宪宗看后，认为这个办法可行，就采纳了他的建议。按：唐代监察官员，虽然其职责在于弹劾官吏的失职与不法行为，然而，官吏的进退荣辱，决定权掌握在宰相手中，不像今天那么重要。关于这一点，只消看一下有关官吏职位、勋爵升迁叙用期限的规定就可一目了然了。

　　本朝在没有改革官制之前，监察御史任满四年，晋升为殿中侍御史，再任满四年，晋升为侍御史。任侍御史满四年，就不许在御史台监察机构中任职，而是转升为司封员外郎。神宗元丰五年（1082年）后，由于改革官制，官吏的升降办法和以前不相同了。

卷十二

汉唐三君知子

英明之君,见其子有才者,必爱而称之。汉高祖谓赵王如意类己,欲以易孝惠①,以大臣谏而止。宣帝以淮阳王钦壮大,好经书、法律,聪达有材,数嗟叹曰:"真我子也!"常有意欲立为嗣,而因太子起于微细②,且早失母,故弗忍。唐太宗以吴王恪英果类我,欲以代雉奴③。其后如意为吕母所戕④,恪为长孙无忌所害,钦陷张博之事,殆于不免。此三王行事⑤无由表见。然孝惠之仁弱,几遭吕氏之覆宗;孝元之优柔不断,权移于阉寺⑥,汉业遂衰;高宗之庸懦,受制凶后⑦,为李氏祸尤惨。其不能继述固已灼然⑧。高祖、宣帝、太宗盖本三子之材而言之,非专指其容貌也,可谓知子矣。彼明崇俨谓英王哲(即中宗也)貌类太宗,张说谓太宗画像雅类忠王(即肃宗也),此惟取其形似也。若以材言之,中宗之视太宗,天壤相隔矣!汉成帝所幸妾曹宫产子,曰:"我儿额上有壮发,类孝元皇帝。"使其真是孝元,亦何足道?而况于婴孺⑨之状邪!

[注释]

①易孝惠：用赵王如意替换孝惠皇帝刘盈的太子地位。②微细：贫贱。③雉奴：唐高宗李治的乳名。④戕：残害。⑤行事：建功立业。⑥阉寺：宦官。⑦凶后：高宗皇后武则天。⑧灼然：昭然若揭。⑨婴孺：婴孩。

[译文]

英明的君主，发现自己儿子中有才能的，一定会喜爱并称赞他。汉高祖称赵王如意像自己，想叫他替换孝惠皇帝刘盈做太子，因为大臣们进谏劝止才没有实行。汉宣帝根据淮阳王刘钦身材高大，喜欢研究经书和法律，聪明畅达富于才华，屡次感叹道："真是我的儿子！"曾经有心立他为继承人，可因为太子出生于贫贱之时，且早年丧母，所以不忍心夺其位。唐太宗认为吴王李恪英明果断像自己，曾想让他取代高宗李治。后来赵王如意被吕后残害，吴王恪被长孙无忌处死，淮阳王刘钦被牵连到张博的事件里，几乎不免于难。这三王建功立业的才能无从发挥。可是孝惠帝仁厚懦弱，几乎被吕氏覆灭宗族；孝元帝优柔寡断，大权旁落到宦官手里，汉朝的大业由此而走向衰落；唐高宗平庸怯懦，受凶后武则天控制，给李氏皇室带来的祸患更惨。他们没能力继承先人事业当然是昭然若揭的。汉高祖、汉宣帝、唐太宗大抵是根据三个儿子的才能来说话，并非专指他们的相貌，真可说是知子莫若父了。明崇俨说英王李哲即唐中宗样子像太宗，张说说唐太宗的画像很像忠王即唐肃宗，这只是取其形貌相似。如果从才能上来讲，唐中宗比之唐太宗，真是异同霄壤。汉成帝所宠幸的侍妾曹宫生子，说："我儿子额上有粗壮乌黑的头发，很像孝元皇帝。"即使他真是孝元帝，又有什么值得称道的？更何况是婴儿的长相有点像呢！

当官营缮

元丰元年，范纯粹①自中书检正官谪②知徐州滕县，一新③公堂吏舍,凡百一十有六间,而寝室未治,非嫌④于奉己也,曰吾力有所未暇而已。是时,新法正行,御史大夫如束湿⑤,虽任二千石之重⑥,而一钱粒粟,不敢辄用,否则必著⑦册书。

东坡公叹其廉,适为徐守,故为作记。其略曰:"至于宫室,盖有所从受,而传之无穷,非独以自养也。今日不治,后日之费必倍。而比年以来,所在务为俭陋,尤讳土木营造之功,欹仄⑧腐坏,转以相付⑨,不敢擅易一椽,此何义也!"是记之出,新进趋时之士,娼疾以恶之。恭览国史,开宝二年二月诏曰:"一日必葺,昔贤之能事。如闻诸道藩镇、郡邑公宇及仓库,凡有隳坏,弗即缮修,因循岁时,以至颓毁,及僝工充役,则倍增劳费。自今节度、观察、防御、团练使、刺史、知州、通判等罢任,其治所廨舍⑩,有无隳坏及所增修,著以为籍⑪,迭相符授⑫。幕职州县官受代,则对书于考课之历,损坏不全者,殿一选⑬,修葺、建置而不烦民者,加一选。"太祖创业方十年,而圣意下逮,克勤小物⑭,一至于此。后之当官者不复留意。以兴仆植僵为务,则暗于事体⑮、不好称人之善者,往往翻指为妄作名色,盗隐官钱,至于使之束手讳避,忽视倾陋,逮不可奈何而后已。殊不思贪墨之吏,欲为奸者,无施不可,何必假于营造一节乎?

[注释]

①范纯粹:字德儒,范仲淹第四子。②谪:贬黜。③一新:翻新。④嫌:避嫌,避忌。⑤束湿:捆绑湿柴,比喻严格管理。⑥二千石之重:路或州的长官。⑦著:登记。⑧欹仄:房子倾斜。⑨转以相付:转身就把它交给后任。⑩廨舍:官署的房舍。⑪著以为籍:记录在册。⑫迭相符授:依次清点移交。⑬殿一选:停止一次授官。殿,停止。⑭克勤小物:勤于政务,密切注意小事。⑮暗于事体:不明事理。

[译文]

宋神宗元丰元年（1078年），范纯粹从中书省检正官贬黜为徐州滕县知县，将县衙大堂和官吏住室翻修一新，共一百一十六间，但知县住室还没有整治。不是避忌别人说自己追求享受的口实，只是说自己尽力于他事尚没有空暇罢了。这时，新法正在推行，御史大夫们就像捆湿柴那样对待官吏，即使担任州郡长官的重任，也不敢随便用一文钱一粒米，要用的话就一定记录在簿册之上。

苏东坡赞叹他清正廉洁，当时刚好出任徐州知州，所以专为此事作了一篇杂记文字。文中说道："至于官府的房屋，大抵是从前任那里接受来的，并且要不断地传给后任，不只是用来独自享受。房屋坏了今日不及时整治，以后所用费用定会成倍增加。可是近年以来，到处以因陋就简为时尚，特别避忌土木营造的工程，即使房子墙壁倾斜了、木料腐坏了，转身就把它交给后任，不擅自更换一根椽子，这是什么道理呢？"这篇杂记写出之后，新近提拔上来趋奉时尚的人，嫉妒并且讨厌他。我恭敬地披览本朝文献，见宋太祖开宝二年（969年）二月的诏书上说："就是在任一天也要修葺损坏了的房舍，这是过去的贤官良宰所能做到的事。可是听说各路的藩镇和郡县的官房和仓库，大抵是有了损坏，并不及时修缮，拖延岁月，以至于倾塌。等到筹集工料、募民充役进行修复的时候，劳务和费用就要成倍增加了。从今以后，节度使、观察使、防御使、团练使、刺史、知州、通判等谢任，其治所的廨舍，有没有毁坏以及增修的情况如何，都要记录在案，依次点验移交给后任。地方长官的属吏及州县长官任满去职，就对照着书写到考核优劣的记事文书上，廨舍损坏不全的，推迟一个选次授官，有所修葺、建置而且不烦扰百姓的，提前一个选次授官。"太祖皇帝创立基业才十年，就下达了这样的旨意，勤劳国事，密切注意小的事物居然达到这样的地步。后来担任官职的人不再留心此类事情。如果有人从事于倾颓官舍的修复，那么，不明事理、不喜欢称人之美的人，往往反而指责为巧立名目，贪污公款，以至于使得当事者束手不作，为避免嫌疑，无视墙倒屋塌，以致达到无可奈何的境地方肯罢手。都不想想贪墨的官吏想做坏事，无处不可，哪里一定还要假借营造官舍这件事呢？

至道九老

李文正公昉罢相后，只居京师，以司空致仕。至道元年，年七十一矣，思白乐天洛中九老之会①。适②交游中有此数，曰太子中允张好问，年八十五；太常少卿③李运，年八十；故相、吏部尚书宋琪、庐州节度副使武允成，皆七十九；吴僧赞宁，年七十八；鄞州刺史魏丕，年七十六；左谏议大夫④杨徽之，年七十五；水部郎中⑤朱昂与昉，皆七十一。欲继其事为宴集，会蜀寇起而罢。其中两宰相乃著一僧，唐世及元丰耆英⑥所无也。次年，李公即世⑦，此事竟不成。耋老⑧康宁，相与燕嬉于升平之世，而雅怀弗遂，造物岂亦吝此耶！

[注释]

①洛中九老之会：白居易在洛阳建立的，由九老组成，故名。九老为白居易、胡泉、吉皎、刘真、郑据、卢贞、张浑、李元爽和如满。②适：正好。③太常少卿：太常寺副长官。④左谏议大夫：唐门下省属官，掌谏谕得失，侍从顾问。⑤水部郎中：水部司的主管，掌舟楫灌溉之事。⑥耆英：硕德老人。⑦即世：离开人世。⑧耋老：老人。

[译文]

李文正公昉解除了宰相职务之后，一直住在京城开封，以司空的官位退休。宋太宗至道元年（995年），他七十一岁，想起唐代白居易曾在洛阳建立洛中九老会。恰好相互交游的老人有九人。其中太子中允张好问，八十五岁；太常少卿李运，八十岁；前宰相、吏部尚书宋琪，庐州节度副使武允成，都是七十九岁；吴僧人赞宁，七十八岁；郓州刺史魏丕，七十六岁；掌谏谕得失、侍从顾问的左谏议大夫杨徽之，七十五岁；水部司主官、负责舟楫灌溉的郎中朱昂和李昉，都是七十一岁。想效法唐代白居易的九老会搞一次集会游乐活动。碰巧遇到四川地区出现动乱，只好作罢。这些人中有两个宰相和一个僧人，这是唐代及宋代硕德的老人健康幸福，在承平之世，能够凑在一起游乐宴欢，确为快事。次年，李昉去世。这种美好的心愿没能实现，难道是造物主吝啬不给这个机会吗？

卷十三

科举之弊不可革

法禁益烦，奸伪滋炽，唯科场最然①，其尤者如铨试②。代笔有禁也，禁之愈急，则代之者获赂谢愈多。其不幸而败者百无一二，正使得之，元未尝致法③。吏部长贰帘试之制④，非不善也，而文具儿戏，抑又甚焉。议论奉公之臣，朝夕建明，然此风如决流偃草，未尝少革。或以谓失于任法而不任人之故。殊不思所任之人，渠⑤肯一意向方，见恶辄取，于事无益，而祸谤先集于厥身矣！开宝中，太子宾客边光范掌选，太庙斋郎李宗讷赴吏部铨，光范见其年少，意未能属辞，语之曰："苟援笔成六韵，虽不试书判⑥，可入等矣。"宗讷曰："非唯学诗，亦尝留心词赋。"即试诗赋二首，数刻而就。甚嘉赏之，翌日⑦，拟授秘书省正字。今之世，宁复有是哉！

[注释]

①最然：最为突出。②铨试：吏部举行选拔录用官吏的考试。③致法：受到法律处罚。④吏部长贰帘试之制：宋代科举考试要经过吏部长官和副长官

主持的考试，以防代笔传递之弊。⑤渠：谁。⑥书判：科举考试的两个科目。书，书法；判，判状。⑦翌日：第二天。

[译文]

　　法律禁令越来越繁多，奸诈、不诚实的现象就愈猖狂，这在科场上尤为明显，其中最为突出者是选授官职的考试。找人代笔是被禁止的，但禁令越严，代笔所得到的贿赂和酬谢就越多。其中不幸败露的，一百个人中还不到一二，即使查出这些人，开始时也没有受到法律制裁。宋代吏部铨选，凡中选人除同进士出身科人员外，均须赴吏部参加由正副长官主持的帘试，以防代笔之弊。这个规定，不能说不完善，但执行起来，却是一纸空文，如同儿戏，甚至连儿戏也不如。奉公守法、敢于议论的大臣，虽然天天提出改进意见，但这种坏的风气如同河决水溢、风吹草倒一样，没有丝毫的改变。有人认为，之所以产生这些流弊，是因为太相信法令而不相信执行法令的人。持这种议论的人也不想想，执行法令的官员，谁肯秉公办事，不顾一切，见到作弊的就抓出来，对于考试选拔没有帮助，而祸患诽谤倒先集中在自己身上了。宋太祖开宝年间，太子宾客边光范掌管铨选官员，太庙斋郎李宗讷到吏部参选，光范见他年轻，认为他写不好诗文，就对他说："如果你能提笔写成一首六韵的诗，即使不考试书判科目，也可入选了。"李宗讷说："我不但学诗，而且留心词赋。"于是写诗赋两首，很快写成。边光范赞美并奖赏了他。第二天，吏部打算用他为秘书省正字。现在能有这样的好事吗？

宰执子弟廷试

　　太宗朝，吕文穆公蒙正之弟蒙亨举进士，礼部高等荐名①。

既廷试②,与李文正公昉之子宗谔,并以父兄在中书罢之。国史《许仲宣传》云,仲宣子待问,雍熙二年举进士,与李宗谔、吕蒙亨、王扶并预廷试。宗谔即宰相昉之子,蒙亨参知政事蒙正之弟,扶盐铁使明之子。上曰:"斯并势家,与孤寒竞进,纵以艺升,人亦谓朕有私也。"皆下第③,正此事也。仲宣时为度支使。仁宗朝,韩忠宪公亿为参知政事,子维以进士奏名礼部,不肯试大廷,受荫入官。唐质肃公介参政,子义问锁厅④试礼部,用举者召试秘阁,介引嫌罢之。旧制,严于宰执子弟如此,与夫秦益公柄国,而子熺、孙埍皆于省、殿试⑤辄冠多士者异矣!

[注释]

①礼部高等荐名:礼部排名排在前面。②廷试:又叫殿试,是皇帝亲自主持的科举考试。③下第:科举考试未能取中。④锁厅:考试时锁院,以杜绝人员出入带来的舞弊。⑤省、殿试:即省试与殿试,是宋代科举考试中的两个程序。

[译文]

宋太宗在位时,吕文穆公蒙正的弟弟吕蒙亨参加进士考试。礼部省试排名次把他的名字排在前面,但在参加最后一次考试廷试时,他与文正公李昉的儿子李宗谔,都因为父亲、兄弟在政事堂任职而落选。

国史《许仲宣传》里记述这件事说:太宗雍熙二年(985年)许仲宣的儿子许待问,与李宗谔、吕蒙亨、王扶一起参加廷试。宗谔是宰相李昉的儿子,蒙亨是参知政事吕蒙正的弟弟,王扶是盐铁使王明的儿子。廷试完毕,拟出录取名单,报皇帝审批。太宗看到录取名单上有李宗谔、吕蒙亨和王扶三人的名字,便说:"他们几个人都是有权势人家的子弟,与贫寒士人竞争高低,即使以才能而被录取,人们也会说朕有私心啊!"说罢,就提笔将这三个人的名字划去。他们也就因此而落第,讲的正是这件事。许仲宣当时任度支使。

仁宗朝，忠宪公韩亿任参知政事，他的儿子韩维参加进士科考省试顺利通过，但不肯参加廷试，后来便以恩荫的名义录用做官。参知政事质肃公唐介的儿子唐义问，因他任参知政事，避嫌疑，锁厅参加礼部的考试。通过别人的推荐，唐义问可以参加秘阁考试，唐介引用回避嫌疑的规定，没有让儿子参加。

旧的制度对于宰相执政的子弟参加科举考试，就是如此之严。这和秦桧执政期间，他的儿子秦熺及孙子秦埙在省试、殿试时，名字排在其他士子前面成为状元相比，情况是大不一样啊！

国初救弊

国朝削并僭伪①，救民水火之中，然亦有因仍旧弊，未暇更张②者，故须赖于贤士大夫昌言之。江左初平，太宗选张齐贤为江南西路转运使，谕以民间不便事③，令一一条奏。先是诸州罪人多锢送阙下，缘路非理④而死者，常十五六。齐贤至蕲州，见南剑州吏送罪人者，索得州帖⑤视之，二人皆逢贩私盐者，为荷盐笼得盐二斤，又六人皆尝见贩盐而不告者，并黥⑥决传送，而五人已死于路。江州司理院自正月至二月，经过寄禁罪人，计三百二十四人。建州民二人，本佃家客户，尝于主家塘内，以锥刺得鱼一斤半，并杖脊、黥面，送阙下⑦。齐贤上言："乞俟至京，择官虑问⑧，如显有负屈者，本州官吏量加惩罚。自今只令发遣正身。"及虔州，送三四囚，尝市得牛肉，并家属十二人悉诣阙，而杀牛贼不获，齐贤悯之，即遣其妻子还。自是江南送罪人者减大半。是皆相循习所致也，齐贤改为⑨，其利民如此。齐贤以太平兴国二年方登科，六年为使者，八年还朝，由密学拜执政⑩，可谓迅用也。

[注释]

①僭伪：指唐末五代的割据势力。②更张：改正。③不便事：不好解决的事情。④非理：非正常。⑤帖：名帖。⑥黥：刺字，刑罚的一种。⑦阙下：京城。⑧虑问：仔细加以审查。⑨改为：改革。⑩执政：宋代三省及枢密院长官的通称。

[译文]

宋朝削平割据对立的王朝，将百姓从水火之中拯救出来，同时也承袭了旧朝的弊端，未来得及改正者，因此需要依靠贤能的人士提出建议。江南平定之初，宋太宗选派张齐贤任江南西路转运使，嘱咐他凡遇到民间不好解决的事，要逐一上奏。起初，各州获罪之人多数是戴着刑具押送京城，路途上非正常死亡者，常占十分之五六。

张齐贤到了蕲州（今湖北蕲春），见到南剑州派遣官吏押送罪人，便要来罪人名单观看。其中有两个人碰到了卖私盐的人，替他们担盐笼得到二斤盐，因而获罪。还有六人都因为看见有卖私盐的没有告发而一并受到刺面的刑罚，送往京城处理，其中五人已死于路上。江州（今江西九江）司理院从正月到二月，两个月时间内，从这里经过并寄禁于此的罪人，共计三百二十四人。建州有两个人，本来是地主家的佃户，曾经在主人家的池塘里，用锥子扎得一斤半鱼，却受到杖打脊背、脸上刺字、送往京城的惩罚。张齐贤上书说："请求这些囚犯至京城时，选派官员仔细审问，如果确实有含冤负屈的，应给以本州官吏适当的惩罚。从现在开始，凡是需要往京城遣送的罪犯，只令遣送本人，不要株连其他人。"张齐贤到了虔州，那里正送三名囚犯，这三人曾经在集市上买过牛肉，连累家属十二人一同遣送京城，杀掉耕牛的贼却未捉获。张齐贤可怜这些人，当下便释放这三人的妻子老小回家。从此之后，江南各州往京城遣送的罪人减少了大半。往京城遣送罪人的弊端都是各州官吏因循旧习形成的，张齐贤进行了改革，给百姓带来了好处。张齐贤在太宗太平兴国二年（977年）考中进士，太平兴国六年担任转运使，太平兴国八年回朝，由枢密直学士升任参知政事，提拔得很快。

房玄龄名字

《旧唐书》目录书房元龄，而本传云：房乔字玄龄，《新唐书·列传》房玄龄字乔；而《宰相世系表》玄龄字乔松，三者不同。赵明诚《金石录》得其神道碑，褚遂良书，名字与《新史》①传同。予记先公②自燕还，有房碑一册，于志宁撰，乃玄龄字乔松，本钦宗在东宫时所藏，其后犹有一印，曰"伯志西斋"。今亦不存矣。

[注释]

①《新史》：即《新唐书》。②先公：此指洪皓。

[译文]

关于房玄龄，《旧唐书》目录中写的是房元龄，而书中本传说：房乔字玄龄，《新唐书·列传》载房玄龄字乔，该书《宰相世系表》书作房玄龄字乔松，三处说法不同。赵明诚《金石录》里收录有他的神道碑，碑文由褚遂良书写，名和字与《新唐书》本传相同。我记得先父从金朝燕京回来，得到房玄龄碑文一册，是于志宁撰写的，内载房玄龄字乔松。这册碑文是宋钦宗做太子时收藏的，碑文后面加盖有印一方，印文是"伯志西斋"。现在已失存了。

荣王藏书

濮安懿王之子宗绰，蓄书七万卷。始与英宗偕①学于邸，每得异书，必转以相付。宗绰家本有岳阳记者，皆所赐也。此国史本传所载。宣和中，其子淮安郡王仲糜进目录三卷，忠宣公在燕得其中袟②，云："除监本③外，写本④、印本⑤书籍计二万二千八百三十六卷。"观一袟之目如是，所谓七万卷者为不诬矣。三馆秘府⑥所未有也，盛哉！

[注释]

①偕：一起。②中袟：第二函。袟，同"帙"，书套，书函。③监本：国子监刊印的书籍。④写本：手抄本。⑤印本：刻印本。⑥三馆秘府：史馆、昭文馆、集贤院合称三馆，是宋代国家收藏图籍的地方。

[译文]

宋朝濮安懿王的儿子赵宗绰，家中收藏各种书籍七万卷。起初他与宋英宗同在学邸读书，英宗每次得到奇异的书，必定要转送给他。宗绰家中藏书盖有岳阳二字印记的，都是英宗赐给的。此事在国史《赵宗绰传》中有记载。宣和年间，赵宗绰的儿子淮安郡王赵仲糜向朝廷进献家中藏书目录三卷，忠宣公洪皓在燕京得到第二函，内说："除监本外，写本、印本书籍共计二万二千八百三十六卷。"看一函的书目就这么多，可知所谓七万卷决不是胡乱编入的。国家史馆、昭文馆、集贤院三馆收藏的书籍也没有这么多，了不起啊！

卷十四

梁状元八十二岁

陈正敏①《遁斋闲览》:"梁灏八十二岁,雍熙二年状元及第②。其谢启云:'白首穷经,少伏生之八岁;青云得路,多太公之二年。'后终秘书监③,卒年九十余。"此语既著,士大夫亦以为口实④。予以国史考之,梁公字太素,雍熙二年,廷试甲科⑤,景德元年,以翰林学士知开封府,暴疾卒,年四十二。子固亦进士甲科,至直史馆⑥。卒年三十三。史臣谓:"梁方当委遇,中途夭谢。"又云:"梁之秀颖,中道而摧。"明白如此,遁斋之妄不待攻也。

[注释]

①陈正敏:号遁斋,北宋延平(今福建南平)人,工于文。②状元及第:省试取中第一名。状元,又叫状头,进士第一名。及第,科举省试录取。③秘书监:秘书省的长官,掌管国家图书典籍。④口实:借口。⑤甲科:唐朝宋科举考试分甲、乙两科,甲科为进士科。⑥直史馆:负责编写史书的官员。

[译文]

陈正敏在他所写的《遁斋闲览》一书里说:"梁灏八十二岁那

年，考取太宗雍熙二年（985年）状元，他在写给太宗皇帝的谢表中说：'头发白了还在用心学习经典，比秦末汉初精通《尚书》的伏生，年龄只小八岁；得到平步青云做官的机会，比周代的姜太公还晚两年。'后来，梁灏官至秘书监，死的时候，已九十余岁了。"这些话传之于后世，士大夫们都信以为真。

我查阅了本朝国史的记载，梁灏字太素，雍熙二年参加殿试，列为甲等。真宗景德元年（1004年），以翰林学士官衔担任开封府（今河南开封）知府，突然得病而死，终年四十二岁。他的儿子梁固，也考中进士科甲等，官至负责编写史书的直史馆，终年三十三岁。写国史的人评论说："梁灏正在受重用时，突然得病身亡。"又说："梁灏英才焕发，中年去世。"这些记载，再也清楚明白不过了。陈正敏对于梁灏的记述，其荒谬便不攻自破。

卷十五

经句全文对

予初登词科①,再到临安,寓于三桥西沈亮功主簿之馆。沈以予买饭于外,谓为不便,自取家馔②日相供。同年汤丞相来访,扣③旅食大概,具为言之。汤公笑曰:"主人亦贤矣。"因戏出一语曰:"哀王孙而进食,岂望报乎?"良久④,予应之曰:"为长者而折枝,非不能也。"公大激赏而去。

汪圣锡为秘书少监,每食罢会茶,一同舍⑤辄就枕不至。及起,亦戏之曰:"宰予⑥昼寝,于予与何诛?"众未有言,汪曰:"有一对,虽与今事不切,然却是一个出处。"云:"子贡⑦方人,夫我则不暇。"同舍皆合词称美。

[注释]

①词科:唐宋时科举考试科目。②馔:饭食。③扣:询问。④良久:很久。⑤一同舍:同住在一个宿舍。⑥宰予:孔子弟子。⑦方:评论。

[译文]

我参加博学宏词科考试中进士后之初,第二次来到临安住在三桥西边沈亮功主簿的家里。沈主簿见我在外买饭吃很不方便,便每天从家里带饭来招待我。和我同榜中进士的汤丞相来看望我,询问我吃住的情况,我一一详细地回答了。汤公笑着说:"主人真够贤德了。"便开玩笑出了句上联:"哀王孙而进食,岂望报乎?"(意思是可怜公子王孙而给他饭吃,难道是期望报答吗?这句话典故出于《史记·淮阴侯列传》)我想了很久,才对出下联:"为长者而折枝,非不能也。"(意思是为年老的人效劳,也并不是办不到的。典出《孟子·梁惠王》)汤公赞叹不已而离去。

汪圣锡任秘书少监时,每次吃罢饭喝茶时,和他同宿舍而住的一位同事往往睡觉不来,等到起床时,汪圣锡就开玩笑说:"宰予白天睡觉,我能责备他什么呢?"大家都无话可说。汪圣锡说:"我给他对一个下联,虽然和现在的事不很切题,但是典出处是一样的。"于是对道:"子贡喜欢评论别人的短长,而我却没这个工夫。"同屋的人都一致赞扬他答得好。

尺 八

唐卢肇为歙州①刺史,会客于江亭。请目前取一事为酒令,尾有乐器之名。肇令曰:"遥望渔舟,不阔尺八。"有姚岩杰者,饮酒一器,凭栏呕吐哕,须臾②即度,还令曰:"凭栏一吐,即觉空喉。"此语载于《摭言》③。

又《逸史》云:"开元末,一狂僧往终南回向寺,一老僧令于空房内取尺八来,乃玉笛也。谓曰:'汝主在寺,以爱吹尺八,谪在人间,此常吹者也。汝当回,可将此付汝主。'僧进于玄宗,特取吹之,宛④是先所御者。"孙夷中《仙隐传》:"房介然善吹笛,名曰尺八。将死,预将管打破,告诸人曰:'可以同将就圹⑤。'"亦谓此云。尺八之为乐名,今不复有。《吕才传》云:"贞观时,祖孝孙增损乐律,太宗诏侍臣举善音者,王珪、魏征盛称才制尺八，凡十二枚，长短不同，与律谐契。太宗即⁶召才参论乐事。"尺八之所出，见于此，无由晓其形制也。《尔雅·释乐》亦不载。

[注释]

①歙州：今安徽歙县。②须臾：一会儿。③《摭言》：即《唐摭言》，王定国撰。④宛：如同。⑤圹：墓穴。⑥即：便。

[译文]

唐朝卢肇担任歙州刺史时，在江边亭子宴请宾客，让在座各位以眼前所看到的器物一件为酒令，末尾得说上乐器的名字。卢肇作的酒令是："遥望渔舟，不阔尺八。"尺八一语双关，既是乐器名，又指长一尺八寸。有个名叫姚岩杰的人，饮酒一大杯，靠着栏杆呕吐，停了一会儿，回到席上，报酒令说："凭栏一吐，即觉空喉。"空喉也是一语双关，既是乐器名，又指喉咙里清爽。以上这两条，见于《唐摭言》书中的记载。

另外，《逸史》中记载："唐玄宗开元末年，有一个狂僧来到终南山回向寺，老僧让他在空房内取来一支尺八来，乃是一支玉笛。老僧对他说：'你的君主在本寺时，因为爱吹尺八，被贬到人间。这支尺八便是他经常吹的。你回去时，可带回交给你们的君主。'狂僧回来后，就把玉笛献给了唐玄宗。玄宗吹了一下，和先前他用的一模一样。"孙夷中在他所写的《仙隐传》里说："房介然善于吹竹笛，笛子名叫尺八。临终前，先将笛管打破，告诉亲朋说：'我死后可将此笛同我一起葬入墓中。'"也是指的尺八。将乐器叫做尺八，现在没有这种叫法了。《唐书·吕才传》说："唐太宗贞观年间，祖孝孙增删乐律，太宗下诏侍臣中懂乐律的人参与其事。王珪、魏征夸奖吕才会制作尺八。他做了十二枚，长短不同，但都同音律谐和。于是，太宗便下诏让吕才也参与修订乐律。"尺八的出处，见之于此，但无法知道它的形制，《尔雅·释乐》里也没有记述。

四李杜

汉太尉李固、杜乔,皆以为相守正,为梁冀所杀。故掾杨生上书,乞李、杜二公骸骨①,使得归葬。梁冀之诛,权势专归宦官,倾动中外。白马②令李云露布③上书,有帝欲不谛④之语。桓帝得奏震怒,逮云下⑤北寺狱。弘农五官掾杜众,伤⑥云以忠谏获罪,上书愿与云同日死。帝愈怒,下廷尉,皆死狱中。其后襄楷上言,亦称为李、杜。灵帝再治钩党,范滂受诛,母就与之诀⑦,曰:"汝今与李、杜齐名,死亦何恨!"谓李膺、杜密也。李太白、杜子美同时著名,故韩退之诗云:"李杜文章在,光焰万丈长。"凡四李、杜云。

[注释]

①骸骨:尸骨。②白马:县名,今河南滑县。③露布:不封口的奏章。④不谛:不妥当。⑤下:关进。⑥伤:悲伤。⑦诀:与死者告别,永别。

[译文]

东汉桓帝时,太尉李固、杜乔都因为在任宰相期间,坚持正义,遭到外戚梁冀诬陷而被杀害。他们的部下杨生上书朝廷,请求收敛李固、杜乔二人的尸骨,运回他们老家安葬。因此称李固、杜乔二人为李杜。

梁冀被朝廷处死后,朝中大权转移到了宦官手里,朝内外为之震动。白马县县令李云上了一份没有封口的奏章,指斥宦官,内有"天子想要颠倒是非丢弃皇位"的话,桓帝大为震怒,下令逮捕李云,并把他关进北寺的大牢中。弘农(今河南灵宝)人杜众在五官署任职,为李云怀着一片忠心上书而获罪感到痛惜,向朝廷上书表示自己愿意和李云同一天去死。桓帝更加恼火,将杜众交给管刑狱的廷尉处置，结果李云和杜众二人都惨死狱中。后来襄楷上书，也称李云和杜众二人为李杜。灵帝再次采用暴力手段，惩治党人，范滂再次被捕入狱。母亲前去诀别，说："儿啊，你今天能和李、杜的名字并列在一起，死也没有遗憾了。"这里所说的李、杜是指李膺、杜密。

唐代李白和杜甫是同时出名的。因此，韩愈有诗说："李杜文章在，光焰万丈长。"

以上李杜，共有四个。

浑脱队

唐中宗时，清源尉吕元泰上书言时政曰："比①见坊邑相率为浑脱队，骏马胡服②，名曰'苏幕遮'，旗鼓相当，腾逐喧噪。以礼义之朝，法③胡虏之俗，非先王之礼乐，而示则于四方。书曰：'谋时寒若'，何必赢形体，欢衢路，鼓舞跳跃而索寒焉！"书闻不报。此盖并论泼寒胡之戏。《唐史》附于《宋务光传》末，元泰竟亦不显。近世风俗相尚④，不以公私宴集，皆为耍曲耍舞，如《勃海乐》之类，殆犹此也。

[注释]

①比：近来。②胡服：西北少数民族服装。③法：仿效。④相尚：相互影响模仿。

[译文]

唐中宗时，清源（今属福建）县尉吕元泰上书议论时政说："近来见城镇街道上相继组成的舞蹈队，骑着体壮膘肥的马，身上穿着西北少数民族华丽奇特的服装，给它取名叫做'苏幕遮'。跳舞的分成几队，摇旗擂鼓，进行表演，欢腾追逐，大声喧闹。我朝是礼仪之邦，却效法西北少数民族的习俗，这是不符合先王所定的礼乐制度，不能给天下作榜样。《尚书》中说：'能谋善断，寒冷适度'，何必赤身露体，在大街上击鼓舞蹈，欢呼跳跃而去求得寒冷呢？"这份奏章呈上去后，没得到答复。他在上书中同时还批评了一种叫泼寒胡的戏。

《新唐书》将这件事附在《宋务光传》的末尾。吕元泰本人最终大概也没有做上大官，也没有做出引人注意的事迹。近些年来，风俗相互影响，不论是公私宴会或聚会，都要唱曲跳舞，大概同《勃海乐》一类娱乐活动相类似。

官称别名

唐人好以它名标榜官称，今漫疏①于此，以示子侄之未能尽知者。太尉为掌武，司徒为五教，司空为空土，侍中为大貂，散骑常侍为小貂，御史大夫为亚台、为亚相、为司宪，中丞为独坐、为中宪，侍御史为端公、南床、横榻、杂端，又曰脆梨，殿中为副端，又曰开口椒，监察为合口椒，谏议为大坡、大谏，补阙（今司谏）为中谏，又曰补衮，拾遗（今正言）为小谏，又曰遗公，给事郎为夕郎、夕拜，知制诰为三字，起居郎为左螭，舍人为右螭，又并为修注，吏部尚书为大天，礼部为大仪，兵部为大戎，刑部为大秋，工部为大起，吏部郎为小选、为省眼，考功、度支为振行，礼部为小仪、为南省舍人，今曰南宫，刑部为小秋，祠部为冰（柄）厅，比部为比盘，又曰昆脚皆头，屯田为田曹，水部为水曹，诸部郎通曰哀乌、依乌，太常卿为乐卿，少卿为少常、奉常，光禄为饱卿，鸿胪为客卿、睡卿，司农为走卿，大理为棘卿，评事为廷平，将作监为大匠，少监为少匠，秘书监为大蓬,少监为少蓬,左右司为都公,太子庶子为宫相,宰相呼为堂老,两省相呼为阁老,尚书丞郎为曹长、御史,拾遗为院长。下至县令曰明府,丞曰赞府、赞公,尉曰少府、少公、少仙,此已见前《笔》。

[注释]

①疏:略述。

[译文]

唐人喜欢使用另外的名称来称呼自己的官职。我现在略述在这里,让儿子、侄子们知道这些称呼。

太尉称为掌武;司徒称为五教;司空称为空土;侍中称为大貂;散骑常侍称为小貂;御史大夫称为亚台、称为亚相、称为司宪;中丞称为独坐、称为中宪;侍御史称为端公、南床、横榻、杂端,又叫脆梨;殿中称为副端,又叫开口椒;监察称为合口椒;谏议称为大坡、大谏;补阙(现在叫司谏)称为中谏,又叫补衮;拾遗(现在叫正言)称为小谏,又叫遗公;给事郎称为夕郎、夕拜;知制天,礼部称为大仪,兵部称为大戎,刑部称为大秋,工部称为大起,吏部郎称为小选、称为省眼,考功、度支称为振行,礼部称为小仪、称为南省舍人,今叫南宫,刑部称为小秋,祠部称为冰(柄)厅,比部称为比盘,又叫昆脚皆头;屯田称为田曹,水部称为水曹,诸部郎通叫哀乌、依乌,太常卿称为乐卿,少卿称为少常、奉常,光禄称为饱卿,鸿胪称为客卿、睡卿,司农称为走卿,大理称为棘卿,评事称为廷平,将作监称为大匠,少监称为少匠,秘书监称为大蓬,少监称为少蓬,左右司称为都公,太子庶子称为宫相,宰相呼称为堂老,两省相互称为阁老,尚书丞郎称为曹长、御史,拾遗称为院长。下至县令也有别名,称为明府,县丞叫赞府、赞公,县尉暇称少府、少公、少仙。这些我在本书前面各《笔》中已经有所记述。

卷十六

汉重苏子卿

汉世待士大夫少恩，而独于苏子卿①加优宠，盖以其奉使持节②，褒劝忠义也。上官安谋反，武子元与之有谋，坐死③。武素与上官桀、桑弘羊有旧④，数为燕王所讼⑤，子又在谋中，廷尉奏请逮捕武，霍光寝⑥其奏。宣帝立，录群臣定策功，赐爵关内侯者八人，刘德、苏武食邑⑦。张晏曰："旧关，内侯无邑，以武守节外国，德宗室俊彦⑧，故特令食邑。"帝闵⑨武年老，子坐事死，问左右："武在匈奴久，岂有子乎？"武曰："前发匈奴时，胡妇实产一子通国，有声问来，愿因使者赎之。"上许焉。通国至，上以为郎，又以武弟子为右曹，以武著节老臣，令朝朔望⑩，称祭酒，甚优宠之。皇后父、帝舅、丞相、御史、将军皆敬重武。后图画中兴辅佐有功德知名者于麒麟阁，凡十一人，而武得预。武终于典属国，盖以武老不任公卿之故。先公縶留绝漠十五年，能致显仁皇太后音书，蒙高宗皇帝有"苏武不能过"之语。而厄于权臣，归国仅升一职，立朝不满三旬，讫于窜谪南荒恶地，长子停官。追诵汉史，可为痛哭者已！又案武本传云："奉使初还，拜为典属国，秩中二千石⑪。昭帝时，免武官。所以故二千石与计谋立宣帝，赐爵。张安世荐之，即时召待诏，数进见，复为典属国。"然则豫定策时，但以故二千石耳。而霍光传连名奏昌邑王时，直称典属国，宣纪封侯亦然，恐误也。

[注释]

①苏子卿：苏武，字子卿。汉代杰出的外交活动家。②持节：持符节。③坐死：连坐被杀。④旧：故交。⑤讼：指控。⑥寝：压下。⑦食邑：封地，因收取赋税而食，故称。⑧俊彦：优秀。⑨闵：怜悯。⑩朝朔望：每月初一、十五日上朝。⑪中二千石：汉代官俸的等级。较二千石为高，每年所得二千一百六十石。

[译文]

汉代对待士大夫刻薄少恩，唯独苏武备受优待宠信，这是由于他奉命出使始终保持节操，以此表彰他的忠心义胆。上官安阴谋反叛，苏武的儿子苏元参与密谋，被处以死刑。苏武平日与上官桀、桑弘羊有交情，几次遭到燕王的指控，儿子又参与谋反，廷尉上奏请求逮捕苏武，霍光将奏章压下了。宣帝继位，评定奖励群臣在决策过程中有功人员，赐给关内侯爵位的八人，其中刘德、苏武有自己的食邑。张晏注解说："过去关内侯是没有食邑的，因为苏武出使外国有节操，刘德是宗室中有才能的杰出人才，所以特意下诏给予他们食邑。"宣帝怜悯苏武年老，儿子因罪处死，问身边的人："苏武在匈奴时间很久，是不是有儿子呢？"苏武回答说："以前往匈奴时，匈奴妇人确实生有一个儿子叫苏通国，有消息说他人还在，希望通过使者把他赎回。"宣帝批准了这一请求。苏通国回来后，宣帝委任他为郎，又命苏武弟弟的儿子为右曹，因为苏武是著名的老臣，让他每月初一、十五上朝，称为祭酒，十分受宠信。皇后的父亲、皇帝的舅舅、丞相、御史、将军都敬重苏武。后来朝廷决定在麒麟阁上画中兴辅佐有功知名的大臣像,共有十一人,而苏武是其中之一。苏武官终至典属国,大约是由于苏武年老不能担任公卿之职务的缘故。

我故世的父亲在金朝被扣留十五年,能传递显仁皇太后的口信和信件,高宗皇帝夸奖他有"苏武不能超过"之话,而受制于权臣,归国后仅升一级官职,在朝中做官不到三十天,最后被贬到偏远的南边荒芜恶劣地区,大儿子被撤职罢官。追诵《汉史》,可以为此悲伤痛哭不已!又据《汉书·苏武传》记载:"出使刚回来,被任命为典属国,俸禄是中二千石。昭帝时,苏武被免官。后来以先前官阶二千石而参与谋划拥立宣帝即位,赐给关内侯爵位。张安世举荐他,宣帝立即让他等待任命,几次进宫,面见皇帝,又重新担任典属国。"这样,苏武在参与谋立宣帝时,只是作为曾经任二千石的官员。而《汉书·霍光传》说在联名上奏昌王时,直接称苏武典属国,《汉书·宣帝本纪》也说苏武这时已封侯,恐怕都是记述有误。

渠阳蛮俗

靖州之地,自熙宁九年收复唐溪洞城州,元丰四年,乃建为诚州,元祐二年,废为渠阳军,又废为寨,五年复之,崇宁二年,改为靖州。始时渠阳县为治所,后改属沅州而治永平①,其风俗夐②与中州异。蛮酋自称曰官;谓其所部之长曰都幞,邦人称之曰土官。酋官入郭,则加冠巾,余皆椎髻③,能者则以白练布缠之,曾杀人者谓之能。妇人徒跣④,不识鞋履,以银、锡或竹为钗,其长尺有咫。通以班䌷布为之裳。纪岁不以建寅⑤为首,随所处无常月。要约以木铁为契,病不谒医,但杀牛祭鬼,率以刀断其咽，视死所向以卜，多至十百头。凡昏姻⑥，兄死弟继，姑舅之昏，他人取之，必贿男家，否则争，甚则仇杀。男丁受田于酋长，不输租而服其役，有罪则听其所裁，谓之草断。凡贷易之逋⑦，甲不能偿，则掠乙以取直，谓之准击。长少相犯，则少者出物，谓之出面。言语相诬，则虚者出物，谓之裹口。田丁之居，峭岩重阜，大率无十家之聚。遇仇杀则立栅布棘以受之⑧。各有门款，门款者，犹言伍籍⑨也，借牛彩于邻洞者，谓之拽门款。方争时，以首博首，获级一二则溃去，明日复来，必相当乃止，欲解仇，则备财物以和，谓之陪头暖心。战之日，观者立其傍和劝之；官虽居其中，不敢犯也。败则走，谓之上坡。志在于掠，而不在于杀，则震以金鼓，而挺其一隅，纵之逸，谓之赸，败者屈而归之，掠其财而还其地，谓之入地。兵器有甲胄、标牌、弓弩，而刀之铁尤良。弩则傅矢于弦而偏架之，谓之偏架弩，以利侔中土神臂弓⑩，虽暑湿亦可用。凡仇杀，虽微隙⑪必发，虽昔衅⑫必报，父子兄弟之亲不避也，子弟为士人者，隶于学，仇杀则归，罢则复来。荆湖南、北路，如武冈、桂阳之属瑶民，大略如此。

[注释]

①治永平：治所设在今湖南永平县。②夐：开始。③椎髻：头发盘在脑后。④徒跣：光着脚走路。⑤建寅：正月。⑥昏姻：即婚姻。昏，通"婚"。⑦逋：拖欠。⑧以受之：以此来表示接受对方的挑战。⑨伍籍：户籍，以五户为单位。⑩以利侔中土神臂弓：锋利与中原地区的神臂弓相等。侔，相等。中土，中原。⑪微隙：小的矛盾。⑫衅：怨仇。

[译文]

靖州（今湖南靖县）这个地方，自从宋神宗熙宁九年（1000年）收复南唐的溪洞诚州，元丰四年（1081年）仍设诚州；哲宗元祐二年（1087年），废诚州为渠阳军；后来又改军为寨，五年之后又恢复渠阳军，徽宗崇宁二年（1103 年），改为靖州。开始时靖州治所是渠阳县，后来改属沅州，治所是永平（今湖南永平）。那里的风俗与中原不同。他们的首领自称叫官，他部下的酋长叫都幞，当地人称他们叫土官。酋长到州城来时，戴上头巾，其余的人只在脑后挽个椎髻，有财力的人头上缠一条白练布，曾经杀过人者被人称为有才能。妇女赤足走路，不知鞋子为何物，用银、锡或竹子做成发钗首饰，长一尺八寸。所有的人都穿斑布做成的衣裳。每年不以正月作一年的开始，也没有统一的纪月方式。定契约时用木头或铁作凭证。有病不找医生看，只是杀牛祭鬼，常以刀割断牛的咽喉，看牛死的方向占卜，多时杀牛百十头。凡是结为婚姻的，哥哥死了，弟弟可娶嫂子，姑舅结亲，如果要另嫁娶女方，必须送给男家钱财，否则便起争端，甚至发生仇杀。男子壮丁从酋长那里得到田地，不缴地租，只服劳役。如有犯罪，便听酋长裁决，叫做草断。凡是借贷款，如甲不能偿还，便抢取乙的财产去抵偿，这叫准击。年长人和年少人发生矛盾，由年少人出东西赔罪，叫做出面。用谎言骗人，骗人的人出财物赔罪，叫裹口。种田壮丁居住的地方，都在陡峭的山岩或大土山上，很少有十家住在一起。遇到互相仇杀便树立栅栏或布置荆棘，以此接受对方的挑战。居民各有门款，门款就是户籍，五户为单位，用牛和彩帛作为礼物向邻洞借兵的，称为拽门款。

双方争斗时，首领和首领搏斗，杀死对方一二人便溃散跑走，明天再来，一直到双方死的人数相等才住手。如打算与仇敌和解，就准备财物和解，这叫陪头暖心。双方交战那天，旁观者站立在一旁劝解，这时即使有酋长在场，也不敢冒犯交战一方。打败了就走，叫做上坡。双方斗殴的目的是为了夺取对方钱财，而不在于杀人。获胜的一方金鼓震天，而在战场上放开一角，放纵对方逃跑，这叫做赸。失败的一方向对方屈服才可回家。战胜者抢走失败者的财物而归还土地，这叫做入地。兵器有甲胄、标牌、弩弓，而铁制的刀尤为精良，弓弩是把箭安放在弦上，放入偏架上，称为偏架弓，它的锋利可和中原的神臂弓相等，即使暑天发湿也还能继续使用。凡是仇杀，即使有小矛盾也要发难，虽然早已过去的怨仇也要去报，就是父子兄弟这样的直系亲属也不能避免。蛮人的子弟是读书人，属学校管理，遇到仇杀便回乡去，报了仇再回来上学。荆湖南路、北路，如武冈、桂阳的瑶族人的风俗，大概就是这样。

五 笔

卷 一

天庆诸节

大中祥符之世，谀佞之臣，造①为司命天尊下降及天书等事，于是降圣、天庆、天祺、天贶诸节并兴。始时京师宫观每节斋醮②七日，旋减为三日、一日，后不复讲③。百官朝谒之礼亦罢。今中都④未尝举行，亦无休假，独外郡必诣天庆观朝拜，遂休务⑤，至有前后各一日。此为敬事司命过于上帝矣，其当寝明甚，惜无人能建白者。

[注释]

①造：鼓噪，煽动。②斋醮：请僧道设斋坛，祈祷神佛。③后不复讲：后来就不再举行了。④中都：京城。⑤休务：停止办理公务。

[译文]

北宋真宗大中祥符年间，一些谄谀奸佞之臣，鼓噪说掌管命运的天尊下凡以及上帝颁下天书等事，于是降圣、天庆、天祺、天贶等节日一并兴起。开始的时候，每遇上述诸节京城的宫观都要设斋坛，向神佛祈祷七天，不久就减为三天、一天，后来就不再举行了。百官朝谒之礼也随即作罢。现在京城已不再举行此类活动，遇上述诸节也无休假。只是有一些地方每遇诸节必到天庆观朝拜，于是他们停止办理公务，以至有达前后两天的。这样敬事司命超过了上帝。很明显，这类活动早就应当禁止，遗憾的是，没有人向皇上提出这一建议。

狐假虎威

谚有"狐假虎威"之语，稚子来扣①其义，因示以《战国策》、《新序》所载。《战国策》云："楚宣王问群臣曰：'吾闻北方之畏昭奚恤②也，果诚何如③？'群臣莫对。江乙对曰：'虎求百兽而食之，得狐。狐曰："子无敢食我矣，天帝使我长④百兽，今子食我，是逆天帝命也。子以我为不信⑤，吾为子先行，子随我后，观百兽之见我而敢不走乎？"虎以为然，故遂与之行。兽见之皆走，虎不知兽畏己而走也，以为畏狐也。今王之地方五千里，带甲百万，而专属之昭奚恤，故北方之畏昭奚恤也，其实畏王之甲兵也，犹百兽之畏虎也。"《新序》并同。而其后云："故人臣而见畏者，是见君之威也，君不用，则威亡矣。"俗谚盖本诸⑥此。

[注释]

①扣：问。②昭奚恤：战国时楚宣王将。③果诚何如：果真这样吗？④长：首领，王。⑤子以我为不信：你如果不相信我。⑥本诸：源于。

[译文]

有个成语叫"狐假虎威"，我的幼子问我它的含义，我就把《战国策》、《新序》两书中的有关记载让他看。《战国策》中记载："楚宣王曾问群臣：'我听说北方诸国很害怕昭奚恤将军，果真如此吗?'群臣中一时无人应对。江乙回答说:'老虎天天捉各种动物以充饥。一天,它捉住一只狐狸,狐狸就对老虎说:"你不敢吃我!上帝让我做百兽之王,今天你要吃我,这是违抗上帝命令。你如果不相信,我可以在前面走,你紧随我后,看看百兽之中有谁见了我敢不逃跑?"老虎信以为真,就跟随狐狸一起走,百兽见到它们都仓皇逃窜,老虎不知道百兽是害怕自己而逃跑,还认为它们真的是害怕狐狸呢!现在大王您的属地方圆五千余里,有近百万人的强大军队,而您把军队委托给昭奚恤指挥,所以北方诸国都害怕昭奚恤。其实北方诸国害怕的不是昭奚恤本人,而是大王的军队强大,就像是百兽害怕老虎而不是害怕狐狸一样。"

《新序》一书中也有与此相同的记载,而且在前文之后又接着写道:"人们之所以害怕那些大臣,是因为他们害怕君主的权力。如果君主不用这个大臣,那么这个大臣的威风也就不复存在了。""狐假虎威"这个成语,大概就源出于此。

卷 二

唐曹因墓铭

庆元三年，信州上饶尉陈庄发土得唐碑，乃妇人为夫所作。其文曰："君姓曹，名因，字鄙夫，世为鄱阳人。祖、父皆仕唐高祖之朝，惟公三举不第①，居家以礼义自守。及卒于长安之道，朝廷公卿、乡邻耆旧②，无不太息。惟予独不然。谓其母曰：'家有南亩③，足以养其亲；室有遗文④，足以训其子。肖形天地间，范围阴阳内，死生聚散，特世态耳。何忧喜之有哉！'予姓周氏，公之妻室也。归公八载⑤，恩义有夺⑥，故赠之铭曰：'其生也天，其死也天，苟达此理，哀复何言！'"予案：唐世上饶本隶饶州，其后分为信，故曹君为鄱阳人。妇人能文达理如此，惜其不传，故书之，以裨⑦图志之缺。

[注释]

①三举不第：三次参加科举考试都未能取中。②耆旧：耆老故友。③南亩：良田。④室有遗文：家有遗留下来的文章。⑤归公八载：嫁给丈夫八年。⑥恩义有夺：夫妻恩爱有加。⑦裨：补救。

[译文]

　　南宋宁宗庆元三年（1197年），信州上饶尉陈庄在地下挖出一块唐代的石碑，这是一位妇女为去世的丈夫写的墓志铭。志文说："我的丈夫姓曹，名叫因，字鄙夫，世世代代都是鄱阳人。祖父和父亲都在唐高祖朝做官，只有我的丈夫三次参加科举考试都没有考中，遂在家以礼义约束自己和家人，后来死在前往长安的道上，朝廷公卿大臣、乡里乡亲、耆老世交，无不深深叹息，只有我不以为然。我对婆母说：'家有良田，足以养活双亲；家有夫君留下来的文章，足以教育子女成人。人生天地之间，在阴阳之间转换，死生聚散，这就是人世间的特征，有什么可忧可喜的呢！'我姓周，是夫君的结发妻子。嫁给我丈夫八年，我们恩爱有加，他去世了，我就作了一篇铭文赠给他：'人活着是天意，其死也是天意，假若明白了这个道理，还有什么可悲伤的呢！'"我根据唐朝时上饶原本隶属于饶州，后来才分出来隶属信州，所以说曹因世代都是鄱阳人。一位妇道人家，能写出如此通情达理的文章，可惜她的事迹没有通过史书流传下来，所以我将它记下来，以补史志记载之遗缺。

卷 三

人生五计

朱新仲①舍人常云:"人生天地间,寿夭不齐②,姑以七十为率③:十岁为童儿,父母膝下,视寒暖燥湿之节,调乳哺衣食之宜,以须成立,其名曰生计;二十为丈夫,骨强志健④,问津名利之场,秣马厉兵,以取我胜,如骥子伏枥,意在千里⑤,其名曰身计;三十至四十,日夜注思,择利而行,位欲高,财欲厚,门欲大,子息欲盛,其名曰家计;五十之年,心怠力疲,俯仰⑥世间,智术用尽,西山之日⑦渐逼,过隙之驹不留,当随缘任运⑧,息念休心,善刀而藏⑨,如蚕作茧,其名曰老计;六十以往,甲子一周⑩,夕阳衔山,倏尔就木,内观一心,要使丝毫无慊⑪,其名曰死计。"

朱公每以语人,以身计则喜,以家计则大喜,以老计则不答,以死计则大笑,且曰:"子之计拙也。"朱既不胜笑者之众,则亦自疑其计之拙,曰:"岂皆恶老而讳死邪?"因为南华长老⑫作《大死庵记》,遂识其语。予之年龄逾七望八⑬,当以书诸绅云。

[注释]

① 朱新仲：朱翌，字新仲，号省事老人，舒州怀宁（今安徽潜山）人，官至敷文阁待制。以不附秦桧，谪居韶州（今广东韶关），倡明理学。② 寿夭不齐：寿命长短不一。③ 率：标准。④ 骨强志健：筋骨强健，志向高远。⑤ 如骥子伏枥，意在千里：就像是千里驹虽然屈伏槽枥，却想着有朝一日能驰骋千里。⑥ 俯仰：纵观。⑦ 西山之日：生命之末日。⑧ 随缘任运：听从命运的安排。⑨ 善刀而藏：藏起在名利场上厮杀的工具。⑩ 甲子一周：天干与地支相配，六十为一周。甲子，干支顺序中第一个，用以纪年纪日。⑪ 慊：不满，怨恨。⑫ 南华长老：即庄子。⑬ 逾七望八：过了七十走向八十。

[译文]

舍人朱新仲经常说："人生活在天地之间，寿命的长短各有不同。故且以七十为标准：十岁还是儿童，跟随在父母身旁，天气的寒暖燥湿略有变化，父母都要为他操心，衣食住行都由父母安排，期待长大成人，这叫生计；二十岁时已成为大丈夫，筋骨强健，志向高远，开始进入名利之场，秣马厉兵，以期自己能够获胜，就像是千里驹虽然屈伏槽头，却时刻想着有朝一日，驰骋千里，这叫身计；三十岁到四十岁之间，日夜苦思，选择有利于自己的事情去做，欲求高官厚禄，财源茂盛，门第高大，子孙兴盛，这叫家计；五十岁时，心力已经疲惫，俯仰人世间，自己的聪明才智已经施展殆尽，生命已接近尾声，就如同白驹过隙一样，过去的岁月已经一去不复返了，这时应当听从命运的安排，收起名利之心，善藏在名利场上拼杀的工具，像蚕作茧一样建一个舒适的安乐窝，这叫老计；六十岁以后，人生已过了一个甲子，生命就像夕阳落山一样很快就要结束了，这时应静心修养，使得生活安宁，死而无憾，这叫死计。"

朱新仲先生每次把他的人生五计讲给人听时，听者的情绪随五计不同在不断地变化。讲到身计，听者喜笑颜开；讲到家计，听者欣喜若狂；讲到老计，听者沉默不语；讲到死计，听者则哈哈大笑，并对朱新仲说："你所谓的人生五计也太笨拙了。"笑话他的人多了，朱新仲自己也对五计产生了怀疑，自言自语地说："难道人们都讳老忌死吗？"我在为庄子作《大死庵记》时，才真正认识到他所讲的人生五计的深刻内涵。我已是过了七十向八十去的人了，觉得他说的人生五计很有些道理，所以将它记录下来，希望能对诸君子有所启发。

瀛莫间二禽

瀛、莫二州之境，塘泊之上有禽①二种。其一类鹄②，色正苍而喙长，凝立水际③不动，鱼过其下则取之，终日无鱼，亦不易地。名曰信天缘。其一类鹜④，奔走水上，不闲腐草泥沙，喋喋然必尽索乃已，无一息少休，名曰漫画。信天缘若无能者，乃与漫画均度一日无饥色，而反加壮大。二禽皆禀性所赋，其不同如此。

[注释]

①禽：此指鸟。②鹄：天鹅。③水际：水边。④鹜：鸭子。

[译文]

在瀛州、莫州的池塘湖泊上有两种奇特的鸟。

一种形状像天鹅，正青色，喙很长，终日呆呆地站在水边动也不动，鱼在它的下面经过时，就叼上来，即使一整天没有鱼在它下面经过，它也不换地方。这种鸟，人们叫它信天缘。

另一种形状像鸭子，终日在水上来回游荡，即使是长满腐烂的水草和泥沙的地方，也在那里不停地搜索食物，直到找完而止，从不肯歇息一会儿。这种鸟，人们叫它漫画。

信天缘是活动能力很差的鸟,奇怪的是,它却和活动能力强的鸟一样度日,不仅没有被饿死,反而长得相当健壮肥大。这两种鸟的习性都是天赋的,却如此不同。

卷 四

汉武帝、田蚡、公孙弘

尚论古人者，如汉史所书，于武帝则讥其好大喜功，穷奢极侈，置生民于涂炭；于田蚡则诋①其负贵骄溢，以肺腑②为相，杀窦婴、灌夫；于公孙弘则云："性意忌，外宽内深，饰诈钓名。不为贤大夫所称述。"然以予考之，三君臣者，实有大功于名教③。自秦始皇焚书坑儒，六学④散缺，高帝初兴，未遑⑤庠序之事，孝惠高后时，公卿皆武力功臣，孝文好刑名⑥，孝景不任儒。至于武帝，田蚡为丞相，黜黄、老刑名百家之言，延文学儒者以百数。帝详延天下多闻之士，咸登诸朝，令礼官劝学，讲议洽闻，举遗兴礼⑦，以为天下先。而公孙弘以治⑧《春秋》为丞相，天下学士靡然向风⑨。弘为学官，悼道之郁滞⑩，始请为博士官置弟子，郡国有秀才异等，辄以名闻，请著为令⑪。而《诗》、《书》、《易》、《礼》之学，彬彬并兴，使唐、虞、三代以来稽古⑫礼文之事，得以不废。今之所以识圣人至道之要者，实本于此。史称其"罢黜百家，表章《六经》，号令文章，焕⑬

焉可述"，盖已不能尽其美。然则武帝奢暴，固贻患于一时；蚡、弘之为人，得罪于公论⑭，而所以扶持圣教者，乃万世之功也。平帝元始诏书，尚能称弘之率下笃俗，但不及此云。

[注释]

①诋：批评。②肺腑：帝王的近亲、宗室。③名教：指以孔子的"正名"思想为主要内容的封建礼教。④六学：即六艺，指《诗》、《书》、《礼》、《乐》、《易》、《春秋》。⑤未遑：无暇顾及。⑥刑名：刑律。⑦举遗兴礼：录用遗才，振兴礼乐。⑧治：研究、治学。⑨靡然向风：风起响应。⑩郁滞：停滞不前。⑪著为令：用法令的形式确定下来。⑫稽古：考察古代事宜。⑬焕：光明。⑭公论：公众舆论。

[译文]

谈论古人，就如同汉代史书记载的那样，对武帝则讽刺他好大喜功，穷奢极欲，置人民于水深火热之中而不顾；对田蚡则批评他仗势骄横，以外戚为相，杀窦婴、灌夫等大臣；对公孙弘则说他"生性气量狭隘，表面宽厚，内心刻薄，矫揉造作，沽名钓誉，为贤士大夫所不赞成"。然而在我看来，这君臣三位，实际上对名教都是有大功的。

自秦始皇焚书坑儒，《诗》、《书》、《礼》、《乐》、《易》、《春秋》六艺散缺；高帝建国初起，无暇顾及文化事业；惠帝吕后时代，公卿都是些武官功臣；孝文帝好刑名之学；孝景帝不喜欢儒生。至于武帝，用田蚡为相，罢黜黄老刑名百家之学，招揽文学儒生上百人。武帝广召天下多闻之士到朝廷，命令礼官鼓励儒学，讲论学术，兴礼乐，举遗才，作为天下的表率。公孙弘于是以研究《春秋公羊传》而登上丞相的宝座，天下学士风起响应。公孙弘为学官，对于学术荒芜感到痛心，请求皇上为博士官置弟子员，地方郡国有秀才异人等要上报中央，并请求把这些内容用法律的形式肯定下来，《诗》、《书》、《易》、《礼》之学于是彬彬兴起，唐、虞、三代以来的典章制度得以传播下来。现在能够认识圣人之道的基本精神，全赖这些人的努力。史书记载武帝"罢黜百家，表彰儒家六经，于是儒学焕然明白"，已经不能把好处全部记述。然而武帝奢侈暴虐，的确给一代人带来灾难；田蚡、公孙弘的为人处事，得罪了社会舆论，但他们扶持圣教，则是万世之功。平帝元始年间的诏书，还能称赞公孙弘率领下属笃正风气，只是说到这一点而已。

卷 五

万事不可过

天下万事不可过①，岂特此也？虽造化阴阳亦然。雨泽所以膏润四海，然过则为霖淫；阳舒所以发育万物，然过则为燠亢②。赏以劝③善，过则为僭④。刑以惩恶，过则为滥。仁之过则为兼爱无父，义之过则为为我无君。执礼之过，反邻于谄；尚信之过，至于证父。是皆偏而不举之弊，所谓过犹不及者。扬子《法言》云："周公以来，未有汉公之懿也⑤，勤劳则过于阿衡。"盖谄王莽也。后之议者，谓阿衡之事不可过也，过则反，乃诮⑥莽耳。其旨意固然。

[注释]

①过：超过一定的界限。②燠亢：燠热，酷热。③劝：劝勉，鼓励。④僭：僭越。⑤汉公：王莽的封号为安汉公。懿：德行美好。⑥诮：讥诮。

[译文]

天下的任何事情都不能太过分，难道只有人世间的事情是这样吗？即使自然界的阴阳造化也是如此。下雨本是为了滋润四海，然而如下雨过多就会出现洪水泛滥；阳光是用来哺育万物的，然而若过分就形成酷暑。奖赏本来是对善良美德功勋的鼓励，若过分就是僭越；刑罚是为了惩处恶行，如果过分就成了枉滥。过于仁爱，就会像墨家那样，因兼爱而把父亲与一般人混同；仗义过分，就会因一时义气而忘掉君主。过于拘礼，就有虚伪献媚之嫌；太讲信守，最终就会证明到父亲有过错。这些都是因为偏执而造成的恶果。这就印证了孔夫子的那句话，过分和不及效果是一样的。扬雄在所著《法言》中说："自从周公以来，还没有人能有像安汉公这样崇高的品德，其勤劳之美德超过了商代名臣阿衡。"这分明是吹捧王莽。后人有这样的公识，阿衡的品德是没有谁能超过的，说超过了就走向了反面。扬雄的溢美之词反而成为人们讥笑王莽的把柄。人们的思想行为的本义就是这样辩证的。

桃花笑春风

王荆公集《古胡笳词》，一章云："欲问平安无使来，桃花依旧笑春风。"后章云："春风似旧花仍笑，人生岂得长年少！"二者贴合，如出一手，每叹其精工[①]。其上句盖用崔护诗，后一句久不见其所出。近读范文正公《灵岩寺》一篇云："春风似旧花犹笑"，以"仍"为"犹"，乃此也。李义山[②]又有绝句云："无赖夭桃面，平明露井东。春风为开了，却拟笑春风。"词意两极其妙。

[注释]

①精工：精妙工致。②李义山：即李商隐。

[译文]

王安石集《古胡笳词》，第一章前两句是："欲问平安无使来，桃花依旧笑春风。"后一章有两句说："春风似旧花仍笑，人生岂得长年少！"这里前后贴切符合，好像是出自一人之手，我常常赞叹它的精妙工致。它的上句"桃花依旧笑春风"，用的是唐朝诗人崔护的诗句，而后一句很长时间找不到它的出处。近来我读到范仲淹写的《灵岩寺》这首诗，见到其中有"春风似旧花犹笑"这么一句。看来是王安石将"犹"字改做"仍"字，这就是出处。唐代诗人李商隐也有一首五言绝句："无赖夭桃面，平明露井东。春风为开了，却拟笑春风。"这首诗在比拟和形容方面，亦都极尽其妙。

史记简妙处

太史公书不待称说，若云褒赞其高古简妙处，殆①是摹写星日之光辉，多见其不知量也。然予每展读至《魏世家》、《苏秦》、《平原君》、《鲁君仲连》，未尝不惊呼击节②，不自知其所以然。

魏公子无忌③与王论韩事曰："韩必德魏、爱魏、重魏、畏魏，韩必不敢反魏。"十余语之间，五用魏字。

苏秦说赵肃侯曰："择交而得则民安，倚秦攻齐而民不得安，倚齐攻秦而民不得安。"

平原君使④楚，客⑤毛遂愿行。君曰："先生处胜之门下几年于此矣？"曰："三年于此矣。"君曰："先生处胜之门下三年于此矣，左右未有所称诵，胜未有所闻，是先生无所有也。先生不能，先生留。"遂力请行，面折⑥楚王，再言："吾君在前，叱者何也？"至左手持盘血，而右手招十九人于堂下，其英姿雄风，千载而下，尚可想见，使人畏而仰之，卒⑦定从而归。至于赵，平原君曰:"胜不敢复相士⑧。胜相士多者千人,寡者数百,今乃于毛先生而失之。毛先生一至楚,而使赵重于九鼎大吕⑨,毛先生以三寸之舌,强于百万之师,胜不敢复相士。"

秦围赵,鲁仲连见平原君曰:"事将奈何?"君曰:"胜也何敢言事!魏客辛垣衍令赵帝秦,今其人在是。胜也何敢言事!"仲连曰:"吾始以君为天下之贤公子也,吾今然后知君非天下之贤公子也。客安在?"平原君往见衍曰:"东国有鲁仲连先生者,胜请为绍介⑩,交之于将军。"衍曰:"吾闻鲁仲连先生,齐国之高士也。衍,人臣也。使事有职,吾不愿见鲁仲连先生。"及见衍,衍曰:"吾视此围城之中者,皆有求于平原君者也;今吾观先生之玉貌⑪,非有求于平原君者也。"又曰:"始以先生为庸人,吾乃今日知先生为天下之士也。"

是三者重沓熟复,如骏马下驻千丈坡,其文势正尔。风行于上而水波,真天下之至文也。

[注释]

①殆:如同。②击节:拍掌叫绝。③魏公子无忌:即信陵君。战国四公子之一,有门客三千人。④使:出使。⑤客:门客。⑥面折:当面指责。⑦卒:终于。⑧相士:鉴别选拔人才。⑨九鼎大吕:古代国家宝器,比喻分量之重。九鼎,相传为夏禹铸造,象征九州。大吕,为乐器钟名。⑩绍介:介绍。⑪玉貌:对别人容貌的尊称。

[译文]

《史记》文章之精妙不必论说。如果一定要一一指明它的简洁精妙之处,那就像描画星星和太阳的光辉,只能表明他不自量力。

然而我每次读到书中《魏世家》、《苏秦列传》、《平原君列传》和《鲁仲连列传》时,没有不为之感动而拍案叫绝的,我自己也说不出个所以然的道理来。

魏国公子信陵君无忌与魏王谈论韩国事情,说:"韩国必定感激魏国之恩德，爱护魏国，尊重魏国，畏惧魏国，韩国必定不敢反对魏国。"在这短短的十多个字的记述里，连用了五个魏字。

苏秦来到赵国，对赵肃侯陈述选择盟友的利害，说："选择盟友建立友好邦交得当，可使百姓得以安宁。依靠秦国去攻打齐国，百姓不得安宁；依靠齐国去攻打秦国，百姓也不得安宁。"

平原君赵胜出使楚国请求救兵，门客毛遂自荐一同前往。平原君问："先生在我门下几年了？"毛遂回答说："已经三年了。"平原君说："先生您到我门下三年了，左右从来没有人称道过你，我也没有听谁说过你，这就说明你没有什么才能。因此，不能随我同行，你就留下吧！"毛遂不肯，坚持请求一起同行，平原君只好答应了。毛遂来到楚国之后，平原君同楚王进行会谈，从早上谈判到中午，楚王不置可否。毛遂挺身而出，当面指责楚王道："我们平原君在此与你交谈，你大声嚷些什么？"说着左手端起一盘血，右手招呼在场的十九名随行人员，其雄风英姿，跃跃欲试，于千年之后的今日还可以想见，使人敬仰惊叹。最后终于说服了楚王，完成了合纵任务，与楚国签订了友好盟约而归。

平原君一行回国后，平原君说："我再不敢鉴别士人了。我所考察鉴别的士人，多时达千人，少说也上百，自以为不会看错，不会埋没天下人才，而竟没有看出毛先生来。毛先生一到楚国，使赵国的威严和地位一下子提高许多。先生的三寸之舌，胜过百万雄师。我再也不敢自以为是地鉴别人才了。"

秦军出兵攻打赵国，包围了都城邯郸。鲁仲连见到平原君问道："事情该怎么办？"平原君说："我还能说什么呢？魏国客将军辛垣衍让赵国向秦国进帝号，他现在正在这里，我还敢说什么呢？"鲁仲连说："我以前认为你是天下的贤公子，现在才知道你并非天下的贤公子。客人辛垣衍在什么地方？"平原君见到辛垣衍说："齐国有一位叫鲁仲连的先生，请我介绍同将军你交为朋友。"辛垣衍说:"我听说鲁仲连是齐国的高士。我不过是别人的一个小臣,而且有公务在身,我不想见鲁仲连先生。"鲁仲连见到辛垣衍,辛垣衍说:"我看居住在这个被围城中的人,都是有求于平原君的。然而,我看你的容貌,不像是有求于平原君的人。"又说:"起初我认为先生是个庸人,今天我才知道先生是天下真正的高士。"

以上这三个例子,反复相述,就像骏马从千丈高坡向下奔驰。文章气势磅礴凌厉,犹如风吹在水面上而激起的波浪,真是天下精妙绝伦的文章啊!

贫富习常

少时见前辈一说云:"富人有子不自乳①,而使人弃其子而乳之;贫人有子不得自乳,而弃之以乳他人之子。富人懒行,而使人肩舆②;贫人不得行,而又肩舆人。是皆习以为常而不察也。天下事,习以为常而不察者,推此亦多矣,而人不以为异,悲夫!"甚爱其论。后乃得之于晁以道③《客语》中,故谨书之,益广其传。

[注释]

①自乳:自己哺乳。②肩舆:抬人以行。③晁以道:晁说之,字以道,一字伯以,自号迂迂生。宋文学家,工诗,善画山水。

[译文]

小时候听长辈人说:"富贵人家有了孩子不亲自喂奶,而让别人抛弃自己的孩子来喂奶;穷人家有了孩子不能自己喂养,丢下自己的孩子去喂养别人家的孩子。富人懒于行走,而让人抬着他走;穷人不能自己轻松行走,而要抬着别人走。这些现象都被人们习以为常而忽视了。天下的事,习以为常后就视而不见者,以此类推还有很多，人们对此却并不感到奇怪，这太可悲了。"我十分赞成这种说法。后来在晁以道的《客语》中又看到了这样的话，所以我恭敬地把它抄在这里，以便使它能传播得更广些。

卷 六

糖霜谱

糖霜之名,唐以前无所见,自古食蔗者始为蔗浆,宋玉《招魂》所谓"胹鳖炮羔有柘浆"是也。其后为蔗饧①,孙亮使黄门就中藏吏取交州②献甘蔗饧是也。后又为石蜜,《南中八郡志》云:"笮甘蔗汁,曝成饴,谓之石蜜。"《本草》亦云"炼糖和乳为石蜜"是也。后又为蔗酒,唐赤土国③用甘蔗作酒,杂以紫瓜根是也。唐太宗遣使至摩揭陀国④,取熬糖法,即诏扬州上诸蔗,榨沸如其剂,色味愈⑤于西域远甚,然只是今之沙糖。蔗之技尽于此⑥,不言作霜,然则糖霜非古也。历世诗人模奇写异⑦,亦无一章一句言之,唯东坡公过金山寺,作诗送遂宁僧圆宝云:"涪江与中泠,共此一味水。冰盘荐琥珀,何以糖霜美。"黄鲁直在戎州,作颂答梓州雍熙长老寄糖霜云:"远寄蔗霜知有味,胜于崔子水晶盐。正宗扫地从谁说,我舌犹能及鼻尖。"则遂宁糖霜见于文字者,实始二公。甘蔗所在皆植,独福唐、四明、番禺、广汉、遂宁有糖冰;而遂宁为冠⑧。四郡所产甚微,而颗碎色浅味薄,才比遂之最下者,亦皆起于近世。唐大历中,有邹和尚者,始来小溪之伞山,教民黄氏以造霜之法。伞山在县北二十里,山前后为蔗田者十之四,糖霜户十之三。蔗有四色,曰杜蔗,曰西蔗,曰芳蔗,《本草》所谓荻蔗也;曰红蔗,《本草》昆仑蔗也。红蔗止堪生啖⑨;芳蔗可作沙糖;西蔗可作霜,色浅,土人不甚贵⑩。杜蔗紫嫩,味极厚,专用作霜。凡蔗最困地力,今年为蔗田者,明年改种五谷以息之⑪。霜户器用,曰蔗削,曰蔗镰,曰蔗凳,曰蔗碾,曰榨斗,曰榨床,曰漆瓮,各有制度。凡霜,一瓮中品色亦自不同,堆叠如假山者为上,团枝次之,瓮鉴次之,小颗块次之,沙脚为下;紫为上,深琥珀次之,浅黄又次之,浅白为下。宣和初,王黼创应奉司,遂宁常贡外,岁别进数千斤。是时,所产益奇,墙壁或方寸,应奉司罢,乃不再见。当时因之大扰,败本业者居半,久而未复。遂宁王灼作《糖霜谱》七篇,具载其说,予采取之以广闻见。

[注释]

①蔗饧:糖稀。②交州:今越南北部。③赤土国:古国名,今马来半岛。④摩揭陀国:古国名,今印度比哈尔部东南。⑤愈:超过。⑥尽于此:只有这些。⑦模奇写异:猎奇。⑧冠:第一。⑨止堪生啖:只能生吃。⑩贵:贵重,稀罕。⑪以息之:让田地休息。

[译文]

糖霜的名字,唐以前没有见过。古代吃蔗糖,最早制成的叫做蔗浆,宋玉《招魂》所说的"胹鳖炮羔有柘浆",就是这个东西。后来出现了糖稀,孙亮派黄门到中藏吏那里取交州所献的甘蔗饧,甘蔗饧就是糖稀。后来又出现了石蜜,《南中八郡志》说:"榨甘蔗汁,晒成饴状的东西,就叫做石蜜。"《本草》里也说:"炼糖和乳混合而成的东西叫石蜜。"后来又出现了蔗酒,唐时赤土国用甘蔗作酒,杂以紫瓜根,就是这个东西。唐太宗派使者到摩揭陀国去,学来熬糖的方法，便下诏扬州地区上交甘蔗，用这种方法榨糖，色味都比西域糖要好，实际上就是今天的沙糖。

　　蔗糖制作的技术只有这些，并不曾说过作糖霜的话，那么至于说糖霜的制作，则是近代的事情。历来诗人喜欢猎奇，也无一章一句提到过。只有苏东坡先生过金山寺时，赋诗送给遂宁僧人圆宝，这里提到："涪江与中泠，共此一味水。冰盘荐琥珀，何以糖霜美。"黄庭坚先生在戎州作诗答谢梓州雍熙长老寄赠糖霜时写道："远寄蔗霜知有味，胜于崔子水晶盐。正宗扫地从谁说，我舌犹能及鼻尖。"遂宁糖霜见于文字记载，的确是从苏、黄二位开始的。

　　甘蔗到处都种，只有福唐、四明、番禺（今属广东）、广汉、遂宁出产糖冰，其中遂宁的最好，其他四个地方的产量低，而且颗碎、色浅、味薄，只能抵得上遂宁最低的等级，也都是近代才学会制作的。唐代宗大历年间，有个叫邹和尚的人来到小溪的伞山，开始教当地一个姓黄的老百姓制作糖霜的方法。伞山在小溪县城北二十里，山前山后十分之四的土地都种上了甘蔗，十分之三的人家从事熬糖的工作。当地的甘蔗有四个品种：杜蔗、西蔗、芎蔗，即《本草》所说的荻蔗、红蔗——即《本草》上的昆仑蔗。红蔗只能生吃；芎蔗可作沙糖；西蔗可作糖霜，因其色浅，当地人不很稀罕；杜蔗紫嫩，味极甜，专门用来作糖霜。种甘蔗最耗地力，今年种蔗田，明年必须改种粮食以休息地力。制作糖霜人家所持的器械，有蔗削、蔗镰、蔗凳、蔗碾、榨斗、榨床、漆瓮等，各有标准。一瓮之中的糖霜质量也分不同的等级，堆叠得像假山一样的为上等，像团枝一样的稍次一些，像瓮鉴一样的再次些，小颗粒的再次些，像沙子一样的为末等。从颜色上说，一等为紫色，二等为深琥珀色，浅黄为三等，浅白为下。徽宗宣和初年，王黼创设应奉司，遂宁在定额之外，每年还必须另外贡献几千斤。当时，出产很少，应奉官吏之后，就再见不到了。搞得人心惶惶，破产者过半，元气很长时间恢复不过来。遂宁人王灼作《糖霜谱》七篇,把这件事记载得很详细,我采摘一些过来使之传播得更广泛些。

汉武帝喜杀人者

汉武帝天资刚严,闻臣下有杀人者,不唯①不加之罪,更喜而褒称之。李广以故将军屏居②蓝田,夜出至亭③,为霸陵醉尉所辱。居无何④,拜⑤右北平太守,请尉与俱⑥至军而斩之,上书自陈谢罪。上报曰:"将军者,国之爪牙⑦也。怒形则千里竦⑧,威振则万物伏⑨。夫报忿除害,朕之所图于将军也。若乃免冠徒跣⑩,稽颡请罪⑪,岂朕之指哉!"胡建守军正丞,时监军御史穿北军垒垣以为贾区⑫,建欲诛之。当选士马日,御史与护军诸校列坐堂皇上,建趋至拜谒,因令走卒曳御史下,斩之。遂上奏曰:"案军法:正亡属将军,将军有罪以闻,二千石以下行法焉。丞于用法疑,臣谨以斩。"谓丞属军正,斩御史于法有疑。制曰:"三王或誓于军中,欲民先成其虑也;或誓于军门之外,欲民先意以待事也;或将交刃⑬而誓,致民志也。建又何疑焉?"建由是显名。

观此二诏,岂不开妄杀之路乎?

[注释]

①不唯:不但。②屏居:隐居。③亭:汉代乡村每十里设立一亭。④居无何:过了不久。⑤拜:授,升任。⑥请尉与俱:请求将霸陵尉随他一起调出。⑦爪牙:武臣,亲信。⑧竦:惊竦、害怕。⑨伏:震伏。⑩免冠徒跣:脱下帽子,赤着脚。⑪稽颡请罪:磕头谢罪。颡,额头,脑门。⑫穿北军垒垣以为贾区:意思是推倒北军构建起来的院墙作为商业区。⑬交刃:交战。

[译文]

汉武帝天性刚直严厉,知道臣下杀人,不但不加以治罪,反而高兴地加以赞扬。李广以故将军的身份退居蓝田,一天夜晚,外出来到亭地,被喝醉了酒的霸陵尉羞辱一番。不久,李广被任命为右北平太守,请将霸陵尉调出随他一起前往,到了军营就被斩首,接着上书谢罪。武帝批复道:"将军为国家的大臣,发怒可使千里地方惊恐,奋威可使万物倒伏。报仇除害,正是我对将军你的期望。如果你摘帽赤脚,叩头谢罪,这哪里是我期望的啊?"

胡建代理军正丞,监军御史推倒北军的一堵院墙作为军市进行商业贸易,胡建准备斩了他。在挑选战士的那一天,御史和护军诸校尉站在武帝的两边,胡建跨前拜谒过皇上后,命令随从把御史拖下去斩掉。于是上奏武帝说:"按照军法,军正不为将军统属,将军有罪要及时报告,二千石以下的官吏可以就地处置。我对军法有点疑问,但我还是把监军御史斩了。"这是说军丞应隶属于军正,斩御史不知是否合法。武帝答复说:"三王之中,有的在军中起誓,这是想让人民不要有疑虑;有的在军门之外誓师,这是让人民先有个思想准备;有的则在战前誓师,这是为了鼓励斗志。你有什么疑虑的呢?"胡建由此出了名。

看了这两道诏书之后,汉武帝怎能不开妄杀之戒呢?

知人之难

霍光事武帝,但为奉车都尉。出则奉车①,入侍左右。虽以小心谨饬亲信,初未尝少见于事也。一旦位诸百寮之上,使之受遗当国②。金日磾③以胡父不降,没④入官养马,上因游宴,见马于造次顷刻间,异其为人,即日亲近,其后遂为光副⑤。两人皆能称上所委,然一日用四人,若上官桀、桑弘羊亦同时辅政,几于欲害霍光,苟非昭帝之明,社稷危矣!则其知人之哲,得失相半,为未能尽。此虽帝尧之圣而以为难也。

[注释]

①奉车:侍奉车舆。②当国:执掌朝政。③金日磾:西汉匈奴人,字叔翁,武帝时归汉,赐姓金,卒谥敬。④没:籍没。⑤副:助手。

[译文]

霍光辅佐汉武帝时,官职仅为奉车都尉。汉武帝出行,霍光就主管辇车,紧跟在前后左右侍奉,虽然小心谨慎对待汉武帝的亲近和信任,也了解了不少宫中内幕,终于身居百官之上的高位,接受嘱托,主持朝政。金日磾由于他的父亲是胡人不肯投降汉人,被抄没入宫中养马。汉武帝曾经在游玩时偶然见到了他所养的马,对他这个人感到奇异,于是很快就与他亲近起来,后来金日磾终于成为霍光的助手。霍光和金日磾两人都能符合汉武帝所交办事务的要求。但是汉武帝同时起用四个人,使上官桀和桑弘羊也同时辅佐朝政。他们几次想杀害霍光,如果不是昭帝的英明,国家就十分危险了!以武帝的睿智,只能说是得失参半,不能做到尽善尽美。可见即使圣明的帝尧,也对知人犯难啊!

卷 七

盛衰不可常

东坡谓废兴成毁不可得而知①。予每读书史，追悼古昔，未尝不掩卷而叹。伶子予②叙《赵飞燕传》，极道其姊弟③一时之盛，而终之以荒田野草之悲，言盛之不可留，衰之不可推④，正此意也。

国初时，工部尚书杨玢长安旧居，多为邻里侵占，子弟欲以状诉其事，玢批纸尾，有"试上含元基上望，秋风秋草正离离⑤"之句。方去唐末百年，而故宫殿已如此，殆于宗周《黍离》之咏⑥矣。慈恩寺塔有荆叔⑦所题一绝句，字极小而端劲⑧，最为感人。其词曰："汉国河山在，秦陵草木深。暮云千里色，无处不伤心。"旨意高远，不知为何人，必唐世诗流所作也。李峤⑨《汾阳行》云："富贵荣华能几时？山川满目泪沾衣。不见只今汾水上，唯有年年秋雁飞。"明皇闻之，至于泣下。杜甫《观画马图》云："忆昔巡幸新丰宫，翠华拂衣来向东。腾骧磊落三万匹，皆与此图筋骨同。""君不见金粟堆前松柏里，龙媒去尽鸟呼风⑩。"《公孙大娘弟子舞剑器行》云:"先帝侍女八千人,公孙剑器初第一。五十年间似反掌,风尘澒洞昏王室。梨园弟子散如烟,女乐余姿映寒日。"

元微之《连昌宫词》云:"两京定后六七年,却寻家舍行宫前。庄园烧尽有枯井,行宫门闼⑪树宛然。"又云:"舞榭欹倾⑫基尚存,文窗⑬窈窕纱犹绿。""上皇偏爱临砌花,依然御塌临街斜。""寝殿相连端正楼,太真梳洗楼上头。晨光未出廉⑭影黑,至今反挂珊瑚钩。指似傍人因恸哭,却出宫门泪相续。"凡此诸篇,不可胜记。

《飞燕别传》以为伶玄所作,又有玄自叙及桓谭跋⑮语。予窃⑯有疑焉,不唯其书太媟,云扬雄独知之,雄贪名矫激,谢不与交;为河东都尉,捽辱⑰决曹班躅,躅从兄子彪⑱续司马《史记》,绌子于无所叙录,皆恐不然。而自云:"成哀之世,为淮南相。"案:是时淮南国绝久矣,可昭其妄也。因序次诸诗,聊载于此。

[注释]

①不可得而知:不能预先得知。②伶子予:伶玄,字子予,西汉人,官至淮南相。③其姊弟:指赵飞燕姐妹。④推:改变。⑤离离:茂盛。⑥《黍离》之咏:《黍离》诗中说:"彼黍离离",意思是那茂盛的野黍啊!⑦荆叔:唐朝诗人。⑧端劲:端正道劲。⑨李峤:唐朝诗人,与杜审言、崔融、苏味道并称为文章四友。⑩龙媒去尽鸟呼风:骏马已经不见,只有鸟在大风中鸣叫。⑪门闼:宫门。⑫欹倾:歪倒,歪斜。⑬文窗:刻有花纹的窗子。⑭廉:同"帘"。⑮桓谭:字君山,东汉著名思想家,博学多才,著有《新论》。跋:文章或书籍正文后面的短文。⑯窃:谦辞,指自己。⑰捽辱:殴打。⑱彪:班彪,字叔皮,东汉史学家。撰《史记后传》数十篇。

[译文]

苏东坡说兴盛与衰落,成功与失败,无法预先得知。每当我阅读史书，追思往古的人事，没有一次不是合上书卷便长长感叹。汉代伶玄写《赵飞燕传》，极力渲染赵飞燕姐妹二人一时间的荣宠，却以荒田野草的悲凉作为结尾，所谓贵盛不能永留，衰落是不可改变的结局，说的正是这个意思。

宋朝初年，工部尚书杨玢在长安的旧居有不少被邻居们侵占去了，杨家的后代想递状告这件事，杨玢在状纸末尾批写了"试上含元基上望，秋风秋草正离离"的诗句。唐朝灭亡还不到一百年，而故宫旧殿就变成这般模样，几乎和宗周《黍离》中歌咏的"彼黍离离"差不多了。慈恩寺的塔壁上有荆叔题写的一首绝句，字很小但很端正遒劲，写得非常感人。这首诗写道："汉国河山在，秦陵草木深。暮云千里色，无处不伤心。"寓意深沉高远，不知作者荆叔是什么人，但肯定是唐代诗人的笔墨。李峤《汾阳行》说："富贵荣华能几时？山川满目泪沾衣。不见只今汾水上，唯有年年秋雁飞。"唐玄宗读了之后，竟然为之伤心落下了眼泪。杜甫《观画马图》诗说："忆昔巡幸新丰宫，翠华拂衣来向东。腾骧磊落三万匹，皆与此图筋骨同。""君不见金粟堆前松柏里，龙媒去尽鸟呼风。"《公孙大娘弟子舞剑器行》说："先帝侍女八千人，公孙剑器初第一。五十年间似反掌，风尘澒洞昏王室。梨园弟子散如烟，女乐余姿映寒日。"

元微之《连昌宫词》说："两京定后六七年，却寻家舍行宫前。庄园烧尽有枯井，行宫门闼树宛然。"又说："舞榭欹倾基尚存，文窗窈窕纱犹绿。""上皇偏爱临砌花，依然御榻临阶斜。""寝殿相连端正楼，太真梳洗楼上头。晨光未出帘影黑，至今反挂珊瑚钩。指似傍人因恸哭，却出宫门泪相续。"总之这样的诗篇，多得无法计数。

《飞燕别传》世传为西汉伶玄所写，书中载有伶玄的自叙和桓谭的跋语，我对此颇有怀疑，不单单是因为这本书描写猥亵，至于说扬雄了解他,说扬雄由于顾惜名声,掩盖真情,所以不与伶玄交往;还有人说伶玄曾任河东都尉,殴打过决狱官班躅,班躅叔伯兄长的儿子班彪续写司马迁《史记》时,以伶玄没有像样的著述为由把他排除于史书之外。这些说法都不可信。伶玄自序中说:"汉成帝、哀帝时任淮南王相。"按:成帝、哀帝时淮南国早就亡了,足可证明这种说法的荒谬。因而,摘录这些诗篇,附言于此。

风灾霜旱

庆元四年,饶州盛夏中,时雨频降,六七月之间未曾请祷,农家水车龙具①,倚②之于壁,父老以为所未见,指期③西成有秋,当倍常岁,而低下之田,遂以潦告。余干、安仁乃于八月罹地火之厄④。地火者,盖苗根及心,蘖虫生之,茎干焦枯,如火烈烈,正古之所谓蟊贼⑤也。九月十四日,严霜连降,晚稻未实者,皆为所薄⑥,不能复生,诸县多然。有常产者,诉于郡县,郡守孜孜爱民,有意蠲租⑦,然僚吏多云:"在法无此两项。"又云:"九月正是霜降节,不足为异。"案白乐天讽谏《杜陵叟》一篇曰:"九月霜降秋早寒,禾穗未熟皆青干。长吏明知不申破,急敛暴征求考课。"此明证也。予因记元祐五年苏公守杭日,与宰相吕汲公书,论浙西灾伤曰:"贤哲一闻此言,理无不行,但恐世俗谄薄成风,揣所乐闻与所忌讳,争言无灾,或有灾而不甚损。八月之末,秀州数千人诉风灾,吏以为法有诉水旱而无诉风灾,闭拒不纳,老幼相腾践,死者十一人,由此言之,吏不喜言灾者,盖十人而九,不可不察也。"苏公及此,可谓仁人之言,岂非昔人立法之初,如所谓风灾、所谓早霜之类;非如水旱之田可以稽考,惧贪民乘时,或成冒滥,故不轻启其端。今日之计，固难添创条式。但凡有灾伤，出于水旱之外者，专委良守令推而行之，则实惠及民；可以救其流亡之祸，仁政之上也。

[注释]

①水车龙具：抽水车、翻水车。②倚：斜靠。③指期：许愿。④罹：遭受。厄：灾害。⑤蟊贼：食庄稼的害虫。比喻危害国家或民众的人。⑥薄：侵袭。⑦蠲租：减免租税。

[译文]

宋宁宗庆元四年（1198年），饶州（今江西鄱阳）盛夏时节，连连降雨，六月、七月两个月，当地人一次也没有祈求降雨，家里的水车和翻水车都斜靠在家中的墙壁上，老年人都说像这样的天气以前都没有见到过。于是他们许愿秋天有收成，将用多出往年一倍的祭品来答谢上天。然而，低洼地方的田地还是被水淹了。

余干、安仁两县在八月里又遭受了地火之灾。所谓地火，是庄稼从苗根到苗心都生虫子，致使庄稼的茎变枯变焦，这就是古时候所说的"蟊贼"之害。九月十四日，又连续降霜，凡是晚稻未灌浆成粒的大都遭霜冻，不能再长成粒。州所属各县也大都如此。一些有田产的农夫到郡县衙门去报灾情，知州是一位体察民情的官员，闻知此情，便有了减免租税的打算，可是下属官员们却纷纷说："法律中没有规定这两种情况可以减免租税呀！"还说："九月里正是霜降季节，下霜不足为奇。"我考察白居易在《杜陵叟》诗中说："九月霜降秋早寒，禾穗未熟皆青干。长吏明知不申破，急敛暴征求考课。"这是说九月应该下霜的明证。我因而又记起哲宗元祐五年（1009年）苏轼担任杭州太守时，给宰相吕大防写过一封信，谈及浙江西部灾害情况时说："圣贤哲人听到这些灾情，绝不会放任不管的。只是俗庸人欺上瞒下已成恶习，报喜不报忧，争先恐后说没有灾情，或者是有灾情而损失不大。八月末，秀州几千人向政府诉说灾情，但地方官吏认为法律上有水灾、旱灾，没有风灾，就拒绝接受减免租税。请愿的人蜂拥云涌，踩死者十一人。由此看来，大概十分之九的官吏不愿意上报灾情。这一点，不能不予明察。"苏轼把话说到这份上，可谓是仁人之言了。这是不是前朝人创立法律的时候，考虑到风灾、霜灾一类的灾情不像旱、涝灾害一看即知，而怕一些刁民借此为由，冒领赈济、滥减租赋，所以不便将这些灾情纳入法律条文呢？如今看来，今天要把这些灾害纳入法律条文有一定的困难。但是出现灾害，哪怕不是水旱之灾，朝廷也应该专门委派贤良的地方官员进行救助，减免租税，这样便可以使老百姓切实地感受天子的恩惠，避免造成大量灾民的流离失所之祸，这也是施仁政的上策。

卷　八

白居易出位

　　白居易为左赞善大夫，盗杀武元衡，京都震扰。居易首上疏，请亟①捕贼，刷朝廷耻，以必得为期②。宰相嫌其出位③，不悦，因是贬江州司马。此《唐书》本传语也。案是时宰相张弘靖、韦贯之，弘靖不足道，贯之于是为失④矣，白集载与杨虞卿书云："左降⑤诏下，明日而东，思欲一陈于左右。去年六月，盗杀右丞相于通衢⑥中，迸血体⑦，磔发肉⑧，所不忍道。合朝震慄，不知所云。仆⑨以书籍以来，未有此事。苟有所见，虽畎亩皂隶之臣，不当默默，况在班列，而能胜其痛愤邪？故武丞相之气平明绝，仆之书奏日午入。两日之内，满城知之，其不与者，或语以伪言，或陷以非语，皆曰：'丞、郎、给、舍、谏官、御史尚未论请，而赞善大夫何反忧国之甚也？'仆闻此语，退而思之，赞善大夫诚贱冗耳，朝廷有非常事，即日独进封章，谓之忠，谓之愤，亦无愧矣！谓之妄，谓之狂，又敢逃乎？以此获辜，顾何如耳，况又不以此为罪名乎！"白之自述如此。然则一时指为出位者，不但宰相而已也。史又曰："居易母坠井死，而赋《新井篇》，以是左降。"前书所谓"不以此为罪名"者是已。

[注释]

①亟：立即。②必得为期：限期捉拿凶手。③出位：超越自己职位。④为失：有失误。⑤左降：降黜。⑥通衢：大街。⑦迸血体：满身血浆。⑧磔发肉：头发和肉体被砍碎。⑨仆：我之谦称。

[译文]

白居易在任左赞善大夫时，有盗贼公然在大道上杀死了右丞相武元衡，整个京都震恐不安。白居易首先上疏朝廷，请求立即逮捕凶手盗贼，洗刷朝廷的耻辱，要以一定抓到为目的。当时在任的宰相以为白居易的上疏超越了自己的本分，感到不高兴，白居易因此被贬为江州司马。这是《唐书》本传里的记载。经查，当时的宰相是张弘靖、韦贯之，张弘靖其人不值得一提，韦贯之在这件事上是有失误的，白居易文集中的《与杨虞卿书》详细记述了事情的经过：

"贬职的诏书已经下达，第二天就要东行到江州了。我想向你陈说。去年六月，盗贼杀了右丞相武元衡，死在大道上，血浆迸溅，肉发碎裂，惨不忍睹。整个朝廷为之震惊，不知道说什么才好。我认为有史以来还没有过这样的事。如果有所见解，即使是卑鄙的仆役也不应当保持沉默，何况我是朝中班列的臣子，怎么能忍受这种悲痛和愤慨呢？所以在丞相武元衡被杀身亡的当天下午，我就入宫上疏。两天时间里，整个京城都知道了这件事。凡是不同意我意见的人，有的在说假话，有的用坏话诬陷我，都说：'丞相、侍郎、给事中、舍人、谏官和御史还没有发表意见，而一个赞善大夫却反而如此深切地担忧国事？'我听到这些话，回来反复琢磨，觉得赞善大夫确实职卑低下闲散，朝廷有特殊之事，当天就上奏封章，要说这是忠诚，这是愤慨，应当说是当之无愧的！说这是妄，这是狂,我怎么还又敢为自己洗刷呢?我因此而获罪,我能有什么办法呢?何况为我加的罪名还不是这么一条呢!"

白居易的自叙就是这样。然而,当时指责白居易超越本分,还不只是宰相而已。史书中还说:"白居易的母亲是坠井而死,白居易写了《新井篇》,因此被降职。"上面所说不因为越位的事而被加上罪名,指的就是这件事。

醉翁亭记酒经

欧阳公《醉翁亭记》、东坡公《酒经》,皆以"也"一字为绝句。欧阳二十一"也"字,坡用十六"也"字,欧记人人能读,至于《酒经》,知之者盖无几。坡公尝云:"欧阳作①此记,其词玩易,盖戏云耳,不自以为奇特也。而妄庸者作欧语云:'平生为此文最得意。'又云:'吾不能为退之《画记》,退之不能为吾《醉翁亭记》。'此又大妄②也。"坡《酒经》每一"也"字上必押韵,暗寓于赋,而读之者不觉,其激昂渊妙,殊非世间笔墨所能形容,今尽载于此,以示后生辈。其词云:"南方之氓,以糯与粳,杂以卉药而为饼,嗅之香,嚼之辣,揣之枵然③而轻,此饼之良者也。吾始取面而起肥之,和之以姜液,蹔烝之使十裂,绳穿而风戾④之,愈久而益悍,此曲之精者也。米五斗为率,而五分之⑤,为三斗者一,为五升者四,三斗者以为酿;五升者以投,三投而止,尚有五升之赢也。始酿,以四两之饼,而每投以二两之曲;皆泽以少水,足以散解而均停也,酿者必瓮按而井泓之,三日而井溢,此吾酒之萌也。酒之始萌也,甚烈而微苦,盖三投而后平也。凡饼烈而曲和,投者必屡尝而增损之,以舌为权衡⑥也。既溢之三日乃投,九日三投,通十有五日而后定也。既定乃注以斗水,凡水必熟而冷者也。凡酿与投,必寒之而后下;此炎州之令也。既水五日乃篘⑦,得二斗有半,此吾酒之正也。先篘半日,取所谓羸者为粥,米一而水三之,揉以饼曲,凡四两,二物并也。投之糟中,熟捐⑧而再酿之,五日压得斗有半,此吾酒之少劲者也。劲、正合为四斗,又五日而饮,则和而力,严而不猛也。篘绝不旋踵而粥投之,少留则糟枯中风而酒病也。酿久者酒醇而丰,速者反是,故吾酒三十日而成也。"此文如太牢八珍⑨,咀嚼不嫌于致力,则真味愈隽永⑩,然未易为俊快者言也。

[注释]

①作:假托。②大妄:胡说。③枅然:十分。④风戾:风处吹干。⑤五分之:分成五份。⑥权衡:确定。⑦篘:漉取。⑧捐:用双手揉搓。⑨太牢八珍:祭祀用的八种奇味。⑩隽永:绵绵不断。

[译文]

欧阳修的《醉翁亭记》和苏东坡的《酒经》,都是用"也"字做语尾的。欧阳修用了二十一个"也"字,苏东坡共用了十六个"也"字。《醉翁亭记》这篇文章读的人很多,为人们所熟知;而《酒经》这篇文章,知道的人并不多。

苏东坡曾经说:"欧阳修的《醉翁亭记》,遣词用语平易,实为游戏之作,他并不以为有什么奇特之处。而一些庸俗之徒却假托欧阳修的话说:'平生所作文章这是最得意的一篇。'又说:'我虽然写不出韩愈的《画记》,韩愈也写不出我的《醉翁亭记》。'这些都是信口开河。"苏东坡《酒经》中的"也"字,用得非常奇巧。每用"也"字,上面的字一定要押韵,暗寓于赋。而一些读者往往不去细心体会。这篇文章激扬畅快,深刻奥妙,是很难用人间笔墨形容得出的。现将全文录之于下,以供后生学人赏析。

文章说:"南方的百姓,用糯米和粳米,掺上些花卉制成药粉团合成饼,闻起来很香,咀嚼起来有点辣味,掂着十分轻,这种饼是最好的饼。我开始取些面来,加入此饼把面发起来,再用姜汁水和好面,上火蒸,使它迸裂开来,再用绳子分别将它穿起来,放在当风处吹干,风干得时间越长就越坚固。这种曲是最好的曲。其后,取米五斗,分成五份,其中三斗合为一份,另外两斗分成四份。三斗一份用来酿酒,五升的四份用来掺入。放入三份后停下来,这样还余有五升。

"开始酿制时,取四两的酒饼,再取二两的酒曲都先浸上少量的水,足够将其泡开成为均匀的曲浆便可以了。酿制时一定要用大瓮压好并用井水将瓮边灌满,使它风气不透,三日之后,边缘的井水开始冒泡,这时酒开始出现了。

"刚出来的酒,十分浓烈,稍有些苦味,大约掺入三次米后,便趋向平和了。凡是酒饼劲足而酒曲比较平和的,掺米时一定要时时品尝,随时予以多掺还是少掺以自己舌头感觉来定。一般在井水发泡三天后开始掺米,九日内掺上三次,总共十五天后,酒便酿成了。初成的酒,要灌入一斗左右的水,这水一定要先烧开再晾凉。凡是酿酒和掺米,一定要在晾凉后再开始操作,这在炎热的南方尤其要遵守。加水五日后过滤,得到酒二斗半,这是我制出正规的酒。"

"过滤半天后,要将那些溢出粥一样的黏糊的东西取出来,三份水加上一份米,和上酒饼和酒曲,共四两,两种东西合在一起投放到酒槽里,反复搅拌后再酿。五天后又能压出一斗半酒,这是我所说的更浓烈的酒。将上述正规的酒和更浓烈的酒混合在一起,可得酒四斗。再过五天饮用,那就平和而有酒劲,浓香但不酷烈了。过滤后立即将粥样的稠物掺进去,稍迟了酒糟便发干,中间变空,再制出的酒便不好了。酿制时间长的酒香气醇厚而气味馥郁,相反，酿制时间短的酒则香气就淡薄了。因此，我酿酒往往三十天才完成。"

这篇文章就像是祭祀用的八种奇珍美味，品味时不要怕吃力，其中的真味越读越觉得绵绵不断，美不胜收，只是其中之味没法给那些匆匆一阅的人说清楚。

卷 九

东不可名园

今人事馆园池,多即其方隅①以命名。如东园、东亭、西池、南馆、北榭之类,固为简雅,然有当避地处。欧阳公作《真州东园记》最显。案:《汉书·百官表》:"将作少府,掌治宫室。属官有东园主章。"注云:"章谓大材也。主章掌大材,以供东园大匠。"绍兴三十年,予为省试参详官,主司委出词科②题,同院或欲以"东园主章"为箴③,予曰:"君但知汉表耳!《霍光传》:'光之丧,赐东园温明。'服虔曰:'东园处此器,以镜置其中,以悬尸上。'师古曰:'东园,名也,属少府。其署主作此器。'《董贤传》:'东园秘器以赐贤。'注引《汉旧仪》:东园秘器作棺。若是,岂佳处乎?"同院惊谢而退。然则以东名园,是为不可。予有两园,适居东西,故扁④西为西园,而以东为东圃,盖避此也。

[注释]

①方隅:方位。②词科:宋代科举考试科目,为宏词科、词学兼茂科与

博学宏词科三科的通称。③箴:试题。④扁:通"匾",匾额。

[译文]

现在人们往往用方位来给亭台、楼馆、园林、水池命名,而没有什么忌讳。如东园、东亭、西池、南馆、北榭等,这样的名字,固然简洁典雅,可也有应当回避而不用的。欧阳修所写的《真州东园记》一文,就明显地犯了这一忌讳。

《汉书·百官公卿表》中说:"将作少府主管宫室营建,它的属官有东园主章。"在这段记载下加注说:"章指的是硕大的木材。主章主管搜求木材,供东园的工匠使用。"宋高宗绍兴三十年(1160年),我担任科举省试参详官,上级委托我们出词科考题。同事中有人想以"东园主章"为题。我说:"先生只知道《汉书·百官公卿表》,却不知道《汉书·霍光传》说霍光死后,朝廷赐予东园所制作的葬器。服虔解释说:'东园所制作的这种葬器,用一面镜子放在其中,悬挂在尸体上。'颜师古注说:'东园,是机构的名称,隶属于少府。这个机构负责制作葬器。'《汉书·董贤传》说:'将东园的秘器赐给董贤。'注释引《汉旧仪》的说法即'东园秘器制作棺材'。这样的地方怎么能称得上好去处呢?"同事们听了,颇为吃惊,连忙道歉几句就告辞了。

由此看来,用"东"字作为园的名称是不妥当的。我家有两个庭院,正好一东一西,在西边的园子称为西园,东边的园子不叫东园而叫做东圃,就是为了避开这个忌讳。

卷 十

斯须之敬

今公私宴会,称与主人对席者①曰席面。古者谓之宾、谓之客是已。《仪礼·燕礼篇》:"射人②请宾,公曰:'命某为宾。'宾少进,礼辞。又命之,宾许诺③。"《左传》季氏饮大夫酒,臧纥为客。宋公兼享晋、楚之大夫,赵孟为客。杜预云:"客,一坐④所尊也。"乾道二年十一月,薛季益以权工部侍郎受命使金国,侍从共饯⑤之于吏部尚书厅,陈应求主席⑥,自六部长贰⑦之外,两省官⑧皆预,凡会者十二人。薛在部位最下,应求揖之为客,辞不就,曰:"常时固自有次第⑨,奈何今日不然?"诸公言:"此席正为侍郎设,何辞之为?"薛终不可。予时为右史,最居末坐。给事中王日严目予曰:"景卢能仓卒间应对,愿出一转语折衷之。"予笑谓薛曰:"孟子不云乎?'庸敬在兄,斯须之敬在乡人。'侍郎姑处斯须之敬可也。明日以往,不妨复如常时。"薛无以对,诸公皆称善,遂就席。

[注释]

①对席者：对面坐的人。②射人：司仪。③许诺：答应下来，坐在客位上。④一坐：一席，满席。⑤饯：设宴饯行。⑥主席：主持宴席。⑦六部长贰：六部正副长官。长，长官，尚书。贰，副长官，侍郎。⑧两省官：中书省、门下省的官员。⑨次第：次序。

[译文]

当今公家或私人举行宴会，都称与主人对面坐的人为席面。古时候叫做宾，叫做客。《仪礼·燕礼篇》中说："司仪延请客人，主人说：'让某人为上宾。'客人走在前面，很有礼貌辞让。主人再次请客人入座，客人才答应，坐在客位上。"《左传》记载季氏请大夫们饮酒，臧纥前来做客为上宾。宋公同时宴请晋、楚两国的大夫，以赵孟为上宾。杜预云："宾客，满座中最受尊敬的人。"

乾道二年十一月，薛季益以权尚书工部侍郎奉命出使金国，侍从官为他饯行，设宴于吏部尚书厅，陈应求主持宴席，除尚书省六部正副长官外，中书门下两省的官员也应邀参加，与会者共十二人。薛季益在六部官员中职位最低，陈应求向他行礼，请他在客座上就位，薛推辞不肯，说："以前的宴会都有固定的次序，为什么今天不是这样？"诸位说："此席是为侍郎你安排设置的，你为什么要推辞呢？"薛季益说什么也不肯就坐。

当时，我担任右史，职位最低，坐在最后一个位置上。给事中王日严望着我说："景卢能随机应变，请你说几句把场面定下来。"我笑着对薛季益说："孟子不是说过吗？'平常恭敬对兄长，暂时恭敬在乡里长者。'薛侍郎姑且暂时受大家一次尊敬吧。明天以后，不妨再改过来，恢复往常那样。"薛侍郎无言回对，在座各位都称赞我讲得妙，于是各入席就坐。

斯须之敬

图书在版编目(CIP)数据

容斋随笔/(南宋)洪迈著;王兴亚注译. —郑州:中州古籍出版社,2010.1(2011.5重印)
(国学经典)
ISBN 978-7-5348-3282-6

Ⅰ.①容… Ⅱ.①洪… ②王… Ⅲ.①笔记-中国-南宋-选集②容斋随笔-注释③容斋随笔-译文 Ⅳ.①Z429.442

中国版本图书馆 CIP 数据核字(2010)第 000170 号

出版社:中州古籍出版社
　　(地址:郑州市经五路 66 号　邮政编码:450002)
发行单位:新华书店
承印单位:安阳市泰亨印刷有限责任公司
开本:640mm×960mm　　1/16　　印张:27.5
字数:340 千字　　　　　　　　印数:5 001 - 9 000 册
版次:2010 年 1 月第 1 版　印次:2011 年 5 月第 2 次印刷

定价:36.00 元
本书如有印装质量问题,由承印厂负责调换。